J'aimerais tant te parler...

ABC de la communication entre Ciel et Terre

Catalogage avant publication de Bibliothèque et Archives Canada

Ouellet, Sylvie, 1964-
J'aimerais tant te parler-- : ABC de la communication entre le ciel et la Terre
Comprend des réf. bibliogr.
ISBN 2-89436-175-0
1. Médiumnité. 2. Spiritisme. 3. Âme - Miscellanées. I. Titre.
BF1288.O93 2006 133.9'1 C2006-941856-X

Nous reconnaissons l'aide financière du gouvernement du Canada par l'entremise du Programme d'aide au développement de l'industrie de l'édition (PADIÉ) pour nos activités d'édition.

Nous remercions la Société de développement des entreprises culturelles du Québec (SODEC) pour son appui à notre programme de publication.

Révision linguistique : Jocelyne Vézina et Amélie Lapierre

Infographie : Caron & Gosselin

Mise en pages : Marjorie Patry

Éditeur : Les Éditions Le Dauphin Blanc inc.
C. P. 55, Loretteville, Qc, Canada, G2B 3W6
Tél. : (418) 845-4045 Téléc. : (418) 845-1933
Courriel : dauphin@mediom.qc.ca
Site Web : www.dauphinblanc.com

ISBN : 2-89436-175-0

Dépôt légal : 4e trimestre 2006
Bibliothèque nationale du Québec
Bibliothèque nationale du Canada

Imprimé au Canada

Sylvie Ouellet

J'aimerais tant te parler…

ABC de la communication entre Ciel et Terre

Le Dauphin Blanc

À vous, chercheurs de Lumière,
qui m'avez confié vos expériences,
merci pour ce grand cadeau.

Puissent-elles en offrir autant
à tous ceux qui les liront.

Sommaire

Sommaire 7

Avant-propos 11

Remerciements 13

Introduction 15

Section 1 :
Qui peut communiquer avec les âmes? 19

Accessibilité des communications 21

Section 2 :
Pourquoi vivons-nous des communications avec des âmes ou avec d'autres énergies subtiles? 29

Besoin fondamental de l'âme 31

Section 3 :
Quelles sont les formes de communication? 37

Communication et ses nombreuses formes 39

Section 4 :
Comment pouvons-nous vivre une communication subtile? 61

Décodage du ressenti 63

Écoute du ressenti 73

Façon personnelle de communiquer 81

Section 5 :
Avons-nous de l'aide pour communiquer avec l'âme? ... 93
Guidance dans la communication ... 95

Section 6 :
Qu'est-ce qui perturbe la communication avec l'âme? 105
Handicaps à la communication ... 107
Intimidation ou invitation ... 119

Section 7 :
Comment pouvons-nous apprivoiser la communication avec l'âme? ... 127
Jeu ... 129
Kermesse de l'âme ... 139

Section 8 :
Comment établir la communication en toute confiance? ... 147
Limites ... 149

Section 9 :
Y a-t-il des dangers à communiquer avec les plans célestes? ... 159
Malaises ... 161
Noirceur ... 177

Section 10 :
Qu'est-ce que la communication avec les âmes apporte? ... 187
Orientations ... 189
Propulsion ... 199

Section 11 :
Doit-on entrer en contact avec une âme qui s'élève? ... 207
Quand et quoi ... 209
Regrets ... 219

Section 12 :
Comment pouvons-nous
comprendre les messages obtenus? 229
Symbolique des messages 231
Transposition 243
Unicité des communications 255
Validation 261

Section 13 :
Comment devenir un phare pour l'âme en détresse? ... 273
Wagon de la vie 275
X... communiquer avec un inconnu 287

Section 14 :
Quels sont les nouveaux états énergétiques
qu'entraîne la communication subtile? 299
Yoyo énergétique 301
Zen 309

Conclusion 317
Bibliographie 325
À propos de l'auteure 329

Avant-propos

Afin de faciliter la lecture et surtout la réflexion sur les informations diffusées dans ce livre, j'aimerais, au préalable, apporter certaines précisions. Tout d'abord, je suggère de lire l'ensemble des chapitres pour avoir une idée globale du sujet avant d'effectuer les exercices. Les chapitres peuvent se lire dans l'ordre ou le désordre selon l'intérêt du lecteur, car ils sont conçus sous forme de thèmes placés dans un ordre alphabétique et non selon un ordre progressif. Il faut donc garder en mémoire que chacune des notions présentées est un complément à celles contenues dans les autres chapitres et que l'ensemble des informations permet d'accroître l'efficacité des exercices.

La communication avec les plans supérieurs fait partie de notre nature profonde. Voilà pourquoi l'esprit du livre est axé principalement sur l'accessibilité et la simplicité de ces communications. Elles font partie intégrante de nous, tout comme la communication avec ceux qui nous entourent. C'est un besoin vital et fondamental que nous sommes amenés à redécouvrir. Nombre de tabous et de peurs existent au sujet de la communication entre Ciel et Terre et il est urgent d'apprivoiser notre voie intérieure afin que tombent ces limitations qui nous gardent à l'extérieur de notre être. La méconnaissance des contacts subtils maintient tabous et peurs bien solidement ancrés en nous. Toutefois, il importe de savoir que la communication subtile ne diffère pas de la communication humaine. Seul l'interlocuteur change.

À l'ère de la mondialisation, de l'ouverture sur le monde, nous acceptons aisément l'idée de communiquer avec le reste du monde pour élargir nos horizons, nos connaissances, nos croyances et notre culture. Cette ère d'ouverture mène également à l'ouverture du cœur pour accueillir ce qui est différent, pour faire tomber les barrières qui nous empêchent de profiter pleinement de tout ce que le reste du monde nous offre. Les limitations d'autrefois qui nous gardaient retranchés sur nos territoires tombent et voilà que la voie de l'exploration devient accessible à tous. Nos perceptions de l'inconnu se modifient et ce qui était auparavant source de danger se transforme en occasion d'apprentissage. Dans ces nombreux changements, nous n'avons toutefois pas perdu notre vigilance et notre discernement. Avant de s'aventurer tête baissée vers une nouvelle avenue, nous en évaluons la pertinence. Ainsi, nous sommes disposés à vivre des expériences enrichissantes dans le respect de notre intégrité et de nos limites.

La découverte de notre nature profonde et des mondes subtils passe par la communication avec notre âme afin de choisir, en tout temps, ce qui est en harmonie avec cette nature profonde. Ouverture, vigilance et discernement sont des attitudes à adopter dans cette exploration et c'est avec celles-ci que le lecteur est convié à vivre ce grand périple vers la «voix du cœur».

Sylvie

Remerciements

La rédaction d'un livre n'est jamais le fruit d'une seule personne. Tout un mouvement énergétique se met en branle pour que ce dernier naisse au moment opportun. Je ne saurais passer sous silence l'apport considérable de mes guides, des archanges Gabriel et Raphaël et de toutes les âmes, incarnées ou désincarnées, qui ont contribué à la matérialisation de ce merveilleux projet. Sans leur contribution énergétique, il est certain que ces lignes n'existeraient pas ou du moins pas encore. Toute ma guidance était au rendez-vous pour m'insuffler les idées, les mots et la compassion nécessaires à chaque moment d'écriture. Pour ce soutien inestimable, je leur exprime ma profonde gratitude. Je suis reconnaissante envers toutes les âmes qui m'ont confié leur expérience de communication ou qui m'ont interpellée. Votre apport est très précieux et je souhaite que vous receviez aussi la reconnaissance des lecteurs qui s'identifieront à vous.

Paul, Alexandra et Mathieu, chers amours de ma vie, je vous remercie de votre amour et de votre soutien inconditionnels, de votre patience et de votre compréhension durant les quelques mois intensifs d'écriture. Je vous en suis reconnaissante. Je vous remercie également pour tout ce que vous m'offrez au quotidien. Cela contribue non seulement à mon cheminement personnel, mais également à l'inspiration et à la motivation d'écrire.

À mes très chers parents et à mon frère bien-aimés, qui m'aiment et me soutiennent depuis toujours, merci infiniment d'être ambassadeurs de mes activités. Cela est très précieux pour moi.

Sans ton précieux apport, Alain, ami, conseiller, éditeur, et j'en passe, ce livre n'aurait sûrement pas les mêmes couleurs. Ta vision du cœur, ton expertise et ton amitié représentent le fil doré qui en tissent la toile de fond. Ces remerciements s'adressent aussi à Marie-Chantal, à Angélica et à Anthony pour leur accueil toujours si chaleureux, leur gentillesse, leur amitié et leur confiance.

Toute ma gratitude va à ma mère et à Paul pour leurs judicieux commentaires qui enrichissent et illuminent ce texte.

À tous mes beaux et très chers amis – Anne, Antoine, Anick, Catherine, Christine, Claudette, France, Francine, Huguette, Jean, Lilly, Lucie B., Lucie D., Marie, Marie-Lise, Martine, Michèle, Micheline, Nathalie, Nicole, Sylvie, qui m'ont également soutenue dans ce projet, qui m'ont écoutée, qui m'ont fait rire, qui ont accepté mes longs silences, qui m'ont éclairée par leur amour et leur compassion, mille mercis pour cette précieuse amitié qui me nourrit et m'élève.

Il me serait aussi difficile de passer sous silence l'apport considérable de toutes les personnes qui m'aident à diffuser mes activités – Anne et Antoine, Sylvie et Martine, Heidi, Anick et Éric, Josée, Lilly et Jean, Hélène, Normande, Ryna et Martin, Murielle, Ginette, France, Réjean et Clauda, Deborah, Francine B., Francine O., Nicole, Marie et Rosaire, Michèle, Réjean, Mario et Josée. Soyez bénies pour tout ce que vous faites, chères petites abeilles, qui travaillez si ardemment dans l'ombre. Que ces quelques mots soient porteurs de mon éternelle reconnaissance envers vous, porteurs également de celle des gens que vous m'avez référés si généreusement.

Merci également au site Internet Petit monde (www.petitmonde.com) pour la diffusion des nombreux mots d'enfants qui me font rire et qui m'ont permis de refléter la simplicité, la gaieté et la légèreté de l'âme qui entre en communication avec les plans supérieurs.

Mes derniers remerciements, et non les moindres, vont à vous, cher lecteur, qui m'ouvrez votre cœur. Puisse-t-il trouver directement ou indirectement ce qu'il cherche.

Introduction

La communication avec les âmes est chose courante, mais elle demeure encore une réalité très intime et trop souvent taboue dans notre société. Nous vivons dans une ère matérialiste et, à l'image de l'apôtre Thomas, nous remettons facilement en question ce que nous ne pouvons toucher, ce que nous ne pouvons voir et ce que nous ne pouvons entendre. Depuis la sortie du livre *Ils nous parlent… entendons-nous?*[1], j'ai croisé de nombreuses personnes ayant reçu un signe, une manifestation parfois très claire, parfois plus subtile d'un être proche ayant quitté le plan terrestre. Pourtant, la majorité de ces personnes remettaient en question le signe reçu, particulièrement si l'entourage était sceptique à la communication entre les mondes.

Parler avec les morts ou pire avec des Êtres invisibles est interdit, cela fait peur et dérange. Durant des siècles, ceux qui ont osé s'afficher publiquement dans ce domaine ont été étiquetés comme des êtres à part, des fous ou des sorciers, et rien de cela n'était de bon augure. Aujourd'hui, le phénomène perturbe moins, mais il fait encore jaser et sourire bien des gens qui refusent systématiquement d'envisager la continuité de la vie. Bavarder avec l'invisible, c'est confrontant et cela nous oblige à trouver des réponses aux questions qui nous habitent depuis si longtemps. Plusieurs éprouvent alors un immense vertige devant cet univers inconnu qui s'ouvre à eux alors que pour d'autres, c'est la peur de la mort qui provoque un tel tournis. Il est préférable ne pas déterrer les morts, nous a-t-on appris un jour, pour éviter de faire face à nos

---

1. S. Ouellet, *Ils nous parlent… entendons-nous?*, Loretteville, Éditions Le Dauphin Blanc, 2004.

propres souffrances et à nos angoisses. Dialoguer avec les énergies subtiles, c'est s'ouvrir au monde d'avant et d'après. Cela bouscule croyances, connaissances acquises et expériences. Toutes nos références si sécurisantes disparaissent alors et nous ne savons que faire de cette expérience immatérielle qui semble pourtant si réelle. Devant l'incrédulité de notre entourage, le silence nous apparaît la meilleure option. Toutefois, même reléguée aux oubliettes, la communication que nous avons vécue ne s'efface jamais ni ne s'estompe un tant soit peu. Elle reste gravée dans chacune de nos cellules, avec toute son intensité. Les peurs, les doutes et les angoisses ne pourront jamais effacer la sensation ressentie lors d'une communication.

N'est-il pas très étrange de communiquer avec l'invisible? Absolument pas! C'est plutôt tout le plat qu'on fait autour de ces manifestations qui l'est. Nous sommes en constant dialogue avec les énergies subtiles, que ce soit en rêve, par le biais de l'intuition ou par ce qu'on peut appeler les idées de génies qui, croit-on, nous arrivent de nulle part... Qui peut nier avoir rêvé ou avoir eu une idée de génie un jour, avoir pensé à une personne au moment même où celle-ci nous téléphone ou encore avoir été poussé à agir sous une forte impulsion? Tout cela provient d'une communication avec notre âme, mais ces formes de communication sont si fréquentes qu'elles sont tenues pour acquises et personne ne s'en offusque lorsqu'elles se manifestent. Il en est autrement lorsqu'il s'agit de communication avec les morts ou avec d'autres énergies subtiles. Certes, cela peut sembler effrayant de dialoguer avec ce qui est intangible. Toutefois, il faut comprendre que ce dialogue entre les mondes ne s'établit ni avec la mort ni avec le vide, mais avec la plénitude de la vie elle-même. S'il est possible d'échanger entre Ciel et Terre, c'est parce que la vie est une énergie qui s'étend bien au-delà de la matière. Elle est non seulement source de tout ce qui existe sur le plan physique, mais également de tout ce qui existe dans l'Univers. Tout être vivant est uni à ce grand mouvement énergétique de la vie et en interaction constante avec lui. Nous sommes d'abord et avant tout une énergie subtile qui s'est revêtue d'un corps pour venir vivre des expériences dans la matière. Que nous ayons un vêtement de chair ou non, nous demeurons toujours une énergie et nous sommes en tout temps en lien avec le reste de l'Univers grâce à nos corps subtils, à notre âme et à notre esprit. S'il en était autrement, nous mourrions. Rêve, intuition, idée de génie, impulsion sont toutes des manifestations de la connexion qui existe entre la matière et l'énergie, entre les corps qui nous composent et Dieu (autrement appelé la Source, Bouddha, Allah ou la Vie). Sous cet angle, les répulsions envers ces dialogues disparaissent, car nous y reconnaissons là le principe divin en chacun de nous et la connexion avec le reste de l'Univers.

La communication avec les énergies subtiles passe donc par la conscientisation de ce principe divin en nous. Pour y parvenir, il faut simplement apprendre à utiliser notre cœur et notre corps d'une manière différente, car ces derniers sont moteur et réceptacle de la communication. En Occident, nous n'avons pas appris à utiliser ces atouts précieux. Nous ne voyons en eux que leur utilité matérielle. De plus, toute forme d'écoute subtile n'est pas nécessairement prisée. Depuis des générations, on nous enseigne plutôt à utiliser notre jugement et notre raison comme clés du succès assuré dans notre vie. Alors, il n'y a pas de quoi s'étonner devant tant de gens qui remettent en question une communication qu'ils ont vécue avec une âme! Ils mettent en application ce qu'ils ont appris. Pourtant, il n'y a rien de raisonnable là-dedans ni rien qui puisse être jugé. Les contacts avec les âmes passent par le cœur et non par la tête. Pour arriver à les entendre, à les ressentir et à les comprendre, il est essentiel de connaître leur fonctionnement et leur langage.

J'ai longtemps pensé que je n'avais aucune petite voix, aucune intuition, et que la nature ne m'avait pas dotée des éléments essentiels pour communiquer avec les plans célestes. Et voilà que la vie m'a amenée, petit à petit, à découvrir ce trésor en moi. En fait, il ne me manquait rien d'autre qu'un mode d'emploi, qu'une façon d'écouter, d'entendre et de comprendre toutes les conversations qui venaient à moi, mais que je n'entendais pas ou encore que je rejetais parce que je n'étais pas en mesure de les raisonner ou de les juger. Avec le temps, j'ai appris à reconnaître, à faire confiance et surtout à écouter. Quel cadeau inestimable, je me suis permis de vivre! Tous les «j'aimerais tant» d'avant se sont transformés en moult possibilités des plus enrichissantes qui soient. J'ai pu comprendre que derrière ces «j'aimerais tant» qui résonnaient en moi depuis tant d'années, il y avait un immense vide que mon mental cherchait ardemment à combler par toutes sortes de moyens extérieurs. Cependant, ce vide n'était au fond que le manque de communication avec les plans supérieurs. Ces incessants «j'aimerais tant» représentaient les très nombreux appels de mon âme qui souhaitait engager la conversation avec moi, comme si elle me disait : «Sylvie, j'aimerais tant te parler, mais tu ne m'écoutes pas». Ils étaient aussi porteurs du souhait d'autres âmes, connues ou inconnues, qui tentaient désespérément de trouver une oreille attentive. Elles aussi me disaient avec insistance : «Sylvie, nous aimerions tant te parler! Écoute-nous!». Enfin, ces «j'aimerais tant» étaient aussi une invitation à communiquer avec les énergies des plans supérieurs qui souhaitaient m'aider dans mon incarnation. Elles m'insufflaient d'arrêter et de prendre un temps pour écouter ce qu'elles voulaient tant me dire. Voilà que quelques années plus tard, je réalise l'ampleur qu'avait cette ritournelle intérieure. «J'aimerais tant te parler» est donc un souhait très cher qui exprime la volonté de l'âme de communiquer au-delà des barrières énergétiques.

Depuis la sortie de mon premier livre, tant de gens sont venus me voir pour me dire qu'ils trouvaient difficile de ne plus être en contact avec un être cher et ils ajoutaient : «J'aimerais tant lui parler». Manifestement, ce souhait est souvent l'écho de l'âme chère qui désire aussi continuer la relation. Par ce livre, je partage ce que j'ai appris, non point pour vous convaincre ni vous enseigner quoi que ce soit, mais pour participer au réveil de ce langage qui est déjà vôtre. La communication avec les énergies subtiles n'est pas réservée qu'à certaines personnes dotées d'un don particulier. Nous sommes tous médiums et il ne reste qu'à découvrir ce langage pour reprendre contact avec notre âme et avec les plans supérieurs. La communication subtile est la clé de notre force intérieure. Je souhaite donc que ces quelques lignes soient un élément dans cette quête du trésor de communication qui se cache en vous.

Sincèrement,

Sylvie

Section 1

Qui peut communiquer avec les âmes?

Mot d'enfant

Je ne retournerai pas à l'école parce qu'à l'école, on m'apprend des choses que je ne sais pas.

Accessibilité des communications

Comme je le mentionnais dans l'introduction, la communication avec les âmes a longtemps été pour moi un monde auquel je croyais ne pas avoir accès. Toutefois, en écrivant mon premier livre[2], de nombreuses situations que j'avais enfouies bien profondément dans ma mémoire ont refait surface. C'est alors que j'ai pris conscience d'expériences où j'avais reçu des communications, où j'avais été en contact avec mon âme ou avec d'autres âmes, mais dont j'ignorais alors la provenance. Il m'est alors apparu clairement que ce phénomène était accessible à tous, mais plus encore, que tout le monde l'utilisait quotidiennement de manière inconsciente en ignorant totalement cette forme de langage inné, tout comme moi jusque-là.

Eh oui! ce langage est inné puisqu'il est le mode d'expression de l'âme. Notre âme connaît d'ores et déjà tout ce qu'il faut savoir à ce sujet. Nous venons sur Terre avec la pleine connaissance de ce langage, mais ayant laissé le voile de l'incarnation le recouvrir, le monde adulte occidental n'a plus conscience de sa présence. Pour preuve, observez un bambin dans son quotidien. Regardez-le attentivement pour constater à quel point il voit au-delà des apparences; il réagit à des vibrations dont vous ignorez la présence, à des sonorités que vous n'entendez pas. Remarquez son vocabulaire et les idées qu'il émet, ses réactions aux événements quotidiens et vous constaterez à quel point il est beaucoup plus conscient de ce qui se passe réellement que nous. Jusqu'à sept ans environ, les enfants sont en connexion avec leur nature divine. Leurs attitudes, leurs pensées et leurs actions sont alors pleinement teintées des

2. *Ils nous parlent… entendons-nous?*

aspirations de leur âme. Aux abords de la septième année, la raison devient pleinement fonctionnelle et si l'enfant n'est pas stimulé à maintenir le lien avec son âme, le contact commence alors à se perdre au détriment du mental qui prendra de plus en plus de place.

Elle attend une réponse de sa mère...

Johane, qui assiste à l'un de mes ateliers sur l'accompagnement de l'âme, a fait la demande d'entrer en contact avec sa mère récemment décédée. Immédiatement après l'atelier, Johane renouvelle cette demande en espérant cette fois pouvoir entendre sa mère. Trois jours plus tard, alors qu'elle est à la salle de bain, située à l'étage, elle entend son fils âgé de huit ans marmonner quelque chose. Elle lui répond tout bonnement comme s'il parlait à voix haute. Immédiatement, ce dernier s'exclame : «Maman, je te parle tout bas et tu comprends. Alors, tu es bonne pour entendre grand-maman lorsqu'elle te parle». Imaginez l'étonnement de Johane qui n'a pas soufflé mot de sa demande à son fils! Les enfants sont instinctivement à l'écoute de cette petite voix qui leur parle constamment et c'est ainsi qu'ils nous étonnent avec leurs remarques, totalement spontanées, mais si vraies et si profondes!

Nous sommes des âmes qui prennent occasionnellement un corps physique. Nous connaissons le langage subtil de l'âme et nous l'avons tous déjà utilisé maintes et maintes fois, quoi que nous en pensions actuellement. Nous en conservons les traces et la compréhension dans notre mémoire. Il ne reste donc qu'à redécouvrir ce langage déjà ancré en nous et surtout à apprendre à notre mental à écouter cette voix, sans peur et sans attente. Lors de notre naissance, ce plein potentiel était actif, mais il s'est effrité avec le temps, à défaut d'avoir été expliqué, stimulé et compris. Ayant appris à gouverner seul, le mental aura certainement des réserves à laisser une voix autre que la sienne prendre les rênes, mais, tout en douceur, il se laissera apprivoiser. **La communication avec les**

plans subtils, avec les âmes, la nôtre et celle des autres, n'est absolument pas un don spécial accordé à certaines personnes particulières et refusé à toutes les autres. Elle constitue un potentiel que nous possédons tous et pouvons tous utiliser en tout temps. Communiquer avec les plans supérieurs est accessible à toute personne qui désire sciemment vivre de telles expériences consciemment. Il suffit simplement de réapprendre ce langage que nous utilisons déjà sans le savoir.

Alors, si nous pouvons tous communiquer, une question vient spontanément : «Avec qui pouvons-nous dialoguer?» La communication subtile ne diffère en rien de la communication humaine. Existe-t-il ici-bas une règle qui stipule à qui nous devons nous adresser quand le besoin de placoter se fait sentir? Évidemment, non! Nous pouvons engager la conversation avec qui bon nous semble. Il en est de même avec les âmes ou les autres énergies subtiles. Il est donc possible de s'adresser à l'âme des personnes aimées, qu'elles soient incarnées ou non, à condition de le faire dans le plus grand respect. Nous envisageons trop souvent la communication avec les âmes dans le seul contexte de la mort, c'est-à-dire lorsque l'âme quitte le plan terrestre. C'est l'absence physique qui nous pousse soudain à vouloir explorer une autre façon de communiquer. Toutefois, du point de vue de l'âme, la communication est toujours active, car ce contact vibratoire passe d'abord par le canal du cœur et non par le corps physique. Lorsque l'âme est incarnée, il y a évidemment un ressenti de cette communication dans le corps, mais ce ressenti n'est qu'une manifestation physique du processus énergétique qui vient de se produire, à savoir un lien d'âme à âme. Autrement dit, nous avons tendance à penser que la communication débute dans le corps, mais c'est l'opposé. Le mouvement de communication provient d'abord de notre âme et se ressent ensuite dans le corps. N'oublions pas que nous ne sommes pas un corps doté d'une âme, mais plutôt une âme qui a choisi d'expérimenter la matière dans un corps physique pour un temps donné.

Nous pouvons donc communiquer en tout temps avec les âmes, qu'elles soient sur la Terre ou au Ciel. Une telle communication s'effectue par le biais de la partie supérieure de notre être qui demeure toujours en contact avec Dieu, la Source ou la Vie. Durant l'incarnation, c'est la partie inférieure de notre être qui descend dans la matière, laquelle sera reliée par l'âme à la partie supérieure qui demeure dans les hautes sphères vibratoires. C'est là une application du grand principe d'unité divine, ce lien énergétique qui relie tout être au reste de la Création. En nous incarnant, nous ne rompons pas ce lien avec notre divinité ou avec la partie supérieure de notre être. Il nous est alors toujours possible d'être en contact avec cette partie supérieure dans l'espace du cœur. Et c'est dans cet espace que nous pouvons également nous unir à toutes les autres énergies qui existent pour communiquer avec elles.

Dans ces conditions, nous n'avons plus besoin d'attendre le passage de la mort pour entrer en contact avec l'âme d'un être cher. Nous pouvons le faire dès que nous en ressentons le besoin, dans le respect de l'autre évidemment. Ce ressenti signifie souvent que notre cœur capte et décode un appel à l'aide provenant de cette âme et le traduit par un besoin d'entrer en contact. Communiquer avec l'âme, c'est donc une façon de se mettre au service de l'autre, de lui offrir notre disponibilité, de lui exprimer notre amour ou notre amitié. Entrer en contact, c'est chercher à comprendre les besoins de l'âme de l'enfant qui s'incarne, d'un ami qui traverse un moment difficile, d'un voisin qui s'inquiète de sa santé, d'un collègue qui traverse une période intense de travail, d'un proche qui vit un moment de bonheur et, évidemment, de l'âme qui quitte ou a quitté le plan terrestre.

L'âme de Mathieu savait...

En 1997, je me rends chez le médecin avec mon fils Mathieu pour le faire examiner. Ce dernier est congestionné depuis un moment et rien ne semble le soulager. Le médecin l'examine et me prescrit un médicament en pompe. À la maison, je tente de lui faire inhaler le traitement, mais rien à faire. Il se débat comme un forcené dès que j'approche la pompe de son champ de vision. Cela est très étonnant, car jusque-là, il avait toujours collaboré à tous les traitements ou soins administrés. Je retourne penaude chez le médecin qui me réfère à un spécialiste. Après l'examen, ce dernier me dit : «Votre fils n'a réellement pas besoin d'une pompe. C'est un traitement inapproprié pour lui.» Il me suggère alors un autre traitement que Mathieu s'empresse d'adopter sans aucune protestation. L'âme de Mathieu savait que le premier traitement n'était pas ce qu'il lui fallait. Je me suis sentie une mère dépassée lorsque je suis retournée chez le médecin et j'ai senti tout le jugement de ce dernier par rapport au peu d'autorité que j'exerçais sur Mathieu. Toutefois, après la visite chez le spécialiste, j'ai été tellement heureuse d'avoir écouté cette petite voix qui me disait que Mathieu n'agissait pas ainsi pour rien. Son âme était réellement entrée en contact avec moi par le biais de mon intuition pour me dire : «Maman, je ne peux pas prendre ce médicament, ce n'est pas bon pour moi». Être à l'écoute de cette petite voix m'a permis d'être également à l'écoute des besoins de Mathieu!

Sur notre belle planète bleue, toutes les raisons sont bonnes pour chercher à offrir notre appui et notre compassion à un être cher et toutes les raisons sont également bonnes pour soutenir une âme dans la traversée des divers passages de son cheminement. Souvent, sans le savoir, nous sommes porteurs d'une réponse, d'une consolation, d'une grande joie pour l'autre; lorsque nous observons la situation de plus près, force est de constater qu'il n'y a jamais de hasard. Notre lien avec le divin nous unit à tous ceux qui nous entourent et nous devenons tour à tour des messagers de cette grande force de vie. Sans même le savoir, nous communiquons tous avec les âmes qui nous entourent! Oui, nous entrons également en contact avec des énergies supérieures qui nous avisent, nous informent, nous guident durant l'incarnation de façon tout à fait inconsciente. Depuis le tout début de notre incarnation, nous dialoguons avec les plans subtils sans nullement reconnaître ces conversations. Toutefois, ce n'est pas parce que nous n'y voyons rien que leur existence doit être niée. La communication subtile fait intrinsèquement partie de ce que nous vivons ici-bas.

C'est en apprenant ce langage subtil que nous pourrons devenir conscients du dialogue qui passe à travers nous. Plus nous serons à l'affût et plus ce que nous attribuons au hasard deviendra une occasion d'être des interlocuteurs actifs. Ce faisant, nous prendrons pleinement part à ce grand mouvement qu'est la Vie!

Accessibilité des communications (résumé)

1- Toute personne possède ce potentiel de communication avec les âmes. Il faut simplement réapprendre à s'en servir consciemment.

2- Nous pouvons donc communiquer en tout temps avec les âmes, qu'elles soient sur la Terre ou au Ciel.

3- La communication avec les âmes, la nôtre et celle des autres, ou avec les plans supérieurs n'est absolument pas un don spécial accordé à certaines personnes particulières et refusé à toutes les autres.

4- Le besoin d'entrer en contact avec l'âme d'un être cher signifie souvent que notre cœur capte et décode un appel à l'aide provenant de cette âme.

5- Toutes les raisons sont bonnes pour chercher à offrir notre appui et notre compassion à un être cher et toutes les raisons sont également bonnes pour soutenir une âme dans la traversée des divers passages de son cheminement.

6- Plus nous serons à l'affût et plus ce que nous attribuons au hasard deviendra une occasion d'être des interlocuteurs actifs.

Section 2

Pourquoi vivons-nous des communications avec des âmes ou avec d'autres énergies subtiles?

Mot d'enfant

Dis-moi, maman, quand on meurt, est-ce pour la vie?

Besoin fondamental de l'âme

La réponse à la question «Pourquoi vivons-nous des communications avec des âmes ou avec d'autres énergies subtiles?» est toute simple. Parce que ces communications représentent le principe de vie qui soutient l'âme dans la matière; c'est ce qui permet à l'âme d'être en communion avec la vie, avec ce qui l'entoure, avec le divin, quoi! La communication, c'est vital pour l'âme, c'est ce qui l'alimente, la maintient en vie, la garde allumée. Si l'âme perdait ce lien avec le divin, elle s'éteindrait. Au fond, en regardant le mot *communication*, il est facile de comprendre que les deux parties qui le composent sont la force de vie de l'âme. Dans *communication*, nous retrouvons une synthèse des mots *communion* et *action*. Voilà la nature profonde de l'âme. Elle est *communion* et elle est *action*.

Notre âme, c'est le lien entre la matière et notre divinité. C'est un contact essentiel pour remplir cette mission que nous nous sommes tous fixée, à savoir être amour inconditionnel en tout temps dans la matière. Sans l'âme, il n'y a point de vie possible dans la matière, et sans communication entre l'âme et les plans supérieurs, l'âme meurt. La communication est à l'âme ce que le sang est au corps physique. Nous sommes donc constamment influencés et guidés par elle, mais nous en sommes trop souvent inconscients. Notre âme nous parle, nous insuffle la direction à prendre, elle s'improvise comme messagère pour les gens qui nous entourent. À travers ces messages plus ou moins subtils, notre âme exprime ses besoins, mais elle reçoit également son énergie vitale.

Notre âme connaît l'itinéraire à suivre pour mener à bien notre mission et elle tente de le murmurer à l'oreille de notre personnalité incarnée pour que celle-ci réponde à nos besoins. Toutefois, notre personnalité possède une vision limitée du rôle qu'elle doit jouer sur Terre à cause du voile de l'incarnation. Elle se perd trop souvent dans les dédales de la survie, laissant le mental prendre le contrôle de sa destinée. D'autant plus que dans notre société occidentale, la place du rationnel est prépondérante. Notre mode de vie est tellement ancré dans la matière et dans le raisonnement que nous oublions totalement notre origine divine. Nous croyons que nous sommes le corps physique que nous avons revêtu pour ce voyage terrestre et nous ne voyons plus notre âme qui l'habite. Le vêtement de chair devient notre identité profonde. Il ne nous viendrait pas à l'esprit de confondre notre jeans ou notre chandail avec notre corps. Pourtant, oubliant notre essence divine, c'est ce que nous faisons. Nous perdons de vue que nous ne sommes que des acteurs venus jouer un rôle dans une grande pièce de théâtre. Nous délaissons alors le contact conscient avec l'essence même de notre vie pour graviter dans la survie, jusqu'à ce que nous réalisions que toute cette gigantesque mise en scène doit forcément avoir un sens plus profond.

Cependant, même si la personnalité se prend au jeu de l'incarnation, comme l'acteur qui se prendrait pour son personnage, l'âme, elle, ne délaisse pas pour autant sa nature essentielle, qui est la communion et l'action. Elle demeure en constante activité pour que le principe de vie en nous s'anime, évolue, se transforme et se transmute. À défaut d'avoir la collaboration de la personnalité pour l'aider à accomplir sa mission, l'âme n'a alors d'autres choix que de livrer ses messages par l'inconscient, par des intuitions très fortes, par des rêves et même par des messagers externes, tout cela pour maintenir la communication entre la matière et le divin. Plusieurs tentatives sont parfois nécessaires pour que le message passe enfin. Notre partie supérieure doit user de patience et de ruse pour se faire entendre, mais elle réussit «tôt ou tard» à livrer l'information.

«Tôt» est synonyme de joie intérieure pour nous... Lorsque nous écoutons notre petite voix, il s'ensuit un phénomène de joie inexplicable lorsque nous ne sommes pas conscients de la provenance de cette petite voix. Alors que «tard» est plutôt synonyme de douleur, car c'est trop souvent dans la souffrance que nous prenons le temps de nous arrêter et d'écouter ce qui se passe dans notre vie. Pourtant, après toute épreuve, vient fréquemment un même constat : nous avions senti, nous avions été avisés, nous savions qu'il fallait changer de direction, mais nous n'avons pas écouté ces avertissements. Cette attitude est évidemment la conséquence naturelle de notre éducation où tout a été mis en place pour faire taire cette petite voix. «Sois raisonnable», «Sers-toi de ta tête», «Pense avant d'agir», «Tourne ta langue sept fois avant de parler», «L'intuition est mauvaise conseillère» sont quelques-unes des phrases qui nous ont nourris. Jamais personne ne nous a dit : «Choisis avec ton cœur», «Fais confiance à ton intuition» ou «Ta spontanéité est toujours exacte, apprends seulement à l'exprimer avec compassion». Cet enseignement nous aurait évité tant de faux pas et de souffrances inutiles!

> *L'organe de la parole n'est pas la bouche, c'est le cœur.*
>
> M. de Cornouardt

Aujourd'hui, avec tous les changements énergétiques qui se produisent et l'ouverture de conscience qu'ils amènent, nous réalisons que la «voix» de l'âme est la «voie» à suivre. Pour trouver un sens à notre vie, un sens à la Vie, pour nous sentir pleinement en vie et rayonnants, il est nécessaire de retrouver cette communion avec l'âme. Toutes les réponses que nous cherchons, toutes nos aspirations s'y trouvent. Prendre contact consciemment avec l'âme, c'est recouvrer notre pleine énergie, notre pleine vitalité et notre plein potentiel. C'est communier dans l'action avec notre âme. La communication consciente avec l'âme facilite l'accès à cette communion et à cette action divine qui nous habitent. Voilà pourquoi ce besoin est si fondamentalement ancré en nous. Chaque communication avec l'âme constitue un appel de communion avec la Vie. Entendre cet appel constitue des retrouvailles émouvantes. Cela nous permet de quitter la survie pour vivre enfin en connexion avec cette source intarissable de connaissances et d'énergie. Ainsi, plus nous serons à l'écoute de l'âme, plus notre parcours sur Terre en sera facilité.

La communication avec l'âme est certes un trésor pour nous-mêmes, pour notre évolution, mais elle s'avère être tout aussi capitale pour aider les âmes qui nous entourent. N'oublions pas que nous sommes tous des parties divines en constante communion avec Dieu. Certes, l'incarnation nous donne l'impression d'être séparés de cette source infinie d'amour, mais nous y sommes toujours reliés. Grâce à cette connexion divine, nous pouvons entendre le besoin des autres âmes et devenir un messager pour elle. La communication de l'âme passe par le canal du cœur. Si nous pouvons entendre la nôtre, nous pouvons également ouïr celle des autres. Le langage de l'âme ne diffère pas d'une âme à l'autre. Il est coloré par notre unicité d'âme, mais cela n'en fait pas un jargon incompréhensible pour autant. Ce langage naît d'une essence commune à toutes les âmes : l'amour universel. Le langage de l'âme n'est rien d'autre que l'expression de l'amour divin qui circule en chacun de nous et entre chacun de nous.

Durant l'incarnation, le besoin d'échanger avec nos pairs est tout aussi vital, mais le langage utilisé n'est pas universel. Il diffère selon la région du globe et cela nous occasionne beaucoup d'incompréhension et place une barrière entre les différents peuples de la Terre. Pour se comprendre, il devient nécessaire d'apprendre le langage de notre interlocuteur ou de se trouver un langage commun, à défaut, le langage du cœur, où les mains, les yeux, le corps tout entier servent d'expression. Notre besoin de communication est si grand que nous trouvons toujours un moyen d'entrer en communication. Il en est de même pour l'âme. C'est grâce aux interactions physiques et subtiles que nous évoluons, que nous grandissons. Nous nous aidons mutuellement à traverser tous les passages de notre incarnation. Nous avons besoin de ces échanges avec l'autre pour nourrir notre quotidien. Sans ces échanges, le cœur se dessèche et la vie perd toute sa saveur.

Une petite messagère de l'âme…

Une amie qui sait que je viens d'écrire un livre a la curiosité de venir assister à une conférence sans trop savoir ce que je vais y aborder. Le soir de l'événement, elle rentre chez elle pour préparer le repas et s'occuper de ses enfants. Après le souper, la fatigue s'empare d'elle et elle décide de rester à la maison. Elle va alors baigner sa fille de quatre ans. Cette dernière, qui l'a seulement entendue évoquer cette sortie lors du déjeuner, lui dit avec étonnement : «Tu ne sors pas?» «Non, lui répond la mère, je suis fatiguée et j'ai le goût de rester ici ce soir». C'est alors que la petite de quatre ans la regarde dans les yeux et lui dit : «Tu devrais y aller, maman. Tu vas apprendre des choses importantes et tu vas savoir d'où je viens, moi, ta petite étoile». Estomaquée par la réponse de sa fille qui ne peut savoir le contenu de la conférence, cette amie s'empresse d'y assister.

Il s'agit là d'un exemple parfait pour comprendre comment nous sommes tous en lien les uns avec les autres, tous au service de notre âme et de l'âme de notre prochain, que nous en soyons conscients ou non. L'âme de mon amie lui avait insufflé l'idée d'aller à la conférence, mais sur le point de renoncer pour un motif fort louable, un messager de son âme s'est manifesté pour lui rappeler l'importance d'y assister.

Les messages ne sont pas toujours aussi évidents, mais il n'en demeure pas moins que la communication entre les plans est constante puisque nous sommes d'abord et avant tout des âmes. Au fond, pour que la manifestation de ces communications devienne évidente, il nous faut simplement apprivoiser cette forme de langage pour qu'il fasse à nouveau partie de notre mode de vie, tout comme lorsque nous sommes sur les plans célestes. La communication avec l'âme, c'est le langage de Dieu en action dans notre quotidien. Elle maintient notre unité avec le plan divin. C'est un lien si puissant qu'il nous apparaît lointain, mais pourtant, il est si accessible lorsque nous prenons le temps d'en comprendre le fonctionnement dans la matière!

Besoin fondamental de l'âme (résumé)

1. La communication, c'est vital pour l'âme; c'est ce qui l'alimente, la maintient en vie, la garde allumée. Si l'âme perdait ce lien avec le divin, elle s'éteindrait.

2. Notre âme, c'est le lien entre la matière et notre divinité. C'est un contact essentiel pour remplir cette mission que nous nous sommes tous fixée, à savoir être amour inconditionnel en tout temps dans la matière.

3. Même si la personnalité se prend au jeu de l'incarnation, comme l'acteur qui se prendrait pour son personnage, l'âme, elle, ne délaisse pas pour autant sa nature essentielle qui est la communion et l'action.

4. Pour trouver un sens à notre vie, un sens à la Vie, pour nous sentir pleinement en vie et rayonnants, il est nécessaire de retrouver cette communion avec l'âme.

5. La communication avec l'âme est certes un trésor pour nous-mêmes, pour notre évolution, mais elle s'avère être tout aussi capitale pour aider les âmes qui nous entourent.

6. La communication avec l'âme, c'est le langage de Dieu en action dans notre quotidien.

Section 3

Quelles sont les formes de communication?

Mot d'enfant

Je ne peux pas lire l'heure,
les chiffres changent toujours.

Communication et ses nombreuses formes

La communication avec l'âme peut se définir comme l'ouverture du canal intuitif (ou médiumnique) qui relie la partie de l'âme incarnée à la partie supérieure de l'âme, c'est-à-dire le Moi inférieur au Moi Supérieur (ou Supra Conscience). Ce canal est un pont de communication entre les différents plans de conscience que nous pourrions imager comme un Internet à haute vitesse spirituelle, c'est-à-dire un moyen d'accéder quasi instantanément à moult informations, les plus diversifiées qui soient. Au risque de me répéter, ce canal intuitif est accessible et fonctionnel chez toute personne, consciemment ou inconsciemment, car il représente le relais vital entre la matière et la non-matière. Il est la clé d'accès au monde de la pensée pure, c'est-à-dire à Dieu ou à la Source, et à tous les plans de conscience intermédiaires qui nous en séparent. Il est le lien entre la matière et l'énergie qui insuffle la vie à cette matière. Ainsi, nous sommes en permanente communication avec ces plans sans même le savoir. L'ignorance de la présence du canal intuitif ou de son fonctionnement ne signifie pas qu'il soit inexistant ou absent. C'est donc par l'apprentissage et la prise de conscience que la reconnaissance des différentes manifestations de communication de l'âme s'acquiert.

Le langage de l'âme est une langue comme toutes les autres qui existent sur la Terre, à une différence près : c'est que, contrairement aux autres, le langage de l'âme fait appel à un autre mode d'expression que ceux habituellement utilisés pour exprimer les langues humaines. Que ce soit le français, l'allemand, l'espagnol ou l'anglais, ces langages font tous appel à un code alphabétique qui s'exprime par la voie orale ou écrite. Nous l'apprenons donc en premier lieu par l'écoute, puis nous pouvons ensuite apprendre à le lire et à l'écrire. Une fois que les principes de base d'un langage sont appris, il devient plus facile d'en intégrer un autre, puisque les outils acquis dans l'apprentissage d'une première langue servent alors à l'apprentissage des autres. C'est la simple application du phénomène de la métacognition.

Le langage de l'âme ne fait donc pas appel à des mots ou à des lettres. Il utilise plutôt une vibration universelle, celle de la lumière, de l'amour et de la pensée pure. Pour pouvoir s'exprimer, cette vibration passe par le ressenti du corps physique ou des autres corps subtils puisqu'elle se manifeste que nous soyons incarnés ou non. Il ne s'agit donc pas ici d'un amalgame de symboles formant des mots et des phrases qui nécessitent l'utilisation du mental pour décoder le tout. C'est par le ressenti que le message nous provient, car le langage de l'âme ne peut absolument pas provenir de la tête. Il se vit uniquement dans le cœur et il laisse alors dans le corps un état vibratoire plus élevé que lors de l'utilisation des langues humaines. Le corps physique est donc l'outil d'expression de toutes les langues utilisées par l'homme. En effet, c'est grâce au corps physique qu'il est possible d'entendre, de parler, d'écrire et de lire. C'est aussi le véhicule qu'utilisent les énergies supérieures pour nous transmettre des messages durant notre incarnation.

Dans notre société matérialiste, les manifestations énergétiques et intangibles n'étant pas toujours reconnues, nous avons donc dû élaborer des modes d'expression plus concrets qui sont devenus à la longue des langues notoires. Rien de plus sécurisant que de voir ou d'entendre pour croire. Pourtant, dans certains domaines, n'est-il pas paradoxal de laisser la place entière à la voix du cœur et de trouver cela tout à fait acceptable au vu et au su de tous? Où cela, me direz-vous? Dans l'amour et l'amitié. Le paradoxe existe en apparence seulement. Nous ne croyons pas en l'amour, nous savons que l'amour existe parce que nous l'avons déjà ressenti. Ce ressenti va bien au-delà de la simple croyance. Une croyance se passe sur le plan du mental puisqu'elle est décortiquée, analysée, jugée et enfin acceptée pour vraie en notre for intérieur. L'amour ne s'analyse pas, ne se juge pas, ne s'évalue pas; il se vit, voire il se vibre! C'est cet état vibratoire qui nous le fait reconnaître et accepter. Lorsque le grand amour passe dans notre vie, tout notre corps vibre et cette vibration n'émane pas du mental, mais du cœur.

Une communication avec l'âme laisse également une trace indélébile dans le corps. C'est grâce à ce ressenti que nous pouvons reconnaître, comprendre et distinguer la provenance de l'information reçue. Lorsque nous utilisons la visualisation, c'est le mental qui se met à l'action, il utilise toute l'information dont il dispose pour dénicher l'image adéquate pour notre visualisation. Toutefois, dans le langage du cœur, nous sommes en relation avec les plans célestes. Tout ce qui nous arrive est filtré par notre âme et nous est ensuite transmis. Notre âme est la porte d'entrée des énergies subtiles, qui doivent nécessairement passer par elle pour nous atteindre. Elle est le relais entre la matière et les plans subtils, mais pour avoir accès aux informations qui proviennent des autres plans vibratoires, la communication doit absolument passer par l'être, jamais par le savoir et encore moins par le faire. Pour recevoir un message, il n'y a rien à faire, rien à dire, rien à savoir. Il n'y a qu'à être présent à soi, dans l'instant actuel, sans artifice, sans préalable. La communication avec l'âme est simple, fluide et naturelle. Toute complexité provient toujours du mental.

Ainsi donc, la reconnaissance de la langue de l'âme est d'une simplicité indescriptible. Cependant, à l'instar de toute autre langue, elle requiert pratique, constance et volonté pour en atteindre la maîtrise. Certes, cette forme de langage nous apparaît comme quelque chose de mystérieux, d'inaccessible ou d'inaudible, mais c'est principalement parce que nous ne connaissons pas ou plutôt que nous ne reconnaissons pas ses différentes manifestations lorsqu'elles se produisent. Au cours des prochains paragraphes, différentes formes de communication seront abordées. Il ne s'agit pas ici de dresser une liste exhaustive des différents moyens de communication mis à la disposition de l'âme, mais plutôt de parler sommairement des formes usuelles. Il est également important de comprendre qu'au-delà des noms donnés aux différentes manifestations, un principe unique demeure; le message que l'âme veut offrir. La forme devient donc un accessoire qui n'a d'importance que dans la mesure où elle permet de comprendre ledit message.

La communication avec l'âme passe inévitablement par le canal médiumnique, qui relie le cœur au plan supérieur. Ainsi, chacun des modes d'expression ci-après décrits constitue une forme de médiumnité. Ce qui différencie chacune de ces formes, c'est l'état vibratoire dans lequel elle se produit. Une grande centration intérieure et un enracinement[3] profond permettent d'atteindre des états vibratoires intenses et, par le fait même, de recevoir des communications provenant des plans de conscience plus élevés, alors qu'un éclair de centration avec le cœur permet de capter un message d'urgence ou un élément d'information utile. À l'aide de la description et d'exemples, nous verrons la différence entre ces formes de communication. Il est nécessaire de rappeler que ces formes de communication sont toutes des expressions de la médiumnité, car elles passent toutes par le canal du cœur, faisant ainsi de nous des médiums qui, la plupart du temps, s'ignorent!

L'intuition protectrice

Il s'agit ici de notre instinct de survie, de la voix qui nous avise des dangers imminents. Lorsque notre vie ou celle d'un proche est en péril, une sensation inexplicable d'urgence s'installe, une soudaine acuité se développe pour que nous devenions à l'affût. Le mental perd son emprise pour laisser place à une voix très forte qui nous demande d'être alertes. Guidés par le cœur, nos réflexes se décuplent et nous pouvons alors réaliser des exploits de force, de rapidité ou d'endurance qu'il nous aurait été alors impossible d'accomplir autrement.

Une mère alerte

Un matin, je converse avec une dame près de l'arrêt d'autobus où mes enfants attendent lorsqu'à un moment, je sens qu'elle est ailleurs. Elle n'écoute plus vraiment ce que je dis et elle regarde constamment son fils qui court près de nous. Je continue à lui parler, mais un malaise indéfinissable s'installe entre nous et je ne peux

3. Pour la centration et pour l'enracinement, se référer à la section 4.

m'empêcher de me demander ce qui la préoccupe autant depuis quelques minutes. Soudain, alors que mes yeux sont rivés sur le sol, la dame se met à crier et à courir pour attraper de justesse son fils qui tentait de traverser la rue au moment où une voiture arrivait à vive allure. Une fois l'énervement du moment atténué, cette maman me confie alors qu'elle sentait qu'elle devait rester en alerte sans savoir pourquoi. Son instinct de survie et de protection l'avait avisée d'un danger imminent.

L'éclair de génie

Il nous arrive tous de temps à autre d'avoir une brillante idée et d'en ressentir une joie profonde. Le mental a alors tendance à s'approprier immédiatement les mérites de ce génie qui bouillonne en nous. Cher monsieur mental, désolée de vous décevoir, mais il n'en est rien! Ces éclairs de génie qui surviennent de jour ou de nuit dans nos rêves sont des inspirations divines. Au moment où se produit cet éclair, nous sommes en connexion avec notre partie supérieure et nous pouvons alors capter la solution à notre problème, la réponse à notre question, la direction à suivre, l'idée dont nous avions besoin pour un travail, pour un cadeau ou pour venir en aide à quelqu'un. Nous attribuons la joie ressentie à l'idée de génie elle-même, mais cette joie résulte en fait d'un moment de connexion avec notre source, si bref soit-il. C'est le contact avec notre essence divine qui nous procure tant d'allégresse. Chacun des contacts avec notre Moi Supérieur procure une expansion de la conscience qui amène cet état de joie intérieure.

Un cadeau inattendu

Il y a quelques années, aux alentours du mois de mai, une amie m'avait suggéré de lire *Le livre tibétain de la vie et de la mort* de Sogyal Rinpoché[4]. Ce titre me semblait

4. S. Rinpoché, *Le livre tibétain de la vie et de la mort*, Éditions de la Table ronde, Paris, 1992.

fort intéressant et je m'étais bien promis que dès que je mettrais la main sur ce livre, je le lirais. Puis, dans le flot d'activités quotidiennes, j'ai mis cette référence en oubli. Quelle ne fut pas ma surprise, le soir du réveillon de Noël, de le trouver parmi mes cadeaux. Je ne comprenais absolument pas comment Paul, mon conjoint, avait pu savoir que je voulais ce livre puisque je ne lui en avais jamais parlé et qu'il ne connaissait pas l'amie qui m'avait fait cette suggestion. Il m'a alors expliqué que, quelques jours avant Noël, il regardait la télévision et, en zappant, il s'est arrêté sur une interview de Sogyal Rinpoché. Lorsque ce dernier avait fait mention de son livre, Paul avait immédiatement ressenti le désir de me l'offrir. Son âme était la messagère de mon âme qui savait que j'avais besoin de ce livre... et plus rapidement que je ne le croyais moi-même! La joie de Paul était aussi intense que la mienne. En plus du bonheur de donner et de recevoir, ce cadeau en recelait un autre : celui d'être en communion avec notre essence divine.

La télépathie

La télépathie peut se définir comme la transmission de pensée qui se produit sans qu'aucune action ne soit posée et sans l'aide d'aucun support physique ou matériel. Elle se distingue de l'éclair de génie qui vise à transmettre une information précise à une personne qui ne joue aucun rôle dans la manifestation. La télépathie, elle, fait appel à deux âmes, incarnées ou non, qui sont actives dans le processus de transmission, lequel se passe sous forme d'ondes sans l'intervention du corps physique pour y parvenir. Elle fait la démonstration de la connexion entre ces deux âmes; l'une sera transmetteur de la pensée et l'autre sera récepteur. Personnellement, c'est par la télépathie que je reçois la majeure partie des communications avec les âmes. Mon âme reçoit leurs pensées que j'accueille avec toute la vibration qu'elles contiennent.

Sa manifestation est très présente dans nos vies puisque nous sommes tous interreliés; nous captons des pensées de l'autre qu'il soit à distance ou tout près de nous. L'exemple le plus fréquent est sans aucun doute celui où, sans que rien nous rappelle une personne particulière, nous pensons soudainement à elle et peu après, cette personne nous téléphone, nous envoie un courriel ou vient nous visiter. Sans le savoir, nos pensées individuelles étaient sur la même longueur d'onde et nous les avons captées. Une autre manifestation très fréquente arrive lorsque nous discutons avec quelqu'un et que nous émettons en même temps la même idée avec les mêmes mots.

Il arrive également que la télépathie se manifeste par l'écriture. Elle sera alors appelée l'écriture télépathique; c'est-à-dire que le receveur, installé dans un état de centration, recevra des mots qu'il laissera couler sur papier. Contrairement à l'écriture automatique, l'usage de l'écriture n'est pas un support obligatoire pour l'expression de la télépathie, mais un outil pour le receveur qui désire conserver la communication telle quelle, sans oubli ni modification. Depuis plusieurs années, j'écris une chronique dans le magazine *Vivre*. J'ai souvent utilisé l'écriture télépathique pour rédiger mes textes. Je m'installe alors dans un état méditatif et je demande à mon âme de m'inspirer sur le prochain thème. Au moment où je fais ma demande, je n'ai souvent aucune idée, aucune direction précise, à part le thème du numéro à venir. Une fois bien centrée, crayon et papier en main, je laisse monter les mots et je les transcris au fur et à mesure. Bien que j'aie très souvent de la difficulté à relire ces notes, puisque j'ai les yeux fermés au moment de l'écriture, je suis toujours émerveillée de voir à quel point nous sommes branchés sur une source infinie de connaissances et comment tout est facile lorsque nous osons abandonner le contrôle du mental au profit de notre âme. Chaque fois que je l'ai demandé, j'ai obtenu un texte clair et très à propos en peu de temps alors que j'aurais sûrement bûché un bon moment pour en écrire un d'une justesse moindre si j'avais utilisé mon mental.

Le spiritisme

Le spiritisme, terme inventé par Allan Kardec[5], s'apparente beaucoup à la télépathie puisqu'il s'agit là aussi de transmission de pensée. Il s'en distingue toutefois puisqu'il doit inévitablement faire appel à des âmes désincarnées et qu'il nécessite l'utilisation d'un moyen d'expression appelé «table tournante», c'est-à-dire que les réponses aux questions posées par le médium sont données par les âmes (ici appelées esprits) sous forme de coups sur une table. Le nombre de coups est associé à une réponse prédéfinie : un coup pour «oui», deux coups pour «non» ou un coup pour la lettre «a», deux pour la lettre «b», par exemple. C'est de ce mode de communication que sont nées les tables de jeu de type «ouija».

Cette forme de communication est de plus en plus délaissée, car utilisée sans précaution, elle ouvre la porte aux âmes égarées du bas astral qui cherchent à tout prix un moyen de sortir de ce plan vibratoire. Lorsqu'une âme de très basse vibration participe à une séance de spiritisme, elle est fortement tentée de se lier, énergétiquement parlant, à une âme incarnée alors présente dans l'espoir d'y trouver là le niveau vibratoire qu'elle cherche. Or, cela s'avère toujours décevant pour elle puisque le plan terrestre ne correspond pas du tout à l'énergie souhaitée. Prise dans les filets vibratoires de la Terre, elle tentera, par toutes sortes de manifestations (objets qui tombent, fenêtre ou porte qui claque, emprise physique, etc.) de demander de l'aide pour s'élever.

Les âmes de bas astral sont des âmes égarées de leur centre, de leur force d'amour, et elles ont, elles aussi, besoin qu'on les aide à élever leur taux vibratoire. Sous des apparences effrayantes ou néfastes, ces âmes sont toutes en quête d'amour. Tout comme les personnes délinquantes ici-bas, elles expriment très mal ce besoin d'amour, mais lorsque nous en prenons conscience, nous savons que nous pouvons leur porter secours par la force de notre propre amour. De nombreuses âmes du bas astral deviennent perturbantes lorsqu'elles s'accrochent à notre énergie, mais ce n'est pas en

5. Allan Kardec est reconnu pour ses recherches sur le monde de l'après-vie. Il a notamment développé la doctrine du spiritisme. Il a écrit notamment *Le Livre des Esprits* (1857), *Le Livre des Médiums* (1861), *L'Évangile selon le Spiritisme* (1864), *Le Ciel et L'Enfer* (1865), *La Genèse* (1868).

les chassant, en les ignorant ou en les fuyant que nous serons en paix. Au contraire, elles chercheront d'autres manières d'obtenir attention et amour, tout comme l'enfant turbulent. Ces âmes ont besoin d'encore plus de compassion et d'amour que les âmes de l'astral supérieur. Être conscients de notre propre lumière et de notre force d'amour les aidera à s'ouvrir à leur voie lumineuse. Devons-nous les craindre? Absolument pas. La crainte attire des basses vibrations et nous fait vivre des expériences qui correspondent à ces basses énergies. L'amour élève toujours. Voilà pourquoi la meilleure des protections qui puisse exister contre la noirceur ou les plans vibratoires inférieurs est d'être en connexion avec la partie supérieure de notre âme, celle qui nous élève. Lorsque la lumière luit, la noirceur disparaît! Nous aborderons plus amplement ce sujet dans les chapitres M et N.

La parole inspirée

Au moment privilégié, la parole inspirée s'installe dans une conversation avec une autre personne. Ce moment est empreint d'un état de compassion dirigée vers l'autre, et c'est grâce à cette ouverture du cœur que la parole inspirée peut jaillir librement. Cette manifestation entraîne la sensation d'être poussés à dire des paroles qui semblent provenir de nulle part ou qui ne nous appartiennent pas. Si habitués au discours du mental, nous sommes étonnés de la fluidité des paroles prononcées sans même avoir eu le temps de les imaginer. La pression à livrer ces mots est si intense qu'ils sont formulés sans retenue. Parfois, les paroles que nous énonçons nous semblent incompréhensibles ou contradictoires par rapport à nos croyances et à nos connaissances, mais c'est alors plus fort que nous et nous devons absolument les dire. Dans cette forme de communication, nous devenons des messagers pour l'autre et il est parfaitement normal que le message nous semble incompréhensible, car il ne nous appartient pas. Seul notre interlocuteur possède le bagage requis pour en comprendre la portée.

La communication par la parole inspirée est brève et elle contient une information précise que notre interlocuteur cherche ou qu'il a besoin d'entendre. Dans la plupart des cas, nous sommes le messager de cette information sans nous en rendre compte.

Toutefois, en y portant attention, il devient évident que la pression éprouvée pour libérer les mots qui montent du cœur provoque une élévation du taux vibratoire et qu'elle laisse un ressenti particulier dans tout le corps.

Un courriel bien anodin

Mon amie France m'envoie un courriel qu'elle a également adressé à d'autres amis. Ce courriel parle d'une prière pour aider et soutenir nos proches. Comme cela fait un moment que nous ne nous sommes pas donné de nouvelles, je profite de l'occasion pour lui écrire que je pense très fort à elle. À ce moment, je sens qu'il faut que je relise une section du texte qu'elle vient de m'expédier et les mots *réaliser un défi* me sautent aux yeux. J'ajoute alors une phrase à mon texte pour lui dire que je suis de tout cœur avec elle et que je lui souhaite de réaliser son défi sans en comprendre la portée ni même la mesurer. Plus tard dans la journée, France me téléphone pour me dire que mon message est réellement tombé pile. Je comprends que la sensation éprouvée plus tôt était une manifestation de parole inspirée, car, selon les dires de France, cette simple petite phrase lui a apporté la confirmation qu'elle attendait concernant un événement vécu auparavent dans la matinée. Un temps de silence s'insère dans la conversation pour nous permettre à chacune de vivre pleinement toute l'émotion du moment présent.

La prémonition

La prémonition est un avertissement concernant l'arrivée d'un événement futur plus ou moins lointain. La prémonition est habituellement une vibration plus élevée que l'intuition protectrice puisqu'elle se manifeste souvent bien avant l'événement dont elle veut nous prévenir. Elle se manifeste fréquemment par la clairvoyance ou la clairaudience, c'est-à-dire que le message n'est plus seulement associé à un fort ressenti, mais il y a aussi des images ou des voix qui l'accompagnent. Les prémonitions se présentent dans un temps de repos, de relaxation, de réflexion, bref dans un temps où l'esprit n'est pas agité par les tracas du quotidien. Elles arrivent fréquemment la nuit sous forme de rêve. Les images ou les mots entendus sont souvent difficiles à comprendre, car ils se réfèrent à un événement qui n'existe pas encore. Cette information nous est livrée pour nous inciter à être vigilants lorsque ledit événement surviendra. C'est en quelque sorte pour nous préparer à y faire face adéquatement.

Réjean a été prévenu…

Mon ami Réjean est enquêteur. Il revenait d'une belle fin de semaine de formation en compagnie d'une amie. Aux alentours de midi, il s'endormait tellement qu'il n'arrivait plus à garder ses yeux ouverts. On aurait dit qu'on le forçait à fermer les yeux et à s'endormir. Il a alors demandé à son amie de conduire. Confortablement assis du côté du passager, il est arrivé à un état de détente profond, mais il était toujours conscient de son corps. Sans pouvoir s'expliquer pourquoi, il a senti une grande lourdeur au niveau de la nuque. Il n'arrivait plus à maintenir sa tête en place. Elle tombait toujours du côté droit. À peine entré chez lui, son employeur l'appelait pour lui dire de se rendre sur le lieu d'un crime. Un père venait d'étouffer sa fille à l'aide d'un oreiller et il s'était ensuite pendu.

Immédiatement, les sensations d'être forcé à dormir et de lourdeur à la nuque lui sont revenues en mémoire. L'instant d'un éclair, tout ce qui s'était passé dans la voiture est devenu limpide. La forte sensation d'endormissement provenait de la fillette qui s'était endormie pour toujours par manque d'oxygène, et la pression sur la nuque provenait, elle, de la pendaison du père. Par la suite, cette compréhension lui fut confirmée par l'enquête, car les heures de décès correspondaient exactement aux périodes où Réjean avait ressenti la fatigue intense et la pression sur la nuque parce que la tête du père tombait du côté droit. Réjean avait été prévenu que deux âmes auraient besoin de lui pour arriver à s'élever. Sur les lieux du crime, il est donc resté un moment près des corps et il les a enveloppés de lumière. Ensuite, il leur a parlé pour leur expliquer que ce plan n'était plus le leur et qu'ils devaient maintenant trouver la Lumière.

Plus tard, alors que Réjean était en relaxation, la petite fille est venue le remercier en lui offrant un large sourire. Le père est aussi venu, mais ce dernier était dans un grand état de confusion. Réjean lui a à nouveau expliqué qu'il devait élever ses vibrations pour voir les aides célestes qui l'attendaient. La joie au cœur, Réjean était rempli de gratitude d'avoir pu participer à l'envolée de cette enfant et d'avoir pu guider un tant soit peu celle du père. Cette expérience restera à jamais gravée dans son cœur et dans son corps.

L'écriture automatique

L'écriture automatique est une forme de communication qui demande des supports pour se manifester : la main d'un médium, un crayon et du papier pour transcrire le message. À la différence de l'écriture télépathique, l'écriture automatique est plus profonde, car elle demande au médium d'abandonner l'usage de sa main, habituellement contrôlée par le mental, au profit de son âme qui transmettra les mots de l'âme émettrice. Ce n'est donc plus le mental qui commande le mouvement de la main, mais l'âme. Il est important ici de comprendre que pour parler d'écriture automatique, le médium doit réellement ressentir que sa main s'active sans aucune intervention de sa part, ce qui signifie que le mental est en mode silence. Dans l'écriture télépathique, le mental s'active pour décoder les mots reçus sous forme d'images et de ressenti et les transcrit sur le papier; cela permet alors au médium de se souvenir des messages écrits, alors que pour l'écriture automatique, très peu de mots resteront gravés dans la mémoire du médium puisque son mental ne participe pas au processus de transmission.

Madame Monnier a reçu un ordre très clair…

«Le 5 août 1918, elle reçut ainsi l'ordre intérieur : *Ne pense à rien, écris!* Elle saisit au plus vite ce qui lui tomba sous la main : un carnet de comptes et un crayon, puis commence à écrire d'une seule traite : *Oui, c'est moi qui t'ai demandé d'écrire. Je crois que par ce moyen nous arriverons à communiquer bien plus facilement.* Les communications dureront jusqu'au 9 janvier 1937.»

François Brune, *Les morts nous parlent*,
Éd. Livre de Poche, p. 72.

Le rêve contact

Les rêves sont les messagers de l'âme. Ils sont en majeure partie au service de notre âme pour nous aider à traverser les aléas du quotidien. Lorsque le corps physique est endormi, l'âme, elle, en profite pour libérer l'émotivité de la journée, pour résoudre un problème, pour solutionner un conflit ou pour nous apporter la compréhension d'un événement. Tout ce travail ne se passe pas sur le plan vibratoire de la Terre, mais sur le plan astral, l'âme n'ayant pas besoin du corps physique, de la matière lourde pour agir. Le plan astral est le plan transitoire des âmes désincarnées. Il y est alors facile d'établir des contacts avec les âmes incarnées durant notre sommeil, puisque nous sommes sur un même niveau vibratoire. Le rêve où une communication s'établit avec une âme désincarnée est appelé «rêve contact».

Ce type de rêve possède une particularité unique qui le distingue de tous les autres rêves : le ressenti qu'il laisse au réveil, une sensation très nette d'avoir été en présence de l'âme, une sensation de proximité qui laisse une empreinte inoubliable dans le corps. Les détails du rêve peuvent être flous, inexistants ou très clairs, selon le message que l'âme désire nous transmettre. Une chose est certaine et commune à tous les rêves contacts : le ressenti de la présence de l'âme est si fort qu'il restera imprégné très longtemps après le rêve. Ce dernier est non seulement porteur de la preuve de la communication, mais il apporte très souvent le contenu du message de l'âme émettrice. Voilà pourquoi les scènes du rêve ne sont pas toujours fraîches à notre mémoire. Lorsqu'elles font partie du message, leur clarté demeure. Sinon, il faut comprendre que ce n'est pas là que notre attention doit être portée pour comprendre la signification du message. Elle se trouve alors dans le ressenti.

Lisette salue mon père.

Tante Lisette approchait du passage entre les mondes lorsque mes parents la visitèrent pour la dernière fois. Très intéressée par la vie dans l'au-delà, elle les questionna alors sur leur vision de ce monde et elle osa leur avouer son insécurité par rapport à ce passage. Mes parents lui révélèrent leur conviction en la continuité de la vie et ils lui racontèrent certains signes qu'ils avaient reçus à ce sujet dans le passé. Ils lui demandèrent également de venir les saluer lorsqu'elle serait traversée sur la rive de l'astral. Tout sourire, elle leur dit que si elle vivait encore, elle viendrait assurément. Quelque temps après son décès, au beau milieu de la nuit, mon père se retrouva dans un état d'exaltation qui réveilla ma mère. Étonnée de le voir ainsi, elle s'empressa de lui demander ce qui se passait. Mon père lui raconta alors qu'il venait de rêver à Lisette. Le songe se déroulait dans la maison qu'elle avait habitée avant son décès. Une fête s'y déroulait en sa mémoire. Mon père était avec la famille, au salon, mais une vive lumière à la cuisine avait attiré son attention. Il était allé voir ce qui s'y passait. Des portes battantes séparaient la cuisine du salon et en les ouvrant, il avait été ébloui par une intense lumière. Ajustant son regard pour voir d'où émanait cette lumière, il avait littéralement été sidéré. Lisette se tenait debout face à lui et toute cette lumière émanait d'elle. Elle tenait sa promesse et elle venait saluer mon père. Très ému par cette présence, papa s'était empressé d'aller chercher les autres, au salon, mais personne n'avait semblé l'entendre. Il avait eu beau leur dire «Venez voir, Lisette est là! Lisette est là, venez!», ces paroles étaient restées sans réponse. Il n'y avait rien compris. Dans son rêve, il avait continué de répéter ces mots avec tant d'enthousiasme que cela tira ma mère du sommeil. Cette dernière avait compris en le voyant qu'il venait de vivre quelque chose de très intense, car mon père irradiait par ce contact avec Lisette. Jamais ma mère ne l'avait vu ainsi. Après ce rêve, papa est resté habité par l'énergie lumineuse de Lisette des jours durant. Lisette avait tenu sa promesse... et papa lui en était très reconnaissant.

La clairaudience et la clairvoyance

Trop souvent, on attribue ces deux modes de communication à des dons que seules certaines personnes détiennent. La clairvoyance et la clairaudience sont en fait des capacités de voir et d'entendre de manière affinée, c'est-à-dire de voir et d'entendre sur un plan vibratoire plus élevé. Pour y parvenir, cela demande d'élever son taux vibratoire et d'apprendre à regarder et à entendre autrement. Il existe différentes techniques pour apprendre à développer la vision ou l'ouïe et ainsi aller au-delà de la matière dense pour percevoir l'énergie dans sa forme et dans sa sonorité. La clairvoyance permet donc de voir le champ énergétique qui nous entoure (l'aura), les corps subtils de tous les êtres vivants, le prâna (ou l'énergie vitale), les Êtres de Lumière ou les Êtres qui proviennent d'autres plans énergétiques. Cette vision passe par nos yeux humains qui captent une énergie subtile grâce à l'élévation du taux vibratoire, mais cette vision est inévitablement accompagnée d'une perception sensorielle qui alimente la vision. Grâce à l'ouïe, la clairaudience nous permet d'entendre la voix des âmes, des Êtres de Lumière ou des Êtres cosmiques. La clairaudience se distingue des autres messages provenant du cœur par l'utilisation de l'oreille physique qui entend réellement des sons alors que les autres manifestations sont le résultat d'un ressenti qui provoque la montée de mots insonores ou l'apparition d'images porteuses du message. En résumé, la clairaudience et la clairvoyance passent toutes deux par le ressenti du cœur, mais elles utilisent en plus les yeux ou les oreilles pour établir la communication.

Des petites bulles d'énergie...

Par un beau matin estival, je venais de terminer une méditation très énergisante sur une plage en bordure de la mer. Je me sentais si bien à cet endroit que j'ai décidé de rester là un moment pour admirer le paysage. Alors que je fixais le ciel, à la hauteur de l'horizon, je vis apparaître dans mon champ de vision, des centaines de petites bulles qui virevoltaient, disparaissaient et laissaient place à d'autres petites bulles qui apparaissaient encore et encore. Immédiatement, j'ai pensé qu'il s'agissait là d'une nuée de petits insectes. J'ai tourné mon regard vers la gauche et je suis revenue à l'endroit où je regardais quelques secondes plus tôt pour voir si l'essaim y était toujours. Je ne voyais plus rien; donc, il s'agissait bien de bestioles et elles étaient parties. Forte de cette constatation, j'ai alors poursuivi la contemplation du majestueux paysage qui s'offrait à moi. Mince alors! il y avait encore des petites bulles! Plissant les yeux pour mieux observer cet étrange attroupement, mon cœur s'est mis à vibrer plus rapidement. Plus il vibrait, plus je pouvais suivre la danse exécutée par ces points lumineux. Voilà! je ressentais la compréhension de ce phénomène. Pour m'en assurer, j'ai à nouveau détourné mon regard, j'ai trouvé un autre angle d'observation et j'ai une fois encore plissé les yeux. Wow! J'y voyais aussi des dizaines de petites bulles. Oui, c'était bien du prâna (l'énergie vitale subtile) que mes yeux pouvaient capter pour la première fois. J'étais tellement heureuse, car j'espérais en voir depuis un moment. Ce matin-là, j'ai exercé mon regard pendant un long moment pour trouver la «zone» où le prâna était visible. Je parle de zone, car c'est un espace défini entre la vision de loin et la vision de près dans lequel il est possible de voir l'énergie vitale. C'est également dans cette zone que la clairvoyance se manifeste. Je réalisai alors que ce n'était pas la première fois que je percevais la danse du prâna. Maintes fois auparavant, mes yeux avaient croisé cette zone, mais croyant à un mauvais point de mire, j'avais alors réajusté ma vision pour voir comme à l'habitude. Ce qui m'avait permis de reconnaître le prâna ce jour-là, c'était mon ressenti. Sachant ce qui se passait au moment d'une élévation de mon taux vibratoire, j'étais plus attentive qu'autrefois. En conséquence, j'ai vu au-delà de ma vision habituelle. Grâce à cette expérience, j'ai pu observer le prâna, mais j'ai aussi expérimenté la zone de vision où circule l'énergie subtile.

La canalisation

La canalisation est la forme de communication qui demande la plus grande élévation du taux vibratoire, car elle s'établit entre le médium et un Être d'une dimension supérieure (Être de Lumière, un Être ascensionné, un Être cosmique) qui laisse passer une parcelle de son énergie dans le canal médiumnique afin de transmettre un message pour l'avancement spirituel personnel du médium ou pour celui des humains. C'est une forme de communication avec les multiples dimensions de notre conscience qui nous donne accès aux plans vibratoires supérieurs. L'Être de la dimension supérieure avec qui nous établissons un contact se servira de notre corps comme outil d'expression en insérant une partie de ses vibrations dans le canal médiumnique. En conséquence, le taux vibratoire du médium doit être suffisamment élevé pour accéder aux plans supérieurs et permettre à un Être de Lumière ou à un être ascensionné de l'y rejoindre.

Un Être de Lumière est une forme d'énergie qui provient de dimensions très subtiles de notre plan de conscience. Cette forme d'énergie est si élevée qu'elle ne s'est jamais incarnée. Chacune d'elles possède des fonctions bien particulières pour soutenir et aider l'évolution de l'âme. Les êtres ascensionnés sont, quant à eux, des énergies qui se sont incarnées moult fois, qui ont atteint la pleine maîtrise de la matière dense et subtile. Ceux-ci gravitent maintenant sur des plans de conscience supérieurs afin de guider les âmes dans le cheminement de l'ascension qu'ils connaissent très bien pour l'avoir eux-mêmes traversé. Nous gravitons dans un plan de conscience qui correspond à l'évolution de l'âme dans la matière, mais il existe également d'autres plans de conscience qui ont d'autres buts d'évolution. Il nous est possible d'accéder à ces autres plans de conscience grâce à des Êtres cosmiques qui viennent nous apporter des informations importantes pour l'avancement de notre propre plan.

Ainsi, nous avons accès à une infinité de plans et de connaissances qui sont tous à notre portée par notre canal médiumnique. La communication avec ces plans vibratoires très subtils peut s'établir de deux façons : par la transe profonde consciente ou par la transe profonde inconsciente. L'état de transe est tout simplement un taux vibratoire qui permet d'établir le pont entre les mondes inférieurs et les mondes supérieurs. Dans l'état de transe consciente, le médium conserve toute sa lucidité et son éveil puisque l'énergie des plans supérieurs ne l'habite que partiellement. Il est conscient de l'identité et de la présence de l'Être dans son canal médiumnique; il est également à l'affût de ce qui passe pendant la canalisation. Toutefois, la force énergétique qui se déploie alors dans le corps des médiums empêche la majeure partie d'entre eux de bouger durant la canalisation. Toutefois, il est important de préciser que l'immobilité n'est pas un critère de validation de la transe profonde consciente, car certains médiums y conservent une mobilité réduite. Figé par cette pression énergétique, le médium ressent totalement la présence de l'Être qui l'habite, lui offrant ainsi des états de grâce et de félicité indescriptibles. Après la transe consciente, le médium gardera le message imprégné dans sa mémoire et surtout dans ses cellules. Le haut taux vibratoire éprouvé durant la transe s'estompera graduellement, laissant le médium dans un état de flottement temporaire.

La transe profonde inconsciente, comme son nom l'indique, exige que le médium abandonne sa conscience au profit de l'Être des plans supérieurs durant la communication. Le corps du médium est utilisé par les énergies des plans supérieurs pour transmettre le message, mais le médium n'en aura alors absolument pas connaissance et n'en conservera aucun souvenir. Il n'y aura donc aucune participation du médium dans la transmission du message puisqu'il est inconscient, contrairement à la transe consciente dans laquelle le médium contribue par sa lucidité. Après la transe, le médium n'a aucun souvenir de tout ce qui a pu se produire durant la transe. Il aura souvent besoin d'un temps de repos et de calme pour donner le temps à son corps de revenir dans des énergies qui lui sont propres.

Il y quelques décennies, cette forme de transe était majoritairement utilisée par les médiums. Elle a beaucoup contribué à faire connaître la transe et à donner une crédibilité à la communication avec l'au-delà puisque les messages qui y sont donnés vont bien au-delà de la connaissance et du bagage du médium. Puisque c'est l'Être des plans supérieurs qui parle, le message n'est donc plus limité à la compréhension du médium ni aux outils dont il dispose. Un Être de Lumière pourrait donc transmettre une communication dans un allemand parfait alors que le médium ne connaît absolument pas cette langue. Puisque ce phénomène est de plus en plus reconnu, les médiums n'ont plus à prouver l'existence de la communication. Alors la plupart d'entre eux préfèrent nettement vivre la transe consciente pour participer à l'échange. Personnellement, je n'ai jamais expérimenté la transe profonde inconsciente. Cependant, il m'arrive de communiquer avec les énergies christiques, avec Marie et surtout avec l'archange Gabriel, avec qui je ressens beaucoup d'affinités. Depuis quelques mois, je ressens aussi la présence de l'archange Raphaël, qui se joint à ma guidance pour m'offrir des pistes de réflexion menant à des guérisons. Les messages que je reçois de tous ces Êtres de Lumière sont toujours pour m'aider à comprendre une situation personnelle, à cheminer ou pour m'offrir un enseignement sur un sujet précis. La transe consciente est donc pour moi un outil intime d'avancement.

En résumé, la principale caractéristique de la canalisation est de permettre au canal médiumnique de recevoir des énergies des plans supérieurs de conscience. Cette énergie, représentée par un

Être de Lumière, un Être ascensionné ou un Être cosmique habite le canal du médium le temps de la communication alors que dans tous les autres cas de communication, c'est l'âme du médium qui reçoit le message et le lui transmet simultanément. Voilà pourquoi la canalisation requiert un taux vibratoire plus élevé et une plus grande intériorisation.

Communication et ses nombreuses formes (résumé)

1. La communication avec l'âme peut se définir comme l'ouverture du canal intuitif ou médiumnique qui relie la partie de l'âme incarnée à la partie supérieure de l'âme.

2. Le langage de l'âme ne fait pas appel à un code alphabétique puisque c'est un langage universel, le langage de la lumière, de l'amour et de la pensée pure.

3. Une communication avec l'âme laisse une trace indélébile dans le corps. C'est grâce à ce ressenti que nous pouvons reconnaître, comprendre et distinguer la provenance de l'information reçue.

4. Pour recevoir un message, il n'y a rien à faire, rien à dire, rien à savoir. Il n'y a qu'à être présent à soi, dans l'instant actuel, sans artifice, sans préalable.

5. Les principales formes de communication sont :

   a) L'intuition protectrice ou instinct de protection;

   b) L'éclair de génie : la bonne idée qui surgit toujours au moment propice;

   c) La télépathie : la transmission de pensées sans intervention physique quelconque;

   d) Le spiritisme : communication à l'aide de tables tournantes;

   e) La parole inspirée : le mot juste;

   f) La prémonition : reception d'une information avant sa tenue;

g) L'écriture automatique : l'utilisation de la main du médium comme mode d'expression;
h) Le rêve contact : communication dans un songe;
i) La clairaudience et la clairvoyance;
j) La canalisation par transe profonde consciente ou inconsciente où le canal du médium est habité par un Être des plans supérieurs.

Section 4

Comment pouvons-nous vivre une communication subtile?

Mot d'enfant

Maman, quand je t'aime, ça fait du vent dans mon ventre.

Décodage du ressenti

Nous l'avons vu précédemment, la communication avec les énergies subtiles est une forme de langage qui passe par le ressenti du corps. Pour apprendre à communiquer avec l'âme, la nôtre ou celle des autres, ou avec toute autre forme d'énergie provenant des plans supérieurs, il faut donc apprendre à percevoir ce qui se passe dans notre corps et dans notre être. Trop souvent, notre conscience se situe dans notre mental et, en conséquence, elle est en dehors du corps physique. Elle éprouve tout ce qui se passe au quotidien par le filtre du mental qui ne cesse d'analyser, de juger, de classifier toutes les perceptions qu'elle reçoit. Elle est donc complètement à l'extérieur de notre être. N'est-il pas étonnant qu'il y ait un décalage entre la réalité qui se passe dans le moment présent et la façon dont nous percevons cette réalité?

Depuis notre naissance, le corps est un acquis; nous ne nous en soucions que lorsqu'il est souffrant. Autrement, nous sommes habitués à ce qu'il suive le rythme de nos désirs et de nos quatre volontés. Nous savons en notre for intérieur qu'il est important d'en prendre soin, mais nos motivations à le faire sont liées à des considérations souvent éphémères, celles qui nous procurent une satisfaction : plaire, être aimé, être valorisé. Prendre soin de notre corps n'est ni plus ni moins qu'une monnaie d'échange qui nous a été inculquée dès notre jeune âge. Pour être convenables aux yeux des autres, nous avons appris certains gestes d'hygiène de vie et d'hygiène corporelle qui sont devenus à la longue des automatismes : nous nous lavons pour ne pas empester, nous nous habillons pour être décents, nous nous parfumons pour plaire. Dans cette optique, c'est ce que nous procurera le geste qui nous intéresse et non l'attention portée à notre corps.

À l'occasion, au-delà des conditionnements quotidiens s'instaure un souci particulier du corps. Là encore, nous sommes distraits par un bénéfice que nous cherchons à obtenir : nous faisons du sport pour avoir un corps plus attirant, nous mangeons mieux pour maigrir, nous nous couchons tôt pour être plus efficaces le lendemain. Si le bénéfice désiré se manifeste, nous serons alors motivés à poursuivre les bons soins. À défaut, la déception nous poussera souvent à nous bafouer physiquement ou psychologiquement, que ce soit de manière consciente ou inconsciente. Il est donc plutôt rare que les attentions portées à cette enveloppe physique si précieuse à notre incarnation le soient pour la seule motivation d'en prendre réellement soin. Et pourtant, réalisons-nous l'ampleur de ce cadeau qui, jour après jour, est à notre entier service?

Certes, rien dans notre éducation occidentale ne nous a appris à considérer notre corps comme le temple sacré de notre âme. Loin de là, la dévotion est un domaine strictement réservé au mysticisme et le corps physique ne fait absolument pas partie des objets de vénération. Et pourtant, n'est-ce pas l'exemple que tous les grands maîtres ont véhiculé lors de leur passage sur Terre? Le corps est un cadeau sacré que nous devons protéger et chérir. Il n'y a aucun sacrilège à vénérer la demeure de notre âme malgré ce que bien des religions en ont dit. Ce culte du corps n'a rien de prétentieux ni d'orgueilleux et encore moins de vaniteux. Au contraire, le reconnaître comme un haut lieu sacré, c'est voir l'ampleur du rôle qu'il joue dans l'incarnation et ainsi mieux l'apprécier. Il est l'expression de notre divinité dans la matière, ne l'oublions pas. C'est une manière de remercier la Vie pour ce trésor qui nous est donné. L'hymne à sa beauté que nous devons lui chanter n'a aucune commune mesure avec la beauté éphémère prônée dans notre société dite moderne où le corps demeure un acquis qui n'a d'intérêt que pour amasser davantage de gloire, de pouvoir ou de fortune. Sur Terre, sans le corps, quelle gloire existe-t-il? Sans lui, que vaut tout l'or du monde? Quelle est la valeur de notre incarnation si notre corps n'est pas un allié de premier ordre?

En effet, c'est par le corps que le processus de vie se manifeste dans la matière. C'est dans le corps que la vie matérielle éclot et c'est dans la conscience du corps que le sens de la vie se dévoile.

La conscience de la vie qui nous habite, voilà le culte que nous devons célébrer au quotidien. Cependant, cet état de gratitude ne peut se développer qu'en étant présent à soi, conscients de notre corps, c'est-à-dire en établissant un contact privilégié avec lui. Actuellement, nous ne nous dissocions pas de notre corps physique. Nous croyons que nous sommes «lui» et qu'«il» est notre essence. Or, l'essence de la vie ne se trouve pas dans la matière dense, mais dans l'expression la plus pure de l'amour. Nous sommes une étincelle d'amour divine qui s'est revêtue de plusieurs corps pour descendre dans la matière. Cependant, au début de nos incarnations, nous nous sommes identifiés au corps physique afin d'arriver à le maîtriser et à nous en servir à bon escient. Ce faisant, nous nous sommes ainsi coupés un peu plus des plans supérieurs à chaque visite sur Terre.

C'est cette identification au corps physique qui a amorcé la rupture du contact avec l'âme. Au fil du temps, ce dernier est vite devenu insatisfaisant pour combler le vide de cette interruption entre Ciel et Terre. La matière peut certes nous distraire un moment et nous procurer de fortes sensations de joie et de plaisir, mais à la longue, nous finissons par éprouver un sentiment de vide intérieur qui n'est que la manifestation de la coupure avec notre essence divine. Cherchant ailleurs pour combler ce vide, les éléments extérieurs sont devenus notre nouveau centre d'intérêt. Famille, argent, occupations, résidences, loisirs, voyages, activités sont au menu des désirs pour tenter de combler une absence impalpable. Ainsi, la matière est devenue notre sentiment profond d'appartenance et le sens de la vie, de la justice universelle et de la plénitude s'est estompé pour laisser place à de plus en plus d'incompréhension. Le processus de la vie est devenu un mystère que la logique humaine n'arrive pas à expliquer. Et voilà que la mort nous effraie, car elle nous enlève sans préavis tout ce qui nous définit : notre corps, nos liens affectifs, nos possessions et nos occupations.

Tout ce que nous cherchons est en nous. La mort ne nous enlève rien d'autre que le corps physique et son double éthérique[6]

6. Le corps éthérique est la réplique du corps physique, mais ce dernier est composé d'une énergie plus subtile, l'éther. Il contient l'énergie vitale qui anime et alimente la matière. Sans le corps éthérique, le corps physique ne peut donc exister.

qui ne sont alors plus utiles pour notre âme. Le passage de la mort est tout simplement un changement de taux vibratoire qui devient nécessaire pour la continuité du cheminement de l'âme. Sur Terre, le vide que nous cherchons à combler n'est en fait qu'un appel de notre âme à reprendre contact avec les plans supérieurs pour faciliter notre incarnation. La communication avec l'âme nous permet de prendre conscience de la dimension supérieure de notre être afin de délaisser notre identification à la matière pour réintégrer cette essence divine qui est nôtre.

Le contact avec notre essence divine passe inévitablement par la communication avec notre âme. Pour y accéder, il nous faut d'abord défaire les conditionnements sociaux qui nous maintiennent à l'extérieur de notre être. Le corps physique doit devenir un allié précieux dans notre quête de sens et dans notre cheminement. Plus encore, il doit être un haut lieu de centration et de paix. Pour ce faire, nous devons le traiter aux petits oignons. Mais par où commencer? En écoutant ce qu'il a à nous révéler. Notre corps nous parle constamment, mais nous ne l'écoutons pas, et lorsque nous arrivons à entendre son cri, souvent nous ne savons pas ce qu'il signifie. Le langage du corps possède sa propre symbolique qui nous révèle toujours un message de l'âme. Plusieurs auteurs ont écrit sur le sujet et je vous laisse le soin de vous référer à leurs livres pour en savoir plus long[7].

Oui, le corps nous parle clairement et il m'a fallu du temps avant de le réaliser. Durant plusieurs années, j'ai traité mon corps comme un esclave, sans y porter d'attention spéciale. Avec le temps, il a commencé à rouspéter et à devenir tendu et indocile. Cherchant un simple moyen de détente et d'assouplissement, j'ai alors commencé à faire du yoga. J'y ai trouvé là un trésor de découvertes. Cette discipline millénaire m'a permis de prendre contact avec moi-même, de ressentir les différentes parties de mon être, de bouger et de respirer consciemment. Comme ultime bénéfice, j'ai appris à habiter mon corps, à y être totalement présente. C'était tout à fait nouveau pour moi qui avais jusque-là cohabité avec le mental. Être

7. L. Bourbeau, *Écoute ton corps, ton plus grand ami sur la Terre*, St-Jérôme, Éditions E. T. C., 1987, J. Warren, *Retrouver ses ailes*, Loretteville, Le Dauphin Blanc, 2002, C. Rainville, St-Julien-en-Genois, *La métamédecine*, Jouvence, 1995.

dans mon corps m'a procuré alors une grande joie, si grande que je ne pouvais plus attendre la période hebdomadaire du cours; il me fallait intégrer au quotidien une routine de quelques exercices qui me faisaient le plus grand bien.

Grâce au yoga, j'ai modifié plusieurs habitudes de vie. En étant à l'écoute de mon corps, je pouvais dorénavant ressentir les effets néfastes que plusieurs d'entre elles avaient sur moi. Le yoga m'a aussi amenée à découvrir mes centres énergétiques (ou chakras). Les exercices quotidiens de yoga me permettent de sentir les blocages dans mon corps, lesquels me parlent de tension, d'émotivité, de stress ou de fatigue. À l'aide de visualisation ou de techniques respiratoires, il m'est alors possible de libérer les blocages pour entamer la journée du bon pied. Le plus extraordinaire, c'est qu'en portant attention à mon corps et à ce qui s'y vit, j'ai commencé à entendre la voix de mon âme, puis celles d'autres âmes et enfin, celles d'Êtres de Lumière.

Loin de moi l'idée de prétendre que le yoga est le remède à tous les maux et l'unique voie à prendre pour communiquer avec les plans supérieurs. Cette expérience de vie est simplement abordée pour illustrer que le contact avec le corps mène au contact avec notre essence divine. C'est par le yoga que j'ai appris à communiquer avec mon corps et à reconnaître les messages qu'il me livrait. Ce dialogue m'a ensuite permis d'expérimenter différents taux vibratoires qui amènent alors les diverses formes de communication avec l'âme. Mais rien de tout cela n'est accessible si nous n'apprenons pas d'abord à décoder les ressentis dans le corps. De nombreux exercices et de nombreuses disciplines peuvent nous y conduire. L'important, à mon avis, n'est pas la technique, mais le résultat que cette technique nous apporte. Si reconnue que soit une méthode, si elle ne nous sied pas, rien ne nous sert de vouloir la maintenir à tout prix dans notre quotidien. L'effort est vain. Il vaut mieux chercher celle qui nous convient davantage. À titre d'exemples, je vous suggère deux exercices. À vous de voir s'ils sont appropriés pour vous. N'hésitez pas à les modifier et à les adapter si vous en sentez le besoin, car cela est sans aucun doute un appel de votre âme.

Apaisement respiratoire

Assoyez-vous bien confortablement dans un endroit calme et propice à la centration. Assurez-vous que ce moment, si bref soit-il, ne sera pas perturbé par des éléments extérieurs.

Fermez les yeux. Portez votre attention sur votre mouvement respiratoire. Lorsque vous êtes prêt, prenez une grande inspiration. Sentez l'air entrer dans vos narines, gonfler vos poumons et votre abdomen, puis expirez bruyamment. En conscience, suivez l'air qui est expulsé du ventre et de la cage thoracique pour ressortir par la bouche ou le nez selon votre préférence. Inspirez de nouveau et concentrez-vous sur la descente de l'oxygène à l'intérieur de votre abdomen, puis suivez la course du gaz carbonique vers l'extérieur. Continuez ce mouvement respiratoire profond en conservant toute votre attention sur ce qui se passe dans votre corps. Que ressentez-vous à chaque inspiration? L'air circule-t-il librement ou est-il bloqué à un endroit précis? Et lors de l'expiration, que ressentez-vous? Maintenant, prenez conscience que chaque inspiration est le souffle de vie qui vous habite. Elle vous apporte l'énergie vitale dont vous avez besoin. Savourez pleinement chaque inspiration en ressentant tout le bienfait qu'elle vous procure. Que chaque expiration soit un mouvement libératoire de tous les blocages, les tensions et les inconforts que vous ressentez. Inspirez l'énergie vitale et expirez les résistances à ce mouvement de vie jusqu'à ce que vous ressentiez la circulation complètement fluide de l'air dans votre corps. Retrouvez alors un rythme respiratoire normal et goûtez à cet instant de bien-être qui vous habite. Lorsque vous êtes prêt, reprenez contact avec le reste de votre corps, puis ouvrez les yeux.

Circulation énergétique des chakras

Position initiale «debout»

Dans un endroit paisible et agréable (dans la nature ou dans votre résidence), posez vos pieds bien à plat sur le sol de manière à être confortable. Déliez les genoux pour laisser circuler l'énergie dans vos jambes. Redressez votre colonne vertébrale et baissez légèrement le menton pour avoir le dos bien droit. L'axe de votre corps étant maintenant bien aligné, vous devriez être à l'aise dans cette position. Il est nécessaire d'être à l'aise et détendu pour favoriser la libre circulation énergétique.

Position initiale «assis»

Vous pouvez également être assis pour effectuer cette intériorisation à la condition que les pieds soient à plat sur le sol, que le dos soit bien droit et que le menton soit légèrement abaissé.

Une fois la position initiale choisie et adoptée, prenez quatre à cinq profondes inspirations pour gonfler complètement vos poumons et expirez bruyamment. Concentrez-vous sur les respirations que vous effectuez. Ce mouvement respiratoire masse le centre de votre corps et oxygène votre cerveau. Cela amène un état de détente qui favorise la centration. Revenez ensuite à votre rythme respiratoire normal. Faites ensuite descendre votre attention sous la plante de vos pieds, là où se trouve le chakra plantaire. Que ressentez-vous? De légers picotements ou chatouillements ou plutôt une masse informe et statique? Les légers picotements proviennent de l'énergie qui y circule librement. Si vous ressentez une masse figée, c'est l'énergie qui y est bloquée. Par la force de votre visualisation, massez cet amas d'énergie pour le stimuler et créer un mouvement circulaire. Sentez l'énergie s'activer et voyez le blocage se désagréger. Poursuivez ce massage jusqu'à ce que le blocage soit complètement dissout. Prenez ensuite un temps pour ressentir la fluidité énergétique de ce chakra. Lorsque vous vous sentez prêt, portez votre attention au centre de votre pubis, où se trouve votre chakra de la base, et ressentez ce qui s'y passe : mouvement ou stagnation? Libérez la stagnation, si besoin est, et passez au chakra de la créativité, celui situé dans la région de l'ombilic. Continuez l'exploration des chakras en passant ensuite à celui situé au centre du plexus solaire, le chakra des émotions, puis au chakra du cœur, situé au centre de la poitrine. Montez ensuite au centre de la gorge pour voir comment circule l'énergie dans le chakra de l'expression, puis dans celui du troisième œil, situé au centre du front et enfin portez votre attention au centre de votre crâne, dans la région du chakra coronal, et effectuez la libération s'il y a lieu.

Une fois ceci terminé, portez à nouveau votre attention vers le chakra plantaire et imaginez que l'énergie de la Terre entre par vos pieds pour nourrir toutes vos cellules en y accédant par chacun de vos chakras. Lorsque l'énergie est arrivée à la hauteur de votre chakra coronal, imaginez maintenant qu'un grand rayon lumineux entre par ce chakra et descend dans toutes vos cellules par l'intermédiaire de chacun de vos centres énergétiques. Pleinement énergisé, portez maintenant votre attention au niveau du cœur pour remercier la Terre et le Ciel de cette abondance qui vous nourrit et savourez la plénitude qui vous habite pendant quelques instants. Lorsque vous êtes prêt, manifestez intérieurement votre intention de reprendre les activités quotidiennes dans cet état d'unité.

Ainsi, pour établir un contact avec l'âme et saisir son langage, il importe d'abord de reprendre contact avec notre corps, car il est l'outil d'expression de l'âme. Plus nous serons à l'affût des manifestations subtiles qui s'y passent, mieux nous pourrons reconnaître la voix de l'âme et les messages qu'elle cherche à nous transmettre. De plus, le contact privilégié avec le corps nous permet de lui redonner une place de choix dans notre vie et de cesser de le considérer comme un vil serviteur.

Décodage du ressenti (résumé)

1. Pour apprendre à communiquer avec l'âme, la nôtre ou celle des autres, il faut apprendre à percevoir ce qui se passe dans notre corps et dans notre être, car trop souvent notre conscience est dans notre mental, donc en dehors du corps physique.

2. Depuis notre naissance, le corps est un acquis et nous ne nous en soucions que lorsqu'il est souffrant.

3. Le corps est un cadeau sacré que nous devons protéger et chérir; il n'y aucun sacrilège à vénérer la demeure de notre âme.

4. C'est dans le corps que la vie matérielle éclot et c'est dans la conscience du corps que le sens de la vie se dévoile.

5. Sur Terre, le vide que nous cherchons à combler n'est en fait qu'un appel de notre âme à reprendre contact avec les plans supérieurs pour faciliter notre incarnation.

6. Le corps physique doit devenir un allié précieux dans notre quête de sens et dans notre cheminement. Plus encore, il doit être un haut lieu de centration et de paix.

Écoute du ressenti

«Tout se trouve en vous. Écoutez en dedans de vous-même et suivez les directives de ce guide intérieur», a déjà dit Satya Saï Baba. Voilà de sages paroles, mais ces dernières peuvent nous laisser dubitatifs si nous ne savons pas ce que nous devons écouter. Aller en dedans pour entendre le langage du cœur paraît assez simpliste pour les personnes non aguerries, mais rapidement elles se rendent à l'évidence du défi de taille qui les attend. À travers la cacophonie du mental, les divers stimuli du corps physique et l'inconfort de l'inconnu, comment entendre quoi que ce soit? Certes, nous devons écouter, mais écouter quoi au juste?

L'écoute de l'âme apparaît à notre mental comme une action fort intangible, l'âme étant invisible, intouchable, inaudible pour ce dernier. Écouter en dedans, cela nous apparaît bien mystérieux quand tout ce que nous écoutons provient de l'extérieur. Le mental a beaucoup de difficulté à concevoir qu'il puisse entrer en communication avec l'âme, car ses repères traditionnels ne sont en mesure de classer que ce qui provient de l'ouïe, de la vue ou du toucher. Il n'a pas appris à accueillir d'autres formes de communication. Au contraire, il relègue tout ce qui diffère des formes connues dans la filière «improbable» ou «impossible» et il tente de trouver tous les arguments pouvant justifier, appuyer et certifier sa décision. Il joue son rôle de protecteur avec brio. Voulant assurer notre survie, il cherche à nous maintenir constamment sur des sentiers balisés par les expériences et les connaissances acquises dans le passé. Mais la survie n'est pas la vie qui nous est destinée. Nous sommes ici pour expérimenter pleinement notre incarnation, et pour cela, nous avons besoin de nous servir de tout le potentiel que nous possédons, dont la communication avec les plans célestes. Notre mental nous a protégés de maints dangers et nous lui en sommes redevables, mais si utile soit-il, il n'a pas tous les éléments en main pour être la tête dirigeante de notre vie. Sa vision est trop limitée. C'est dans la conscience du cœur que la clarté décisionnelle existe. Comprenant ce que cherche notre mental, nous pouvons l'amener en douceur à remplir son rôle de chien de garde sans lui laisser l'emprise entière sur notre vie. Depuis notre naissance, nous nous référons constamment à notre mental pour tout et pour rien malgré des ressentis parfois très forts qui nous dictent le contraire. En toute conscience, rappelons-nous qu'il est un censeur qui a pour rôle de donner son avis; il n'est pas LE décideur. La décision finale nous appartient en fonction de ce que nous ressentons intérieurement.

N'ayant pratiquement suivi que la voix de notre mental au fil de notre incarnation, il nous est alors bien difficile d'écouter la voix de l'âme puisque nous croyons à tort ne pas pouvoir l'entendre, ou pire, ne pas posséder une telle voix. En fait, l'écoute de l'âme ne diffère pas de l'écoute de l'autre. Écouter, c'est écouter, peu importe ce qu'on écoute : de la musique, une personne, une âme, un Être de Lumière. Évidemment, la véritable écoute n'est pas une action, mais un état de réceptivité dans lequel nous nous plaçons pour entendre, saisir, percevoir le dit et le non-dit, l'exprimé et le non-exprimé, la matière dense et la matière subtile. Par l'audition, nous recevons à l'oreille la vibration que portent les mots et les sons, qui seront ensuite décodés par le mental pour en comprendre le sens. Toutefois, par l'écoute, nous recevons la charge énergétique de ces mots et de ces sons et nous pouvons aller au-delà de la compréhension du mental.

Au-delà des mots...

Voici l'histoire d'un homme qui raconte comment il a appris à écouter sa femme.

Je me suis marié en mai. Un dimanche. Un peu par défi, pour ne rien faire comme les autres. Une semaine auparavant, j'avais invité le prêtre, un ami, à mon enterrement de vie de garçon. Au milieu de la nuit, un peu éméché, nous sommes sortis sur la terrasse du restaurant, face à la mer.

Je lui ai demandé: «Alors mon père, un conseil avant le grand saut?» Il m'a regardé et m'a dit: «Oui. Ne pousse pas l'originalité et l'anticonformisme jusqu'à nier les vieilles recettes qui fonctionnent. Tu désires la durabilité dans ton couple, alors écoute chaque mot que prononcera ta femme».

Sept années ont passé. Si vite... Nous avons eu un enfant. Notre lot de joies et de peines. Puis, sans que j'y prenne garde, notre amour s'est émoussé. Je n'avais pas oublié le conseil de mon ami prêtre, mais il me semblait que je connaissais ma femme presque aussi bien que moi et que j'aurais pu prévoir chacune de ses paroles avant même qu'elles n'aient franchi le seuil de sa bouche. Tout cela ne rimait à rien et devenait décevant à la longue.

Un soir, je suis retourné voir celui qui, par dérision, j'appelais, mon père. Je lui expliquai la situation et je lui demandai son avis. «J'écoute chaque mot qu'elle prononce, mais je ne vois pas ce que ça change», lui dis-je alors avec beaucoup d'ironie.

Mon ami se servit un verre et remplit le mien. En faisant tinter les glaçons, il me regarda: «Tu n'as fait que la moitié du chemin. Maintenant retourne chez toi et écoute chaque mot que ta femme ne prononce pas».

Auteur inconnu

Nous pouvons très bien entendre de la musique en conduisant notre voiture ou en faisant des tâches ménagères, mais si nous voulons réellement écouter le mouvement énergétique de cet agencement de notes et de silences pour en saisir l'essence, nous devons cesser toute autre activité pour être pleinement présents à ce que nos oreilles captent. Ainsi, l'écoute exige d'être dans le moment présent, d'être attentifs à ce qui s'y présente, d'être alertes pour en voir les subtilités et les nuances. L'écoute, c'est ni plus ni moins que la présence tout entière à ce qui se déroule dans l'ici-maintenant. Elle pourrait donc simplement s'appeler «être» puisque écouter, c'est entrer en contact par les liens du cœur avec «ce qui est». Tandis que le mental croit possible d'écouter et d'effectuer des tâches diverses en même temps, le cœur, lui, sait quand stopper les machines pour être véritablement attentif. Nous avons tous, à un moment ou à un autre, laissé tomber notre crayon pour être attentifs à un collègue venu nous raconter un moment troublant de sa vie, à l'enfant qui vit un gros chagrin ou à l'ami qui nous annonce une grande nouvelle. Nous savons écouter lorsque la situation l'exige, car, d'essence divine, nous sommes fondamentalement «état d'être». Toutefois, dans la matière, l'état d'être s'est amenuisé au profit du mental et notre faculté d'écoute s'en trouve aussi diminuée. La reconnaissance de notre essence divine nous permet de recouvrer instantanément cette faculté d'être, donc d'écoute.

Si instantanées que soit ces retrouvailles, il n'en demeure pas moins qu'il y a un défi de taille pour parvenir à notre être ou au niveau d'écoute que l'état d'être amène : faire fi du mental qui jacasse sans fin. En effet, le mental ne cesse d'analyser, de prévoir, d'estimer, de comparer, de critiquer, de juger et d'émettre une opinion sur tout. C'est une véritable girouette qui s'active et s'agite au gré des idées qui circulent sur l'écran intérieur. Habitué de babiller ainsi, le mental résiste à toute demande de silence intérieur et continue tout bonnement son petit baratin. Comment alors pouvons-nous écouter attentivement l'âme si le mental ne cesse ses piailleries? Simplement en portant notre attention au niveau du cœur et non au niveau du mental. L'écoute de l'âme, comme la vie, est d'une simplicité désarmante. C'est le mental qui complique tout. Reprenons l'exemple de la musique. Pour écouter véritablement une œuvre musicale, nous devons cesser toute activité et porter notre attention à la mélodie ou aux paroles et nous laisser porter par l'ensemble de l'œuvre musicale. Si nous sommes réellement concentrés, nous n'entendrons pas les enfants jouer tout près de nous ni le camion qui passe dans la rue, si bruyant soit-il. Il en est de même avec l'écoute de l'âme. Le mental peut babiller tant qu'il veut, il ne nous perturbe point si nous portons notre attention au niveau du cœur pour écouter ce que l'âme veut dire.

Le silence ne peut provenir du mental qui est de service dès que nous sortons du sommeil. Il faut ici comprendre que c'est là sa mission et s'acharner à l'en distraire est une noble cause, mais combien difficile à réaliser! Tentez l'expérience. Demandez à votre mental de se taire et observez ce qui se passe. Il réagira fort probablement comme suit : «D'accord, je ne parle plus. Voilà, je me tais. Je ne dis plus un mot. Tu vois, je suis capable de ne rien dire. C'est le vide. Il n'y a plus rien. Aucun mot, aucune idée… C'est le néant. Ah! ça ressemble à ça le néant? Je croyais que le néant était plutôt comme ci ou comme ça… Et bla! bla! bla!». Le mental analyse, discrimine et compare sans arrêt. C'est dans l'espace du cœur que le silence peut s'installer. Plus nous descendons dans l'espace du cœur de manière consciente, plus il est facile d'y retourner rapidement et fréquemment. Ainsi, il devient plus aisé de ne plus s'occuper du discours incessant du mental. Pour apprivoiser cette descente consciente, voici un exercice de centration qui peut être utilisé. Il faut garder à l'esprit que ce n'est pas la technique de centration qui importe, mais plutôt l'état d'être qu'elle nous procure, d'où la nécessité de demeurer réceptifs à d'autres méthodes, y compris celles qui nous parviennent par inspiration.

Exercice de centration

Cet exercice peut se dérouler dans une position qui vous convient (assis, couché ou debout) dans un environnement qui vous inspire (pièce tranquille, à l'extérieur près d'un point d'eau ou d'un arbre). Si cela vous est plus facile, vous pouvez créer une bande sonore sur laquelle vous enregistrez ce texte de manière intégrale ou dans vos mots.

Une fois installé confortablement pour que l'énergie circule librement dans votre corps (genoux, bras, épaules et cou détendus), prenez une dizaine de respirations profondes et imaginez que l'air se propage dans toutes les cellules de votre corps. Chaque inspiration nettoie et énergise vos cellules et chaque expiration les libère des tensions, des malaises et des déséquilibres qui s'y sont accumulés. Lorsque vous vous sentez pleinement détendu et bien dans votre corps, portez votre attention au niveau du cœur et prenez le temps de ressentir sa vibration. Puis, en gardant votre attention dans le cœur, visualisez le dessous de vos pieds et imaginez de grandes et puissantes racines qui s'enfoncent dans le sol. Ces racines vous permettent d'être branché à l'énergie de la Terre. Elles vous alimentent et vous maintiennent bien ancré au sol. Une fois bien enraciné, remontez toute votre attention au niveau du cœur. Il est votre temple intérieur. Visualisez cet endroit magnifique. C'est la haute demeure de votre âme. Prenez le temps d'observer tout ce qui s'y trouve : le décor, l'ameublement, la végétation, la beauté et la grandeur de ce lieu, sa luminosité, son énergie et le calme qui y règne. Portez attention à tous les minutieux détails qui manifestent son raffinement, son élégance et sa richesse. Imprégné par cette grande splendeur, soyez maintenant attentif à ce qui s'y passe. Laissez simplement couler les mots, les images, les sons, les sensations qui se présentent à vous et écoutez ce que cet agencement de mots, de sons, d'images ou de sensations apporte comme message. Laissez-vous porter par le moment présent dans ce lieu majestueux et savourez-en la musique dans toute sa simplicité.

Lorsque le silence se ressent de nouveau, gardez en mémoire ce moment hors du temps et reprenez tout doucement contact avec les différentes parties de votre corps. Ressentez la joie qui habite votre cœur. C'est votre âme qui jubile d'avoir pu communiquer avec vous.

Développer l'écoute de l'âme, la nôtre ou celle des autres, demande donc tout naturellement de porter notre conscience au niveau du cœur et de plonger dans l'état d'être qui apportera la signification intangible à l'oreille et au mental. Cette voix intérieure se manifeste toujours accompagnée d'un ressenti vibratoire dans le corps. Que la voix de notre âme utilise des mots, des images, une vision ou des sons, chacune de ces formes de langage amène une vibration corporelle qui la caractérise. Voilà pourquoi la pratique assidue d'exercices de centration est fortement recommandée puisqu'elle nous amène à différencier la subtilité du changement vibratoire lorsqu'il se produit. Ainsi, nous pouvons identifier plus facilement les appels des plans supérieurs. L'écoute n'a donc rien du mystère ni de la complexité. Il suffit simplement de découvrir la ou les différentes méthodes qui nous permettent de prendre contact avec notre état d'être, et de les mettre en pratique de manière récurrente afin de maintenir une vigilance. Ainsi, nous développons petit à petit notre réceptivité ou notre écoute et, par le fait même, notre habileté à communiquer avec notre âme, avec celle des autres ou avec des Êtres des plans supérieurs.

Écoute du ressenti (résumé)

1. L'écoute de l'âme est pour notre mental une action fort intangible, l'âme étant invisible, intouchable, inaudible pour ce dernier.

2. Le mental est un censeur qui a pour rôle de donner son avis et non d'être LE décideur.

3. La véritable écoute n'est pas une action, mais un état de réceptivité dans lequel nous nous plaçons pour entendre, saisir, percevoir le dit et le non-dit, l'exprimé et le non-exprimé, la matière dense et la matière subtile.

4. L'écoute, c'est ni plus ni moins que la présence tout entière à ce qui se déroule dans l'ici-maintenant.

5. C'est dans l'espace du cœur que le silence peut s'installer.

6. Pour entendre l'âme, il faut écouter, et pour écouter, il faut apprendre différentes méthodes qui nous permettent de prendre contact avec notre état d'être.

Façon personnelle de communiquer

Nous savons tous comment communiquer avec l'âme, autrement nous ne serions pas de ce monde puisque le lien avec les plans supérieurs est vital. Nous avons vu précédemment que le contact avec le corps et l'écoute sont des étapes primordiales pour redécouvrir la communication avec les plans célestes durant notre incarnation. S'il existe une multitude d'exercices qui nous amènent à l'écoute de notre corps et de notre cœur, c'est parce que notre unicité réclame une manière personnalisée qui lui sied comme un gant. Il ne faut donc jamais hésiter à remettre en question, à modifier ou à adapter les informations ou les techniques qui ne nous font pas vibrer intérieurement. Nous sommes à l'ère de l'ouverture de la conscience où les énergies nous incitent à nous tourner vers notre maître intérieur pour trouver nos réponses. Toutes les possibilités sont donc à notre portée pour nous préparer à vivre consciemment sur Terre tout en maintenant des liens avec les plans célestes. Après avoir réalisé le fonctionnement des moyens d'expression de la communication, il reste à découvrir notre manière bien personnelle d'entrer en relation avec les énergies subtiles, car ici aussi notre unicité exige une méthode adaptée à notre âme. Une question se pose alors : comment re-connaître cette façon bien unique et innée de dialoguer avec l'âme et être certains qu'il ne s'agit pas d'une entourloupette de notre mental?

La reconnaissance de la voix intérieure passe indubitablement par la reconnaissance de notre âme elle-même. Comment pourrions-nous reconnaître la voix d'une personne si nous ne l'avons jamais entendue ni rencontrée nulle part? Certes, nous avons fréquemment des conversations intérieures avec l'âme, mais comme elles se produisent la plupart du temps au niveau inconscient, nous avons peine à identifier la voix de l'âme lorsqu'elle se fait entendre. Il devient donc nécessaire de faire plus ample connaissance pour apprivoiser consciemment sa présence, sa couleur propre, sa personnalité, l'essence divine qui la caractérise. C'est par le contact conscient que nous pourrons identifier cette voix intérieure et ainsi mieux l'entendre et l'écouter. Volontiers, me direz-vous, mais comment? Sur les mêmes bases que nous ferions avec une âme incarnée que nous aimerions rencontrer. Si nous désirons connaître quelqu'un ici-bas, nous l'inviterons et nous réserverons un temps spécial à notre horaire pour cette rencontre. Peut-être revêtirons-nous pour l'occasion nos plus beaux atours ou préparerons-nous un repas ou encore une liste de questions à lui poser. Le type de préparation correspond au genre de rencontre que nous voulons vivre avec cette personne et variera donc en fonction des objectifs que nous avons. Toutefois, pour que cette rencontre se produise, nous devons l'initier, c'est-à-dire convier la personne désirée à un rendez-vous et être disponibles pour participer pleinement à cette rencontre.

Il en est de même pour une rencontre avec l'âme ou avec les énergies des plans supérieurs. Pour se connaître, il faut se rencontrer et s'apprivoiser. Pour cela, il est nécessaire de prendre un rendez-vous, de le préparer et d'être pleinement présents lorsque la rencontre aura lieu. Prendre rendez-vous avec notre âme, c'est lui manifester notre intention la plus pure de prendre un temps avec elle pour échanger. C'est demander un moment privilégié où nous pourrons, en toute conscience, ressentir dans notre corps physique la vibration de la Lumière qui la caractérise, afin de la re-connaître, de la voir, de la palper ou de l'entendre selon ce que nous avons besoin dans l'ici-maintenant. Ce moment de communion où le temps ne se compte plus ne peut se manifester que si nous en avons exprimé l'intention, tout comme un rendez-vous avec une personne. C'est là l'expression de notre libre arbitre. Pour exprimer cette intention pure, nous pouvons le faire dans le silence de notre cœur par des mots murmurés ou prononcés à haute voix, en chantant ou par écrit. Bref, le moyen d'expression a peu d'importance et l'emphase de la demande doit plutôt porter sur l'intention elle-même.

Une fois la demande manifestée clairement, vient alors la préparation de cette rencontre. Rassurez-vous, il n'y a jamais rien de compliqué dans l'état d'être. Voilà la meilleure façon de se préparer à vivre cette rencontre. Les artifices sont inutiles, mais chandelles, encens, lumière tamisée, musique d'ambiance, quoique non nécessaires, pourront inspirer à la détente et au calme requis pour accéder à notre temple intérieur. C'est en effet à cet endroit que la rencontre souhaitée se déroulera. S'il est possible de prévoir la date, l'heure, le lieu, le contenu de la conversation pour les rendez-vous dans la matière, les rencontres énergétiques, quant à elles, requièrent abandon et détachement pour pouvoir se produire, car les attentes, la planification et le contrôle sont des attributs du mental qui ont pour effet de brouiller la communication. Dans le cœur n'existe que le moment présent qui contient toutes les possibilités. Il est important de développer une confiance absolue en notre force de Lumière pour que la communication s'établisse, non pas comme nous le désirons, mais comme elle doit tout simplement être. L'état d'être, c'est un état d'abandon, d'acceptation et de détachement et cela fait partie de la préparation nécessaire pour pouvoir entrer en relation avec notre invité de marque. Voici un petit truc qui peut faciliter la préparation.

La bulle s'envole...

Ce truc peut s'appliquer chaque fois que l'état d'abandon, d'acceptation et de détachement est requis.

Prenez quatre à cinq grandes respirations et centrez votre attention au niveau du cœur. Amenez dans votre cœur la situation qui nécessite abandon, acceptation et détachement. Pour les besoins du chapitre, il s'agira du rendez-vous avec votre âme. Dans vos mots, demandez à votre âme de se manifester à vous afin que vous puissiez la voir, la ressentir ou l'entendre pour être en contact conscient avec sa vibration. Puis entourez cette demande d'une bulle de lumière, de la grosseur et de la couleur qui vous inspirent. Imaginez cette bulle posée au creux de votre main. Élevez votre main devant votre bouche et soufflez sur la bulle pour la laisser librement flotter dans les airs. Voyez-la s'envoler avec la profonde conviction que votre demande a été entendue et qu'elle se manifestera dans la matière au moment opportun. Au fur et à mesure qu'elle s'éloigne de vous, une paix intérieure s'installe dans tout votre être. Vous savez, vous sentez que la réponse viendra en temps et lieu. En gardant cette paix intérieure, vous reprenez contact avec votre corps.

Après ces deux étapes, il ne reste qu'à attendre le moment propice dans le détachement. Ce moment viendra assurément. Bien que le mental croit savoir où et quand il convient d'effectuer cette rencontre, nous devons comprendre que ce dernier ne possède pas tous les éléments en main pour juger de la situation. À trop vouloir, nous perdons contact avec notre essence divine. Confiance et détachement sont donc les seules attitudes à cultiver dans l'attente.

Mon essence divine

Il y a quelques années, en lisant un livre qui parlait de l'apparence divine, j'ai posé quelques instants le livre et, réfléchissant au passage que je venais de lire, j'ai contacté en moi le réel désir de voir mon âme. Intérieurement, je me suis alors dit : «Que j'aimerais voir mon âme!» sans n'avoir là aucune attente. Cela m'apparaissait être un si grand cadeau que je n'aurais pas osé y ajouter mes exigences. Il a dû s'écouler plusieurs semaines entre cette demande et la manifestation, si bien que je n'y pensais plus du tout. Alors que je recevais un traitement énergétique, tout plein d'images défilaient comme il m'arrivait souvent de voir dans des moments de détente. À la hauteur du troisième œil, ces images variées, toutes sans lien les unes avec les autres étaient donc projetées comme au cinéma. Toutefois, vers la fin du traitement, mon attention a été attirée par des images plus claires. La projection éparse venait de se transformer en un scénario plus cousu. Je me voyais, marchant dans un grenier et je me sentais très fébrile, comme si j'allais y découvrir un coffre aux trésors. Toute la pièce était plongée dans la pénombre sauf une section tout au fond où se trouvait un miroir sur pied. J'étais attirée par ce miroir et tout candidement je m'y suis dirigée. Une fois devant celui-ci, je vis un être d'une grande beauté qui me semblait être un ange. Son apparence féminine était si gracieuse et ses traits si parfaits! J'étais subjuguée par cette vision et je me sentais réellement privilégiée d'être en contact avec cet être que je croyais alors être mon ange gardien. Quel merveilleux cadeau! J'étais remplie de gratitude d'avoir eu accès à cette vision.

Après le traitement, en échangeant avec mon amie thérapeute, je lui ai fait part de la vision dans le miroir. Elle m'a alors demandé : «Sais-tu qui c'était?». «Je n'en suis pas certaine, mais je crois que c'était mon ange gardien», lui ai-je répondu très candidement. D'un air amusé, elle m'a alors dit : «Mais Sylvie, tu étais devant un miroir! Ne comprends-tu pas que c'est ton reflet divin que tu as vu?» Pendant que ces mots résonnaient à mes oreilles, l'image de la vision est revenue dans toute son intensité, mais cette fois, je comprenais tout l'émoi alors ressenti. Ma demande venait d'être exaucée et d'une manière tellement plus belle que je ne l'avais alors imaginée!

Et comme toujours, pour calmer mon mental sans cesse aux aguets, quelques jours après avoir eu cette vision, une confirmation de cette vision m'est parvenue sans même que je la demande. Dans une boutique, je cherchais un article dont j'avais besoin à la maison et une petite figurine ressemblant particulièrement à la vision que j'avais eue m'est tombée sous la main. J'en suis restée bouche bée. C'est dans un état de grâce semblable à celui ressenti lors du traitement énergétique que j'ai quitté cette boutique, figurine en main, remerciant la Vie de ce cadeau inestimable… du moins à mes yeux. Malgré le temps qui s'effile, le souvenir de cette vision m'habite encore aujourd'hui.

Après une rencontre consciente avec notre âme, sa vibration s'imprègne à jamais dans nos cellules. Le seul souvenir de cette rencontre facilite la reconnexion pour les rendez-vous suivants. Au gré des rencontres, nous apprivoisons notre état divin et il devient plus aisé de prendre contact avec lui plus fréquemment. Plus nous serons en contact avec notre âme, plus il nous sera facile de distinguer sa voix de celle du mental ou des autres voix qui nous interpellent. La récurrence des contacts avec notre âme nous permet également d'approfondir notre relation consciente, de nouer un lien profond qui nous amène une vision élargie de notre incarnation et de la vie sur Terre. Une conviction intense s'installe en nous. Nous ressentons qu'au-delà de notre corps physique existe un mouvement d'une telle ampleur et d'une telle force, le mouvement de la Vie, un cycle incessant de naissance et de mort qui nous mène vers notre évolution, notre ascension. Nous réalisons que l'incarnation est à notre service pour apprendre à élever nos vibrations et à vivre l'amour inconditionnel dans la matière. Grâce à cette conviction, toute expérience devient une occasion de s'élever un peu plus, une occasion de pratiquer l'amour inconditionnel si nous réussissons à demeurer en contact avec notre essence divine. Voici, dans mes mots, une prière que plusieurs grands Êtres de Lumière ont proposé de réciter. Sachons que toute prière, si puissante soit-elle, ne peut porter fruit que par l'intention que nous y mettons et non par la fréquence à laquelle nous la récitons. N'hésitez donc pas à modifier les mots pour la personnaliser et y mettre votre couleur afin qu'elle transporte l'énergie de votre intention.

Prière quotidienne

Prenez quelques profondes inspirations, portant votre attention sur l'air qui entre dans vos narines. Puis en expirant, suivez le mouvement de l'air qui sort de votre abdomen pour monter dans votre gorge jusqu'à l'extérieur. Ensuite, centrez votre attention au niveau du cœur et récitez, telle quelle ou dans vos mots, la prière suivante en ressentant profondément votre essence divine :

Je suis la Lumière, je suis la Lumière.

La Lumière est en moi. La Lumière m'entoure, la Lumière, me protège. La Lumière m'emplit d'amour, de compassion, de paix, de joie, d'humour et d'harmonie. La Lumière jaillit tout autour de moi.

Je suis la Lumière, je suis la Lumière.

La Lumière m'inspire, la Lumière m'enseigne, la Lumière me guide. La Lumière me nourrit, la Lumière me guérit. La Lumière m'enrichit spirituellement, intellectuellement, psychologiquement, émotivement, personnellement, physiquement et matériellement.

Je suis la Lumière, je suis la Lumière, JE SUIS LA LUMIÈRE.

Imprégnez-vous de cette Lumière qui est vôtre et faites-la circuler dans toutes vos cellules pour qu'elle vous illumine totalement. Gardant cette intense lumière dans votre cœur, reprenez tout doucement contact avec l'extérieur.

Apprivoiser le contact avec notre âme, c'est développer notre manière bien personnelle de communiquer avec elle. Certes des exercices vous sont ici proposés à titre indicatif, mais c'est seulement par l'expérimentation qu'il est possible de découvrir et de reconnaître notre essence. La voix de votre âme vous guidera vers celle qui vous convient. Pour l'entendre, il est nécessaire de s'offrir des temps de silence, des temps d'arrêt, des temps d'écoute ou, plus précisément, des temps d'être. La fréquence et la régularité augmenteront notre compréhension du langage de notre âme. L'exploration de notre voix intérieure nous donne accès aux autres âmes et aux plans supérieurs puisque cette familiarisation avec notre vibration d'âme nous permet ensuite de distinguer les autres voix et leur vibration propre. Comme nous avons tous notre unicité, chaque âme s'exprime à sa manière en utilisant des outils qui lui sont adaptés. Certaines utiliseront davantage le langage visuel, d'autres le ressenti ou les mots. Dans ce domaine, il n'existe pas de recette toute prête, pas de technique unique, pas de méthode infaillible. L'expérimentation de l'état d'être est la clé pour communiquer avec l'âme et chaque expérience est unique, car elle se vit dans le moment présent. À cette heure, un exercice nous semblera être l'idéal alors que demain il sera complètement inapproprié. Comme la vie est en constant mouvement, la communication avec l'âme l'est également. Aucune expérience ne sera identique ni comparable à une autre. La connaissance de notre âme s'obtient au gré des rencontres avec elle et il n'y a que par la pratique fréquente que nous pourrons découvrir notre manière de communiquer avec notre âme et celles des autres. Et cette manière bien personnelle est, elle aussi, comparable à l'«impermanence» de la vie : elle est en constant changement. N'oublions pas que l'état d'être dans lequel se vivent les communications est synonyme d'abandon, de détachement et d'acceptation.

Alors, pour trouver cette manière personnelle de communiquer avec notre âme, il suffit de se laisser guider vers les activités qui nous attirent lorsque vient le temps de s'arrêter, de prendre une pause et de s'intérioriser. Personnellement, c'est la méditation qui me permet d'y arriver, mais rien ne sert de s'asseoir là des heures durant si cet exercice ne vous dit rien au départ! Avant d'installer une routine de méditation dans ma vie, il y avait un moment que la seule résonance de ce mot m'attirait. Lorsque je prononçais «méditation», il y avait une étrange sensation qui se produisait et chaque fois, une petite voix intérieure me disait : «Il faudrait bien que tu essaies ça». J'ai fait quelques vaines tentatives, puis j'ai laissé tomber, me disant que ça ne devait pas être pour moi puisque ça ne fonctionnait pas. Malgré tout, j'étais toujours attirée par cette forme de centration et le souhait profond de méditer demeurait bien vivant. Puis j'ai fait une nouvelle tentative et j'ai alors vécu une brève mais intense sensation de paix intérieure. Après cette première tentative fructueuse, je comprenais pourquoi j'avais cette attirance pour la méditation, car cette forme d'intériorisation me permettait de prendre contact avec mon essence. J'ai continué de l'expérimenter de temps à autre même si je n'atteignais pas toujours la sensation de grâce initialement obtenue. Chacune des expériences m'offrait un temps d'arrêt bénéfique, un véritable cadeau que je me donnais et le simple fait d'être là, en silence, juste pour moi, me suffisait. Je ne cherchais pas à atteindre quoi que ce soit ni à vivre quelque chose de particulier. Ce temps représentait ma pause, qui parfois m'amenait dans des états de grâce indescriptibles, et qui parfois était plus simplement un moment de relaxation salutaire. Ces rendez-vous avec moi-même étaient si bons que j'ai finalement choisi d'organiser mon horaire pour instaurer la méditation quotidiennement.

Cela dit, il est nécessaire aussi de savoir que toute méthode de centration est d'abord et avant tout un moyen de prendre contact avec nous-mêmes et n'est donc pas toujours l'équivalent du «nirvana» de communication avec les plans supérieurs. Par rapport à la méditation, il y beaucoup d'idées préconçues qui véhiculent la notion de la parfaite maîtrise de soi systématique. Toutefois, avant de parvenir à cette maîtrise, il faut nous y entraîner et il faut apprendre à respecter nos limites, tout comme l'athlète doit le faire pour pouvoir maîtriser sa discipline sportive. Ainsi, la centration (par la méditation ou toute autre forme d'intériorisation), c'est une «voie» qui permet d'entendre la «voix» de l'âme qui ne peut se vivre que dans la conscience du moment présent. Comment nous sentons-nous au moment de débuter la centration? Qu'est-ce qui se passe dans notre corps? Existe-t-il des blocages émotifs ou physiques? Sommes-nous en paix ou contrariés? La centration ne peut se vivre qu'en tenant compte de ce qui se passe dans l'ici-maintenant puisqu'elle fait appel à notre état d'être. Certains moments, où l'émotivité est plus grande, serviront uniquement à la centration; d'autres où la forme physique est moindre seront consacrés à la libération de tensions diverses; d'autres périodes serviront à la communication subtile. Voilà ce que j'appelle la manière bien personnelle de communiquer qui demande d'être à l'écoute de notre être pour nous laisser guider vers ce qui nous convient dans le moment présent.

Centration quotidienne

Cet exercice de centration requiert un minimum de quinze minutes, mais il peut être plus long à votre convenance pour avoir le temps d'entrer profondément en contact avec votre essence. Adaptez-le selon votre disponibilité. En position debout, faites quelques exercices d'étirement pour prendre contact avec votre corps et observez ce qui s'y passe, s'il y a des tensions, si elles se relâchent avec les étirements ou si elles demeurent. Lorsque vous vous sentez prêt, assoyez-vous, le dos bien droit, les pieds à plat sur le sol et le menton légèrement baissé pour que votre colonne vertébrale soit dans son axe naturel. Prenez quatre à cinq profondes inspirations et en inspirant observez encore une fois ce qui se passe dans votre corps. En expirant, s'il reste des tensions, évacuez-les avec l'air de vos poumons. Ensuite, portez votre attention au niveau du cœur. Observez comment vous vous sentez. Si vous êtes bien, offrez votre disponibilité à votre âme pour le temps de cette centration et laissez-la vous guider vers ce qui est approprié pour vous dans le moment présent. S'il subsiste des tensions dans votre corps ou des états d'émotivité intense, centrez-vous sur ces tensions ou ces états. À l'aide de votre imagination, placez-vous au centre de cette tension ou de cet état d'émotivité et observez-le. Tentez de voir sa forme, sa couleur, ressentez la douleur qui s'y rattache. De quoi parle cette douleur, qu'a-t-elle à vous apprendre, pourquoi est-elle là? Laissez-la s'exprimer librement. Respirez profondément pour faciliter le dégagement physique ou émotif. Puis visualisez un flot de lumière (laissez votre âme vous montrer la couleur appropriée) qui enveloppe la tension ou l'état émotif et qui le dissout complètement. Ce courant lumineux réactive le mouvement énergétique qui stagnait et la tension ou l'état d'émotivité se dissipe. Prenez quelques profondes respirations pour soutenir ce mouvement de libération et savourez l'apaisement qui s'installe. Lorsque vous êtes prêt, reprenez contact avec l'extérieur en gardant votre attention au cœur.

Bonne pratique!

Façon personnelle de communiquer (résumé)

1. La re-connaissance de la voix intérieure passe indubitablement par la re-connaissance de notre âme elle-même.

2. Pour se connaître, il faut se rencontrer et s'apprivoiser.

3. Prendre rendez-vous avec notre âme, c'est lui manifester notre intention la plus pure de prendre un temps avec elle pour échanger.

4. S'il est possible de prévoir la date, l'heure, le lieu, le contenu de la conversation pour les rendez-vous dans la matière, les rencontres énergétiques, quant à elles, requièrent abandon et détachement pour pouvoir se produire, car les attentes, la planification et le contrôle sont des attributs du mental qui ont pour effet de brouiller la communication.

5. Après une rencontre consciente avec notre âme, sa vibration s'imprègne à jamais dans nos cellules.

6. Être familiers avec notre vibration d'âme nous permet ensuite de distinguer les autres voix et leur vibration propre.

7. Il importe aussi de savoir que toute méthode de centration est d'abord et avant tout un moyen de prendre contact avec nous-mêmes et n'est donc pas toujours l'équivalent du «nirvana» de communication avec les plans supérieurs.

Section 5

Avons-nous de l'aide pour communiquer avec l'âme?

Mot d'enfant

Notre maison est protégée,
elle a un système de larmes contre les voleurs.

Guidance dans la communication

Lorsqu'il est question de la communication avec l'âme, plusieurs d'entre nous éprouvent l'insécurité liée à l'inconnu. En effet, nous sommes peu familiers avec la voix de l'âme et avec ses modes d'expression. De plus, la communication est quelque chose d'intime et d'intérieur et nous nous sentons souvent très seuls dans cette belle expérimentation puisque la plupart de nos autres apprentissages sont guidés par une personne plus expérimentée. Que cette guidance provienne d'un parent, d'un professeur, d'un guide ou d'un ami, elle est un facteur important pour notre sécurisation. Toutefois, lorsqu'il s'agit de communication avec l'âme, nous ne savons pas trop vers qui nous tourner en cas de besoin ou pour obtenir des conseils durant la communication, puisque nous sommes alors seuls avec nous-mêmes.

Pourtant, ce sentiment de solitude n'existe qu'à cause de la perception de dualité qu'entraîne l'incarnation. Dans la matière, nous ressentons une sensation profonde d'être coupés des plans supérieurs; cette sensation n'est en fait que la manifestation du manque de contact conscient avec notre âme et avec les plans supérieurs. Cette interruption provoque la perception d'un vide, d'un manque, que le mental cherche alors à combler à l'aide des repères matériels dont il dispose. Enfants, conjoint, amis, travail, richesse matérielle, succès, gloire, reconnaissance, deviennent alors les *letmotivs* de notre incarnation. La matière n'est alors plus un voyage au service de l'apprentissage de l'âme, mais elle devient une finalité pour le mental, ce qui alimente davantage la sensation de vide. Sans le contact conscient avec l'âme, le sens de la vie se perd dans les dédales des expérimentations qui nous apparaissent alors décousues et incongrues.

Néanmoins, nous ne sommes jamais seuls. Étant d'essence divine, nous sommes en communion constante avec les autres, avec la Source, avec Dieu, et tout comme lui, nous sommes Un avec le reste de l'Univers. D'un point de vue strictement matériel, nous sommes effectivement très souvent seuls lorsque nous entrons en contact avec des énergies plus subtiles, l'isolement étant favorable à l'intériorisation. Toutefois, ce n'est là qu'une perception; dès que nous retrouvons ce contact privilégié avec l'âme, la sensation de solitude disparaît et se remplace par la plénitude. Jamais nous ne sommes seuls, même dans les passages de la naissance et de la mort, quoi qu'en disent certains. Tout un régiment d'aides célestes est à notre portée si nous décidons de tendre la main pour saisir cette aide, naturellement. Âmes, anges, guides, archanges, Êtres de Lumière, Êtres cosmiques se répartissent différentes tâches pour nous assister dans nos incarnations et entre celles-ci.

Ainsi, la solitude est un état d'isolement provoqué par le mental qui se coupe des relations avec l'autre ou avec l'âme. Ce dernier oriente son regard sur l'absence et trouve tous les arguments possibles pour alimenter et confirmer à l'âme la véracité de cette perception. Le mental nous maintient emmurés dans notre tête, nous laissant l'impression d'être seuls au monde malgré les 6,5 milliards d'habitants de la belle planète bleue et malgré la population céleste qui dépasse largement ces quelques milliards. Nous sommes, pour ainsi dire, bien loin de vivre sur une île déserte. La solitude n'est donc qu'une illusion du mental, car, tant sur Terre qu'au Ciel, le principe même de la Vie est la communion. Alors, c'est notre manière d'observer et d'entrer en contact avec les êtres qui nous entourent et avec nous-mêmes qui nous amène à ressentir de la solitude. Toute âme incarnée qui décide de briser le cercle de l'isolement trouvera sur sa route un bon samaritain pour lui tendre la main si elle est convaincue de croiser ce samaritain. Il en est de même dans les plans énergétiques plus subtils. Toute âme non incarnée qui choisit d'être accompagnée le sera si elle croit en cette possibilité.

Du point de vue de l'âme, les ressources sont illimitées et accessibles instantanément. Tant dans notre incarnation qu'entre les incarnations, nous avons accès à la guidance, à l'accompagnement et au soutien. Ils se retrouvent dans la force de vie qui nous permet de traverser les étapes difficiles de notre vie, dans la fébrilité de la nouvelle expérience qui surgit ou dans la grâce du moment présent. Cette aide se manifeste sous forme d'idées par des paroles qu'un ami prononce, dans un rêve qui nous apporte la solution à un problème, par un signe de jour qui nous confirme notre direction, par une lecture qui nous offre un enseignement très à propos, par une nouvelle opportunité qui s'ouvre à nous, par une rencontre inattendue. L'aide céleste se trouve dans chaque mouvement de la vie; si nous sommes à l'écoute, nous pouvons la percevoir, l'entendre ou la voir.

Un appel vital...

Au beau milieu de la nuit, une dame est incapable de dormir. Elle est irrésistiblement poussée à téléphoner à sa sœur, mais, convenances obligent, elle s'en empêche et elle tente de se convaincre d'attendre au lendemain matin pour lui parler. Rien à faire! La pression pour l'appeler est là et elle décide, coûte que coûte, de passer à l'action. Le téléphone sonne en vain. Pas de réponse. Elle croit alors que sa sœur dort trop profondément et l'idée de la joindre s'estompe pour faire place au sommeil. Vers cinq heures du matin, elle est tirée du lit par un appel de sa sœur. Son appartement a été incendié durant la nuit et elle a été miraculeusement réveillée par la sonnerie du téléphone. Cette force, qui a tenu la dame éveillée et qui l'a incitée si fortement à appeler sa sœur, est un bel exemple de l'aide céleste en action! Ce n'est qu'après coup qu'elle a compris pourquoi elle devait passer ce coup de fil en pleine nuit. Ce qu'elle ressentait être comme un ennui profond de sa sœur était en fait une communication importante avec son âme pour lui demander de téléphoner à sa sœur. Elle était branchée à l'aide céleste, à une présence divine, sans avoir les éléments d'information pour la comprendre, mais l'appel de sa sœur lui en a donné le sens au matin.

L'aide céleste est indéniablement présente, accessible à tous, mais la foi, le détachement, l'abandon et l'acceptation sont encore une fois nécessaires pour pouvoir la reconnaître et la distinguer des attentes du mental. La foi, c'est la conviction que cette aide nous est accessible. Rien ne sert d'invoquer tous les saints du Ciel si, dans notre for intérieur, aucun d'entre eux n'a de temps ou d'énergie à nous consacrer ou si nous sommes convaincus que notre demande est futile ou irréalisable. Toute manifestation naît d'abord par notre pensée. Si la possibilité d'aide n'est pas créée intérieurement par une pensée qui nous habite, elle n'aura jamais lieu. Pour avoir accès à l'aide céleste, il faut donc avoir la conviction de son existence, mais également avoir la conviction que nous y avons accès. Si nous nous croyons indignes d'une quelconque forme de guidance, il est clair que celle-ci ne pourra se manifester à nous. Autrement, cela irait à l'encontre de notre libre arbitre. Somme toute, l'aide est disponible. Il ne nous reste qu'à exprimer notre intention de la recevoir – si c'est cela que nous désirons – et à croire en sa manifestation dans notre vie.

Évidemment, l'aide ne vient pas toujours de la manière dont nous l'avons imaginée ni au moment où nous le souhaitons, car la partie supérieure de notre âme sait ce dont nous avons réellement besoin et surtout ce que nous avons à apprendre dans la situation que nous vivons. Voilà pourquoi nous avons parfois l'impression que la réponse reçue est à l'opposé de la demande, comme si elle avait été bien mal comprise. Nous pensons, à tort, être victime du sort et nous ne voyons pas le cadeau caché sous l'emballage, que nous jugeons inapproprié dans les circonstances. La dame qui tentait de joindre sa sœur s'est peut-être sentie abandonnée, triste, seule et déçue de ne pas pouvoir lui parler comme elle le souhaitait, mais apprenant par la suite ce qui se tramait au-delà de son ressenti, elle a pu voir l'ampleur de l'aide céleste.

Avec du recul, nous pouvons mieux voir la pertinence et la justesse des réponses qui nous sont envoyées. Nous réalisons par le fait même que c'était notre attente qui n'était pas juste et pertinente. Une chose est certaine, l'aide céleste est là et elle se manifeste si nous en faisons la demande. Par contre, nous sommes si souvent attachés à la manière d'obtenir cette aide que lorsqu'elle se présente, nous ne la voyons pas ou pire encore, nous croyons avoir été bernés. Habitué de tout contrôler, le mental résiste à tout ce qui diffère de ses attentes. En résistant, il ne peut voir ni apprécier la beauté et la grandeur qui émanent de la situation. En conséquence, pour faciliter la reconnaissance de cette aide, il est impératif de prendre contact avec notre état d'être; il nous permettra de la reconnaître et de l'accueillir:

- avec détachement, c'est-à-dire sans aucune attente;
- avec abandon, c'est-à-dire dans la confiance absolue que l'aide viendra;
- dans l'acceptation, c'est-à-dire que cette aide nous apportera tout ce dont nous avons besoin au moment opportun.

À mon humble avis, la solitude est une illusion du mental. Nous avons toujours la possibilité d'être accompagnés dans les différentes étapes que nous traversons et dans tous les contacts que nous établissons avec les plans supérieurs. Accompagnement n'égale cependant pas dépendance. Rien dans l'aide céleste ne vise à nous rendre dépendants. Au contraire, l'aide céleste existe pour nous conduire vers la maîtrise, donc la parfaite autonomie. Toutes les réponses sont en nous et la guidance nous mène à ces réponses. Mais elle est loin d'être magique et elle ne répond qu'aux demandes qui vont en accord avec le plan d'apprentissage de l'âme et non aux quatre volontés du mental. Elle ne peut donc être entendue que par la voix du cœur qui nous apportera la clarté recherchée. Autrement, c'est la confusion et la désillusion qui s'installent. La dépendance est un manque de confiance en notre lumière intérieure et elle nous pousse à aller chercher les réponses à l'extérieur. Voilà ce qui cause des ambigüités. La voix du cœur nous indique une direction et notre dépendance cherchera à se faire confirmer cette direction. Comme la dépendance se vit dans le mental et que ce dernier n'a pas la possibilité de capter la vibration correspondant à la confirmation que nous cherchons, la quête de réponses du mental est vaine. Tantôt il recevra un signe qui lui dit «oui», tantôt un autre qui lui dit «non», puis «peut-être» et «noui», mais aucune de ces réponses ne lui apportera la sécurité désirée et il continuera incessamment à demander des confirmations, espérant enfin trouver la certitude. Or, ce n'est que lorsque la réponse de l'aide céleste est accueillie au niveau du cœur que les doutes s'effacent et qu'une certitude profonde s'installe, même si cette réponse va à l'encontre de ce que nous attendions. Tout ce qui arrive par le cœur laisse dans le corps une marque vibratoire qui nous apaise. Cette sensation témoigne de notre connexion avec notre voix intérieure. Nous avons réussi à capter la réponse et nous savons à présent que cette direction est nôtre.

Surprise! les plans ont changé.

Christiane et Pierre ont un rendez-vous chez le notaire pour vendre une propriété, après quoi ils espèrent rencontrer l'acheteur chez lui pour lui parler, mais ce dernier est absent lors de leur visite. Ils étaient partis pour tout l'après-midi, mais ce contretemps les force à retourner à la maison. Quelle stupéfaction ont-ils en arrivant chez eux! Des voleurs se sont introduits dans leur domicile et ont commencé à charger leurs effets personnels dans une petite fourgonnette. Pris en flagrant délit, ces derniers se ruent dans la camionnette pour prendre la fuite, abandonnant le butin sur le pas de la porte. Christiane a alors la présence d'esprit de prendre, au passage, le numéro de la plaque d'immatriculation du véhicule. Elle s'empresse alors de téléphoner à la police. En ouvrant la porte de sa maison, outre le fouillis qui y règne, c'est la photo de son frère, récemment décédé, qui attire son attention. Elle l'avait placée sur le tableau d'affichage tout près de la porte en se disant qu'il serait toujours avec elle. À ce moment précis, elle ressent une forte émotion, comme si son frère lui disait, avec l'air coquin qu'il arborait souvent: «T'as raison, Christiane, je serai toujours là avec toi. Tu vois... je suis toujours ton grand frère qui veille sur toi.» En guise de confirmation de cette protection, exceptionnellement ce jour-là, la police circule dans les parages et, grâce à la plaque d'immatriculation, les malfaiteurs sont arrêtés avant qu'ils ne prennent le large. Christiane aurait pu vivre cette expérience dans l'émotivité et passer totalement à côté de la manifestation bien concrète de la guidance dans sa vie. Grâce au lien d'amour qui l'unit à son frère, l'expérience s'est vécue au niveau du cœur, démontrant hors de tout doute la présence de la protection divine qui s'est alors manifestée.

Cependant, une question demeure sur le plan de la communication avec l'âme. Puisque nous percevons très souvent l'aide céleste dans les signes extérieurs, comment pouvons-nous alors la percevoir lors des communications avec l'âme? La question se pose en effet puisque dans les communications avec l'âme, la nôtre ou celle des autres, nous sommes dans l'espace du cœur où le monde extérieur n'a plus d'emprise. Comment pourrons-nous alors avoir la certitude que l'information reçue est exacte, que notre interlocuteur est bien celui qui se présente, que ce qui s'y déroule est vrai? En fait, ce questionnement est justifié, mais sachons qu'il provient du mental. Le cœur sait, ressent et vit le moment présent tel quel. Lorsque nous vivons une communication avec l'âme, c'est notre ressenti qui nous confirme que nous sommes dans l'ici-maintenant. Dans cet état, ce qui «est» est la réalité du moment présent. Dans le cœur, nous ne cherchons plus de confirmation, nous savons que ce qui se passe est exact. Tout notre corps nous l'exprime. Nous avons tous déjà été en amour. Comment savons-nous qu'il s'agit bien de l'amour et non d'amitié ou de dépendance? C'est notre ressenti qui nous le confirme et nous n'avons pas besoin de constamment chercher des preuves à ce ressenti. Nous sommes en amour, nous le ressentons, nous le vivons. Même un premier amour se reconnaît par le ressenti.

Dans l'espace du cœur, il n'y a plus de doute, car nous nous sentons en communion avec cette force de vie qui nous habite. Nous n'avons plus besoin de chercher la guidance céleste puisqu'elle nous habite et que nous la ressentons profondément en nous. La guidance, c'est la Lumière, c'est l'amour inconditionnel, c'est Dieu, c'est la Source, c'est notre essence divine. Lorsque nous élevons nos vibrations pour prendre contact avec notre état d'être, nous n'éprouvons que certitude, vérité, amour et paix. Le mental s'inquiète, craint, appréhende tout ce qui peut se produire dans ces communications, tout comme il a la même attitude envers les relations amoureuses. Il cherche ainsi à nous protéger de la peine et de la souffrance. Il n'a pas accès à l'espace du cœur pour y trouver la certitude. La confiance absolue en notre force de Lumière est la meilleure protection que nous ayons. Si nous sommes pleinement habités par notre Lumière, rien ne peut nous porter ombrage. Et c'est justement dans cette Lumière que se trouve notre guidance.

Au fond, l'aide céleste n'est que l'expression des principes de l'omniscience et de l'omniprésence divines auxquelles nous avons accès en tout temps. La foi en notre Lumière est l'assise de notre certitude et le ressenti du cœur en est son expression. C'est donc la fréquence des moments d'intériorisation qui nous permettra de bâtir notre foi en ce guide intérieur et en toutes les ressources auxquelles il a accès. Au fur et à mesure qu'elle prend racine en nous, cette foi devient si grande que rien ni personne ne peut plus la perturber, pas même notre mental!

Au-delà des apparences...

Sylvie accompagne une de ses amies durant les funérailles de sa mère. Elle est habitée d'une forte voix qui lui demande de dire à cette amie d'être à l'écoute des signes. Son amie étant plutôt sceptique par rapport à ces manifestations, alors Sylvie hésite à lui révéler cette phrase qui résonne constamment à son oreille. Juste avant de quitter le salon funéraire, elle va saluer son amie. En lui faisant une accolade, toute résistance tombe et elle lui murmure à l'oreille : «Sois à l'écoute des signes. Ta mère t'en offrira un, c'est certain.» Étonnée, son amie la regarda, puis la remercia sans trop comprendre le sens de ces paroles. Sylvie est sur le point de partir, mais elle voit la sœur de son amie et elle ressent également la certitude qu'elle doit aussi aviser cette dernière d'être à l'écoute. Faisant fi du mental qui tente encore une fois de l'arrêter, elle livre le même message à la sœur de son amie et elle part du salon funéraire le cœur en paix. Quelque temps après, l'amie de Sylvie lui raconte un signe que sa mère leur a envoyé, à sa sœur et à elle. Intérieurement, Sylvie a ressenti la force divine qui l'a incitée à parler à son amie et à sa sœur. Au-delà des apparences, ces dernières étaient prêtes à accueillir la guidance céleste qui leur était accessible. Au-delà des apparences, elles ont eu foi en leur Lumière et en toutes les possibilités qu'elle contient. Les paroles de Sylvie leur ont permis d'être à l'écoute pour expérimenter consciemment l'ampleur de leur guidance.

Guidance dans la communication (résumé)

1. Nous ne sommes jamais seuls.

2. Âmes, anges, guides, archanges, Êtres de Lumière, Êtres cosmiques se répartissent différentes tâches pour nous assister pendant notre incarnation et entre les incarnations.

3. La solitude est un état d'isolement provoqué par le mental qui se coupe des relations avec l'autre ou avec l'âme.

4. L'aide céleste se trouve dans chaque mouvement de la vie; si nous sommes à l'écoute, nous pouvons la percevoir, l'entendre ou la voir, car elle est au service de la Vie elle-même.

5. La foi, le détachement, l'abandon et l'acceptation sont encore une fois nécessaires pour pouvoir reconnaître et distinguer la guidance des attentes du mental.

6. L'aide ne vient pas toujours de la manière dont nous l'avons imaginée ni au moment où nous le souhaitons, car la partie supérieure de notre âme sait ce dont nous avons réellement besoin et, surtout, ce que nous avons à apprendre dans la situation que nous vivons.

7. Dans l'espace du cœur, il n'y a plus de doute. Nous nous sentons en communion avec cette force de vie qui nous habite. Nous n'avons plus besoin de chercher la guidance céleste puisqu'elle nous habite et que nous la ressentons profondément en nous.

8. La foi en notre Lumière est l'assise de notre certitude et le ressenti du cœur en est son expression.

Section 6

Qu'est-ce qui perturbe la communication avec l'âme?

Mot d'enfant

Papa, si tu vas trop vite,
la police va te donner une conversation.

Handicaps à la communication

La communication avec les âmes est comparable aux ondes radiophoniques. Tous peuvent les capter, mais pour ce faire, il est nécessaire de syntoniser une fréquence. La fréquence de l'âme passe par le cœur et celle de l'émotivité, quant à elle, passe par le mental; deux niveaux vibratoires, donc deux types d'ondes fort différentes. Comme pour la radio, lorsque nous syntonisons un poste, nous n'avons pas accès aux autres simultanément. Ainsi, lorsque nous syntonisons le mental, tout ce qui a trait à la communication avec l'âme ne peut être capté et vice versa. Ce chapitre vise donc à nous familiariser avec les effets de ces ondes, principalement celles émises par le mental, pour maintenir consciemment la communication avec l'âme.

L'émotivité, les peurs et les doutes

L'émotivité, c'est un sillon où s'engouffre le mental qui est déstabilisé par un événement prévu ou imprévu. Distinguons l'état émotif perturbateur de l'émotion elle-même. Les émotions sont des outils à notre portée pour nous permettre d'apprendre sur nous-mêmes et de régler nos conflits intérieurs. Toutefois, lorsque le mental s'accroche à l'émotion, il entre alors dans un état d'émotivité et il s'en nourrit jusqu'à ce que la situation soit si inconfortable qu'il accepte enfin de trouver des moyens d'en sortir. Si l'émotion est un moteur de l'apprentissage, l'émotivité devient alors le trop-plein qui fait caler tout le système. Observons-nous lorsque nous sommes émotifs. L'équilibre émotionnel est rompu et il fait place à la nervosité, à l'angoisse, au désespoir ou au pessimisme. La raison n'a plus sa raison et les émotions s'amplifient au rythme infernal du discours du mental qui alimente l'émotion initiale. Que ce soit la colère, la haine, la frustration, la peine, la jalousie, le bonheur, l'amour ou toute autre émotion, lorsque le mental s'accroche à l'une d'elles, il la nourrit de chimères et la transforme en émotivité. L'intensité du babillage du mental est si grande qu'elle enterre la voix du cœur; certains échos arrivent parfois à s'infiltrer pour mettre un bâton dans l'engrenage et stopper l'enlisement.

Il faut apprendre à reconnaître ce qui nous mène à l'émotivité, particulièrement les situations qui nous poussent à réagir intensément sans que nous comprenions toujours le «pourquoi» de cette forte réaction. Cela nous aidera à réduire l'emprise du mental et à nous recentrer plus rapidement. En identifiant comment l'émotivité se manifeste, nous pourrons immédiatement réagir pour stopper le discours du mental. En fait, être à l'affût dès que l'émotivité se pointe le bout du nez nous permet de changer de fréquence pour syntoniser à nouveau la voix du cœur afin de trouver un sens à l'émotion vécue et d'en tirer une leçon. Une fois la leçon apprise, l'émotivité qui y était liée cesse. Plusieurs exercices existent pour évacuer l'émotivité lorsqu'elle est profondément installée. Ceux qui sont proposés dans les chapitres D et E du présent livre en sont des exemples. Je vous en propose un autre très simple et efficace pour un recentrage rapide. Vous pouvez également vous référer à l'exercice d'évacuation et de regénération expliqué dans *Ils nous parlent... entendons-nous?*[8] pour les états émotifs plus coriaces.

Des racines pour évacuer

En position debout, le dos bien droit et le menton légèrement incliné, prenez plusieurs grandes respirations. Portez simultanément votre attention aux niveaux du cœur et du chakra de la base. Imaginez que de grandes racines poussent dans vos jambes et s'enfoncent dans la terre. Ces racines sont solides et profondément ancrées à la Mère Terre. Sentez l'énergie de la Mère Terre monter dans vos racines pour alimenter toutes les cellules de votre

8. S. Ouellet, *Ils nous parlent... entendons-nous?*, page 205.

corps. Portez de nouveau votre attention au niveau du cœur et invitez-y l'état émotif qui vous perturbe. Inspirez pour gonfler vos poumons et en expirant, expulsez l'état émotif par vos racines. Revenez au niveau du cœur et s'il subsiste encore une perturbation émotive, inspirez à nouveau et expirez cette émotion dans la Terre, puis revenez encore une fois au niveau du cœur, pour voir si vous êtes en paix et libéré. À défaut, continuez d'évacuer le trop-plein d'émotivité jusqu'à pleine libération. Imprégnez-vous complètement de l'état de paix qui vous habite et lorsque vous êtes prêt, reprenez conscience de votre corps.

Du point de vue énergétique, l'émotivité comporte des effets non négligeables. Toute émotion est une vibration qui attire à elle des énergies similaires. Nous attirons donc les mêmes énergies que nous dégageons. Ainsi, si nous émettons de basses vibrations, nous invitons ces mêmes énergies dans notre entourage. Comme un aimant attire la limaille de fer, la peur attirera la peur, la paix attirera la paix. Alors, pour vivre des communications avec les plans supérieurs dans l'harmonie et l'amour, il faut nous départir des basses vibrations telles que la colère, la haine ou la peur qui nous habitent. Le taux vibratoire que nous dégageons au moment de la communication détermine le genre de communication qui s'établira et aussi le genre d'interlocuteur qui se présentera. En fait, cela n'est absolument pas différent de ce qui se passe ici dans la matière. Si nous sommes hantés par la peur, nous attirerons des situations qui nous ferons vivre de la peur. La lumière ne peut attirer la noirceur. La peur ne peut attirer la paix ou encore la joie ne peut attirer la colère. Il s'agit là d'un principe physique. Pour vivre des expériences vibratoires élevées, il faut donc inévitablement élever nos propres vibrations en nous libérant de notre émotivité.

Lorsque nous envisageons la communication avec l'âme, il est normal de ressentir de l'insécurité, voire de la peur, car c'est un domaine inconnu pour notre mental. Cependant, c'est en regardant cette peur que nous pourrons la dépasser et aller de l'avant. En demeurant ancrés à elle, toute tentative de communication sera teintée de peur. De quoi nous dissuader de recommencer ces expériences pour de bon! Toute relation avec l'autre, qu'il soit incarné ou non, est une question de vibration. Si nous sommes instinctivement portés vers certains types de personnalités, c'est qu'elles vibrent au même niveau que nous. Si nous attirons sans cesse le même genre d'événements, c'est que nous émettons un niveau vibratoire similaire. Pour vivre un contact énergétique agréable, stimulant et riche, il importe donc d'être dans un état de réceptivité qui en favorise l'avènement. D'où l'importance de se départir des peurs liées à la communication. Avoir peur d'entrer en communication avec une âme parce que nous craignons le contact lui-même, l'âme ou les intrusions d'autres âmes, est une émotion parfaitement normale, mais elle ne peut que contribuer à augmenter la peur en attirant des énergies de peur. Alors, les expériences vécues seront empreintes de crainte, voire de frayeur.

L'antidote à la peur est l'amour! La vibration de l'amour permet de s'élever pour atteindre un niveau d'ouverture du cœur qui ne laisse place qu'à la compassion, à la grâce et à la plénitude. Dans cet espace, il n'y a plus rien que l'on puisse appréhender. Par conséquent, c'est en bâtissant la confiance en notre Lumière et en la Protection divine[9] qui nous accompagne en tout temps que nous pourrons évincer la peur. L'amour pur, essence divine de la lumière, s'exprime par la confiance absolue, le détachement, l'acceptation sans aucune condition. La conscience de la Lumière qui nous habite permet de ne laisser aucune emprise à tout ce qui pourrait entraver notre chemin ici-bas et nos relations avec les plans supérieurs. Comme mentionné dans le chapitre F, des moments récurrents de méditation, de visualisation, de centration ou de contemplation développent notre ressenti et la reconnaissance de notre Lumière et de notre guidance. Toutefois, pour contrer la peur, voici un exercice que nous pouvons pratiquer lorsque celle-ci se pointe ou que nous pouvons ajouter à notre routine quotidienne pour prendre contact avec notre force intérieure. Cet exercice est proposé en différentes versions par plusieurs médiums qui canalisent les énergies du Maître Saint-Germain et de la flamme violette.

9. Renvoi au livre de Patrick Bernard, *La Protection divine : l'ultime refuge est en soi*, Le Dauphin Blanc, 2005.

La bulle de miroir

Debout, les genoux déliés, prenez contact avec votre respiration. Portez vos deux mains au niveau du cœur dans une position de recueillement, puis centrez toute votre attention dans votre cœur. Sentez la paix et le calme s'installer en vous. Élevez les mains au-dessus de la tête en les laissant toujours l'une face à l'autre jusqu'à ce que vos bras soient parfaitement dépliés. En gardant toujours votre attention au niveau du cœur, visualisez un rayon de lumière qui descend des plans célestes jusqu'à vos mains. Tournez maintenant les paumes de vos mains vers l'extérieur et descendez doucement vos bras en les gardant tendus, comme si vous descendiez le rayon de lumière de chaque côté de votre corps pour installer une bulle lumineuse tout autour de vous. Ressentez cette lumière qui vous entoure et qui vous protège tel un écran protecteur. Ensuite, visualisez cette bulle de lumière qui s'agrandit pour recouvrir tous vos corps subtils. Sentez cette divine protection dans toute votre énergie. Puis, à l'aide de la visualisation, voyez la surface extérieure de cette bulle et recouvrez-la entièrement de petits morceaux de miroir qui serviront de barrière réflectrice à toute autre énergie. Ainsi en paix et bien protégé, visualisez l'intérieur de cette bulle. Demandez aux énergies de la flamme violette régie par le Maître Saint-Germain d'emplir votre sphère de lumière violette, énergie correspondant au maître intérieur. Imprégnez-vous alors de cette force intérieure. Tous vos corps vibrent grâce à la présence de cette flamme violette qui les nourrit. Prenez le temps d'intégrer cette lumière et cette force intérieure. Puis remerciez les énergies célestes et le Maître de vous aider à établir cette protection à toute épreuve. Gardez cette bulle de lumière activée et reprenez contact avec votre corps.

L'installation fréquente de cette bulle de lumière augmente la maîtrise intérieure. Lorsqu'un événement vous déstabilise et que cet exercice est intégré dans vos exercices quotidiens, vous pouvez en quelques secondes visualiser la bulle autour de vous pour reprendre contact avec votre Maître intérieur. C'est un exercice rapide et efficace.

Une fois la peur des communications disparue, il peut arriver d'éprouver une autre peur : celle de notre propre Lumière. La Lumière représente une force incommensurable. Lors de nos premières expérimentations, il est possible que son ampleur nous fasse paniquer un tant soit peu, comme lorsque nous entreprenons un nouveau travail ou que nous acceptons une nouvelle responsabilité telle celle d'être parent. Une sensation de lourdeur peut alors nous envahir. Serons-nous à la hauteur? Pourrons-nous utiliser cette lumière à bon escient? Avons-nous le bagage nécessaire ou la force de l'utiliser comme il se doit? Cette peur est fort justifiée. Depuis notre tendre enfance, le mental cherche à gauche et à droite pouvoir et gloire, reconnaissance et valorisation. La force de notre lumière peut lui procurer des moments d'extase intense où il est tentant de nous refugier en fuyant le monde matériel. Notre âme connaît ce danger et nous en avise par le biais de la peur. Cette dernière devient une balise pour nous garder en alerte. Elle nous ramène les deux pieds sur Terre et nous incite à nous ancrer pour vivre les contacts avec les plans supérieurs dans l'acceptation de notre incarnation. Certes notre lumière constitue un pouvoir égotiste intéressant, mais lorsqu'elle est vécue dans la conscience d'être, elle demeure notre meilleure alliée. C'est en acceptant de s'ouvrir à notre lumière en toute conscience que nous pourrons apprendre à l'utiliser et à la maîtriser dans la matière. À ce sujet, je vous propose un petit truc qui permet d'apaiser la peur tout en apportant la certitude que nous ne nourrissons pas les désirs de l'ego.

Une simple question

Pour nous maintenir en harmonie avec la voie de notre cœur, la voie de l'amour ou de la Lumière, nous pouvons vérifier nos actions, nos paroles ou nos pensées en nous demandant simplement :

« S'il était à ma place,

que ferait l'Amour?

que dirait l'Amour?

que penserait l'Amour?»

Ces simples questions réalignent complètement notre vision de la situation et elles nous recentrent vers des objectifs plus élevés que ceux de notre ego. Au centre du cœur, là où il y a l'Amour, la peur et le doute n'existent plus.

Les doutes appartiennent également à la grande famille de la peur, car ils témoignent d'un manque de confiance envers soi, envers l'autre, envers la Vie. Douter d'une communication, c'est craindre d'avoir mal entendu, d'avoir tout interprété, c'est se méfier de nous et de l'âme. Il y a deux types de doutes dans les communications : ceux qui nous font angoisser et qui nous conduisent à des états d'émotivité intense ou ceux qui nous gardent en alerte. Certains doutes nous emprisonnent et nous empêchent d'avancer. Ils sont souvent le reflet de grandes peurs qui nous hantent : peur de communiquer consciemment, peur de la Lumière, peur de l'Ombre. Pour réussir à les transcender et à les transformer, nous devons alors prendre contact avec la force de notre lumière, comme mentionné dans les paragraphes relatifs à l'émotivité et à la peur.

D'autres doutes équivalent à un signal de vérification qui nous permet de nous questionner pour voir si nous sommes toujours sur la voie du cœur ou si nous l'avons quittée. Ils sont là pour nous questionner quant à la validité d'une communication, quant à notre compréhension des messages reçus. À mon avis, ces derniers ne sont donc pas à bannir. Ce type de doute sans émotivité est un outil avec lequel il est capital d'apprendre à travailler. Il est un messager qui vient nous dire que quelque chose en nous n'est pas en harmonie, qu'il y a une résistance quelque part. Lorsqu'il survient, nous devons développer l'habitude de nous centrer au niveau du cœur pour comprendre le sens de ce message. Ainsi, nous évitons de tomber dans l'émotivité, où se grefferont peur, angoisse ou autres émotions perturbantes. Le doute est sain lorsqu'il demeure un appel à la vérification intérieure. Il nous incite à nous arrêter un moment pour voir les choses par l'éclairage du cœur, pour observer notre ressenti qui nous confirmera l'existence ou le sens de la communication. Après cette observation, si le doute persiste encore, nous pouvons toujours demander une confirmation, c'est-à-dire un signe précis qui fera faire taire ce doute et ainsi nous offrira une réponse claire.

La confirmation ou validation, plus amplement élaborée dans la section 12, est une demande claire et précise adressée à l'âme afin qu'elle nous envoie un signe, établi ou non, dans le délai mentionné. Pour illustrer davantage ceci, je vous donne l'exemple d'une confirmation que j'ai demandée récemment.

Une réponse svp

Bien avant l'écriture de ce livre, il m'est venu une idée à mettre en place dans un futur manuscrit; je ne la dévoilerai pas ici pour vous garder l'éventuelle surprise. Alors, au tout début de la rédaction de ce manuscrit, j'ai demandé à mes guides que tout ce qu'il fallait pour mettre cette idée en place me parvienne aisément. Comme rien ne se produisait de ce côté, je me suis rappelé le fameux proverbe : «Fais confiance à Dieu, mais attache quand même ta bride». Il est vrai que l'aide céleste nous provient toujours, mais il faut quand même s'aider un brin. Je suis passée aux actes pour amorcer la matérialisation. Il me fallait pour cela prendre contact avec quelques personnes qui me donneraient un coup de main. Or, je n'ai pas obtenu l'aide escomptée; cela était tout à fait inhabituel. En effet, pour mon premier livre, lorsqu'une idée était appropriée, tout se mettait en place pratiquement tout seul. Intriguée par cette stagnation inaccoutumée, j'ai remis en question la réalisation de ce fameux projet. Ce soir-là, j'ai fait un postulat de rêve dans lequel je demandais clairement qu'on me dise s'il fallait que j'aille de l'avant. À défaut de réminiscence de mes rêves au réveil, je devrais en conséquence laisser tomber l'idée. Au matin, aucun souvenir de mes activités nocturnes n'a refait surface. Je me suis alors dit, toute déçue : «D'accord, je laisse tomber, ce n'est pas le temps pour cela.»

Sur ce, j'ai amorcé ma méditation quotidienne. La centration n'y était pas vraiment et je n'arrivais pas à croire qu'il me faudrait réellement abandonner cette idée qui me paraissait géniale. Tant bien que mal, j'ai fini par trouver un bref moment de quiétude avant de reprendre ma plume. Devant mon écran, je me suis alors dit : «Tu ne vas quand même pas renoncer si facilement. Ça ne te ressemble pas. Et si ta demande de validation était venue, mais que tu ne l'avais pas comprise? Allez, agis et prend contact avec d'autres personnes. Cette fois, ça ira». J'ai immédiatement pris mon téléphone sans fil et ma liste de personnes-ressources, mais là m'attendait une validation totalement inattendue. La pile de mon sans-fil était à plat. Je n'y comprenais rien. Quelques minutes auparavant, je l'avais utilisé et il n'avait pas émis le signal sonore qui indique de le recharger. Je suis restée un moment totalement coite devant mon appareil téléphonique. Ce silence m'a permis de me recentrer. Puis la compréhension est arrivée. Je devais réellement laisser tomber cette idée. J'en étais alors certaine. Ma guidance avait dû m'envoyer un autre signe, cette fois imprévu, pour me le faire comprendre.

À l'intérieur de nous, se trouvent toutes les réponses, toutes les solutions, tout ce que nous cherchons. Il faut s'arrêter pour y avoir accès et il nous faut parfois obtenir une validation, et même plus d'une, pour avoir la certitude qu'il s'agit bien là de la réponse que nous cherchions.

Les attentes et la dépendance

Il existe deux autres obstacles à la communication avec l'âme, soient les attentes et la dépendance. Comme nous l'avons déjà mentionné, les communications avec les plans supérieurs demandent amour, détachement et abandon. Les attentes et la dépendance sont des attaches qui nuisent aux contacts avec les plans supérieurs. Elles font fuir les âmes qui désirent poursuivre leur élévation, car elles représentent une emprise dont il est souvent difficile de se départir. En fait, il faut voir tous les contacts avec les plans supérieurs de la même manière que nous envisageons les relations humaines. Ici-bas, nous savons que les attentes et la dépendance vont à l'encontre des relations humaines saines où chacun est libre d'être ce qu'il est et de faire ce qu'il doit faire. Malgré ce savoir, il nous arrive parfois d'oublier notre capacité de choisir, notre libre arbitre et nous nous laissons prendre dans les filets des attentes ou de la dépendance d'un proche. Dans d'autres circonstances, nous verrons immédiatement l'emprise que la personne tente d'exercer sur nous et nous resterons à distance pour éviter cela. Si, sur Terre, il n'est pas agréable d'avoir un ami qui attend toujours notre aide ou qui dépend de nous constamment, cela ne l'est pas plus pour une âme. Nous ne sommes pas différents de l'autre côté du voile. Ce qui nous est difficile à vivre ici l'est également de l'autre côté. Les attentes limitent la qualité et la fréquence des contacts avec l'âme; la dépendance, elle, la repousse. Pour ne pas porter ombrage ni à la personne ni à l'âme, les communications doivent donc se faire dans le plus grand détachement qui soit. Le détachement, ce n'est ni plus ni moins que la manifestation de l'amour inconditionnel pour soi et pour l'autre.

Certes, la communication avec l'âme offre beaucoup d'espoir à celui qui vient de perdre un être cher, mais elle n'est pas une panacée à la douleur de la perte. Sachons que cette forme de contact ne remplacera jamais la relation qui existait avant le décès. La mort suscite une transformation inévitable pour tous ceux qu'elle touche. Il faut prendre le temps de s'ajuster à ces changements, de faire notre deuil, et cela est valable tant pour ceux qui restent que pour l'âme qui doit quitter son corps et se détacher des êtres chers et de la Terre. Avoir des attentes ou rester attachés à l'être cher n'empêchera pas cette transformation de s'opérer. La mort marque un changement; c'est la naissance d'une nouvelle vie tant pour ceux qui restent que pour les âmes qui quittent la Terre. Les attentes et l'attachement sont une résistance à ce changement et ils ralentissent tout le processus d'apprentissage que la mort interpelle. Les basses vibrations qui s'en dégagent engluent les âmes concernées dans un sillon énergétique dont certaines ont plus de difficulté à se hisser. Le plus beau cadeau que nous puissions offrir à toute âme, la nôtre et celle des autres, c'est de lui permettre de s'élever sur le plan vibratoire qui lui convient en acceptant de vivre pleinement ce qui se présente à nous. Plusieurs croient à tort qu'accepter la mort, c'est faire preuve d'insensibilité. Au contraire, c'est une marque d'amour incommensurable, car elle demande de dépasser nos peurs, nos dépendances et nos attachements. De plus, l'acceptation de la mort ne signifie pas la fin d'une relation, mais sa continuité sous une autre forme. Elle nous permet de poursuivre chacun notre route en s'accompagnant mutuellement au lieu de stagner sur place.

Les attentes, la dépendance et le refus d'accepter sont des résistances au grand mouvement de la Vie. Ils sont du non-amour qui nous pousse à croire qu'en nous attachant, notre amour survivra au-delà du temps et de l'espace. Il est vrai que l'amour véritable ne meurt jamais, car l'amour, c'est la vie. Cependant, l'amour véritable est sans condition, sans attachement, sans attente. Pour y parvenir, ou à tout le moins s'en approcher le plus souvent possible, il importe de pratiquer différents exercices de centration, comme ceux proposés dans ce livre. En communion avec notre essence divine, nous n'avons plus besoin de nous accrocher à quoi que ce soit. Nous touchons à l'Univers entier. Voilà comment nous pourrons apprendre l'acceptation, l'abandon et le détachement qui se vivent sur la fréquence du cœur.

Handicaps à la communication (résumé)

1. La fréquence de l'âme passe par le cœur et celle de l'émotivité passe par le mental; deux postes, donc deux types d'ondes fort différentes.

2. L'émotivité, c'est un sillon où s'engouffre le mental, qui est déstabilisé par un événement prévu ou imprévu.

3. En identifiant comment l'émotivité se manifeste, nous pourrons immédiatement réagir pour stopper le discours du mental.

4. Toute émotion est une vibration qui attire à elle des énergies similaires. La lumière ne peut attirer la noirceur. La peur ne peut attirer la paix ou encore la joie ne peut attirer la colère.

5. L'antidote à la peur est l'amour! La vibration de l'amour permet de s'élever pour atteindre un niveau d'ouverture du cœur qui ne laisse place qu'à la compassion, à la grâce et à la plénitude.

6. Les doutes appartiennent également à la grande famille de la peur, car ils témoignent d'un manque de confiance envers soi, envers l'autre, envers la Vie.

7. Cependant, le doute est sain lorsqu'il demeure un appel à la vérification intérieure.

8. Les attentes et la dépendance sont des attaches qui nuisent aux contacts avec les plans supérieurs.

9. Les attentes, la dépendance et le refus d'accepter sont des résistances au grand mouvement de la Vie. En communion avec notre essence divine, nous n'avons plus besoin de nous accrocher à quoi que ce soit. Nous touchons à l'Univers entier.

Intimidation ou invitation

Nous sommes très souvent intimidés lorsqu'il s'agit des contacts avec les âmes. Nous ne savons pas trop comment aborder la communication ni quoi faire ou dire. Bref, nous nous sentons comme devant un étranger qui ne parlerait pas notre langue. Notre malaise est manifeste. Il nous fige sur place et nous laisse là à attendre qu'il se passe quelque chose. Il arrive également que nous soyons intimidés par la manière dont une âme désire nous parler. Nous sommes inconfortables avec les signes que celle-ci nous envoie et nous ne savons trop comment les interpréter. Nous préférons alors nous éloigner ou nous replier sur nous-mêmes. Ferions-nous de même s'il s'agissait d'une personne physique qui tentait de s'adresser à nous? Fort probablement que non, me répondrez-vous. Alors pourquoi changeons-nous de comportement lorsqu'il s'agit d'une âme? Qu'est-ce qui nous fige ainsi et qu'attendons-nous au juste? Tout comme ici-bas, la relation ne s'engagera pas toute seule et la compréhension ne s'installera pas comme par magie. Il importe que nous y participions pour qu'elle se développe.

Imaginons la scène qui suit. Une personne, que nous avons rencontrée depuis un moment, frappe à notre porte. Avant d'ouvrir, la prudence nous indique de regarder qui s'amène. Surpris par la présence de ce visiteur inattendu, nous nous disons : «On dirait que c'est X. Cette personne ressemble vraiment à X. Est-ce que ça se pourrait que ce soit X? Je crois que c'est X, mais je n'en suis pas certain. Cela lui ressemble réellement, en tout cas. Et si c'était X? Ah! que cela serait merveilleux! J'aimerais tant lui parler! Et si ce n'était pas lui? Qu'est-ce que je vais faire? » Durant tout ce temps, notre visiteur attend patiemment, sur le pas de la porte, que nous daignions lui répondre. Ce dernier aura le temps de dessécher au soleil, car envahi par la crainte, nous n'oserons pas ouvrir cette porte pour vérifier notre impression. Laissant notre visiteur en plan, nous continuons à tourner cette vision dans notre tête le reste de la journée en supposant qu'il s'agissait probablement de X. Il nous arrive parfois, sur le coup de l'impulsion, d'entrouvrir brièvement la porte juste pour savoir qui est là, mais une fois la vérification effectuée, nous nous empressons de refermer la porte sans égard pour notre visiteur. À peine rassurés par cette information, nous passerons le reste de la journée à nous demander ce que X pouvait bien faire là ou pourquoi il est venu nous voir. Voilà qui est complètement farfelu! me direz-vous. Nous n'agirions jamais ainsi! En effet, lorsqu'il s'agit d'un individu, il est évident que nous ne ferions pas tout ce cirque intérieur. Nous allons nous empresser d'ouvrir la porte, d'inviter notre visiteur à entrer et de le questionner sur les raisons de sa présence. Toutefois, lorsqu'une âme se présente à nous, nous devenons soudainement si intimidés que nous ne pensons même plus à lui ouvrir la porte, c'est-à-dire à l'inviter à entrer en contact avec nous pour nous exprimer ce qui l'amène. Bref, les bonnes manières et les civilités disparaissent à la «vue» des visiteurs subtils. N'est-il pas normal, alors, que ces derniers intensifient les moyens pour s'adresser à nous ou qu'ils s'impatientent quelque peu?

Les âmes ne sont pas distinctes de nous puisque nous sommes des âmes! Le passage de la mort, comme celui de la naissance, n'a rien d'un corridor magique qui aurait pour effet de transformer l'âme simplement en le franchissant. L'incarnation et la désincarnation représentent un processus vibratoire pour l'âme, mais ce processus ne modifie en rien ce qu'elle est fondamentalement. L'âme demeure donc la même, qu'elle soit revêtue d'un corps de chair ou non. Tout comme nous ne sommes pas différents parce que nous portons un jeans, une tenue de gala ou rien du tout. En somme, peu importe que l'âme soit dans la matière dense terrestre ou dans les plans célestes plus subtils, sa nature profonde reste identique avec tous les attributs qui la caractérisent et la rendent unique. Il n'y a donc aucune différence dans la façon de communiquer avec une personne ou avec une âme. Bien que certaines relations personnelles nous troublent à l'occasion, nous sommes habituellement outillés pour communiquer convenablement avec d'autres personnes, mais nous croyons ne pas savoir le faire quand il s'agit de l'âme. Lorsqu'une âme nous interpelle, nous sommes alors pris au dépourvu. Pourtant, il n'y a rien à apprendre. Tout est déjà en place. Communiquer, c'est communiquer, peu importe qui est notre interlocuteur. En conséquence, nous pouvons appliquer les mêmes principes avec l'âme pour que la communication puisse s'établir, à savoir :

- Les salutations et les présentations si cela est requis;
- Le questionnement pour demander à notre interlocuteur la raison de sa présence;
- L'écoute;
- La réponse que nous avons à lui offrir dans le moment;
- L'écoute de la réception de notre réponse;
- Les remerciements et les au revoir.

Il est évident qu'il est plus simple et facile d'engager la conversation avec une âme incarnée puisque nous la voyons, que nous l'entendons, que nous pouvons également la toucher et la ressentir. Avec l'âme, nous devons être plus attentifs aux réponses qui demandent l'écoute de notre ressenti (voir les chapitres D et E à ce sujet). Toutefois, ce n'est pas parce que le langage diffère que les règles de base ne sont plus applicables. Si une âme vient nous voir et que nous sommes muets comme une carpe, il est fort à parier que nous n'apprendrons pas grand-chose sur la raison de sa présence. C'est en la questionnant que les réponses viendront. Oui, elles viendront, mais ici, contrairement à la communication entre personnes, il est possible qu'un délai s'installe entre la question et la réponse. Il arrive qu'une âme entre en contact avec nous simplement pour nous demander d'être en alerte et à l'écoute. Lorsque le temps sera venu, ce qu'elle désire nous transmettre nous parviendra. Dans ce type de conversation, il faut certes accepter que l'échange se passe différemment dans le temps et dans l'espace et aussi sans l'aide de nos repères habituels. C'est grâce à cet état d'ouverture et d'acceptation que nous sommes assurés que la communication s'amorcera. Évidemment, nous aurons besoin de l'aide de notre ressenti pour décoder le sens de ces conversations. Nous aborderons plus amplement ce sujet aux sections 7 et 12.

L'intimidation bloque la communication. Sans notre mouvement pour ouvrir la conversation, c'est-à-dire le questionnement, l'âme ne peut que faire d'autres tentatives pour demander qu'on l'écoute enfin. Une âme ne nous interpelle jamais sans motif. Il est rare que nous nous pointions chez un ami sans aucune raison. Lorsque nous décidons de rendre visite à quelqu'un, il y a toujours un motif, ne serait-ce que pour lui dire un petit bonjour en passant. Il en est de même pour l'âme. Lorsque celle-ci se présente à nous, c'est qu'elle cherche à nous exprimer quelque chose, mais comme nous la laissons la plupart du temps sur le pas de la porte, elle n'en a pas l'occasion. Ce malaise éprouvé à la venue de l'âme provient de notre mental qui ne sait trop quoi faire; le cœur, lui, le sait. L'âme qui prend contact avec nous est très souvent une âme que nous connaissons, que nous avons côtoyée et chérie. Elle ne vient donc pas pour nous embêter ou pour nous nuire. Loin de moi l'idée de dire par là que les âmes inconnues nous veulent du mal. À moins que nous ayons une mission de passeur d'âmes, les âmes qui prennent contact avec nous sont habituellement des personnes de notre entourage immédiat. Et même s'il nous arrive d'être approchés par un illustre inconnu, nous ne sommes pas en danger pour autant (voir à ce sujet le chapitre X). En se branchant sur notre force de lumière intérieure, qui peut nous atteindre ? (voir à ce sujet les chapitres M et X). Dès lors, nous n'avons pas à craindre d'être interpellés par une âme. En allant dans l'espace du cœur, la conversation s'engage tout naturellement dans la confiance et le respect mutuel. Les questions appropriées se posent au moment opportun. C'est dans le mental que nous figeons, que nous avons peur ou que nous fuyons. La compréhension de ce contact n'aura lieu que par la voie du cœur.

De la visite chez Lucy

Lucy prend contact avec moi pour me demander d'observer une photo qu'elle avait prise quelques mois auparavant, mais qui venait tout juste d'être développée. C'est une image très surprenante, car on ne voit absolument pas ce qui a été photographié, car tout est masqué par un nuage en forme de fantôme. Pourtant, au moment où le cliché a été pris, le temps était parfaitement dégagé. Le questionnement de Lucy porte, non pas sur l'image elle-même, mais sur la possibilité que cette photographie soit la réponse à une question qu'elle s'est posée toute la semaine afin de trouver un sens à différentes manifestations qui s'étaient produites dernièrement.

J'observe cette image et le ressenti d'une présence qui cherche à s'exprimer monte en moi. Je m'installe pour ma méditation quotidienne et une âme prenant la forme d'une jeune adolescente se présente clairement à moi. Elle me dit qu'elle a volontairement quitté le plan terrestre, car elle n'arrivait pas à trouver un sens à son incarnation et que tout lui semblait trop difficile. Elle me parle de ce qu'elle a vécu dans son incarnation afin que Lucy puisse l'identifier et je sens alors que je n'ai plus rien d'autre à faire que de transmettre le message à Lucy. J'ai la conviction d'être un intermédiaire et que c'est maintenant à Lucy de lui parler. En lui racontant l'objet de ma méditation et la description de la jeune fille, Lucy l'identifie immédiatement. Je lui dis alors qu'il est important d'être à son écoute, qu'elle peut le faire et que c'est ce que cette âme attend. Après cette conversation, Lucy comprend qu'il s'agit bien là de la réponse à sa question. La photo était seulement un élément déclencheur pour arriver à établir un contact entre elle et cette âme. Elle accepte donc d'être à l'écoute de cette dernière.

Le jour même, Lucy et sa famille partent pour une semaine de vacances. Durant toute cette période, Lucy tente de parler à l'âme, mais elle ne ressent pas le contact. Au retour, elle visionne un film qui lui apporte un élément de compréhension important. Cette jeune âme attend un pardon pour pouvoir quitter le plan terrestre et elle demande à Lucy de l'aider. Lucy fond littéralement en larmes; elle sait maintenant pourquoi cette âme fait appel à elle. Elle la ressent tout près d'elle. Elle lui parle et lui dit qu'elle peut partir librement, qu'elle n'a pas fait que de mauvaises choses, elle a aussi été très aidante. Elle ressent alors l'âme quitter la pièce où elle se trouve. Elle sent que celle-ci s'élève et qu'elle est prête à retrouver sa Lumière. Lucy éprouve un pincement au cœur, car elle aurait aimé l'aider davantage. Paradoxalement, elle ressent aussi une grande joie d'être arrivée à l'écouter ainsi.

Après cela, Lucy comprend ce qui s'est passé dans sa maison au cours des derniers mois : les pas qu'elle entendait la nuit dans sa chambre, la lumière du corridor qui s'allumait toute seule alors que son conjoint et ses enfants dormaient à poings fermés, le refus de ses enfants de jouer dans la salle de jeu sans raison apparente, la sonnerie du réveil qui retentissait sans avoir été programmée. Lucy n'avait jamais fait le lien entre ces manifestations et une âme, mais en ce moment, tout est clair. Il y avait quelqu'un qui cherchait à lui parler. Cette âme avait besoin d'un coup de main pour passer sur un plan vibratoire qui lui correspondait. En prenant un temps d'arrêt pour prendre contact avec cette force d'amour et de compassion en elle, Lucy a pu comprendre l'âme et ainsi l'aider à trouver ce qu'elle cherchait. Tous les phénomènes étranges sont ensuite disparus et les enfants ont réintégré leur salle de jeu.

Lucy a posé une question pour comprendre ce qui se passait chez elle et elle a obtenu une réponse. Grâce à ce questionnement, elle a pu mettre son amour au service d'une âme en acceptant d'entrer en communication avec elle.

La communication avec l'âme est tout à fait semblable à celle que nous pratiquons tous les jours. Sans nous en rendre compte, par automatisme, nous questionnons les personnes que nous croisons sur notre route avec des «comment ça va?» ou des «il fait beau, n'est-ce pas?» ou encore «puis-je vous aider?», mais avec l'âme, nous n'osons pas, comme si nous avions peur de commettre une bourde.

Or, c'est en se taisant ou en ne faisant rien que nous en commettons une puisqu'ainsi nous rompons l'amorce de contact. C'est un peu comme si nous claquions la porte au nez de notre visiteur! Soyons réceptifs et courtois avec les âmes. Elles ont réellement besoin de nous parler et nous sommes en mesure de les entendre et de leur répondre. La clé de la communication avec l'âme réside dans le questionnement. Lorsque nous ne comprenons pas la raison de leur présence, un signe qu'elles nous envoient, il ne faut pas hésiter à leur demander des précisions. En parler à Pierre, Jean, Jacques ne nous apportera que des suppositions. Il n'y a que l'âme qui peut expliquer le sens de tout cela. En questionnant, c'est ainsi que la conversation s'engage. Il s'agit alors d'une invitation cordiale à entrer, à s'asseoir pour qu'on puisse se parler un moment. Puis, lorsque vient le temps de se quitter, remplis de joie et de grâce par ce contact empreint d'amour, nous avons d'emblée envie de remercier l'âme pour ce précieux «présent» qu'elle vient de nous offrir. Après quoi, il nous reste la vibration dans notre corps comme témoin de cet échange entre les mondes.

Intimidation ou invitation *(résumé)*

1. Lorsqu'il s'agit des contacts avec les âmes, nous ne savons pas trop comment aborder la communication ni quoi faire ou dire. Les âmes ne sont pas distinctes de nous; nous sommes des âmes!

2. Pour que la communication puisse s'établir, nous pouvons donc appliquer les mêmes principes avec l'âme, à savoir :

- Les salutations et les présentations si cela est requis;
- Le questionnement pour demander à notre interlocuteur la raison de sa présence;
- L'écoute;
- La réponse que nous avons à lui offrir dans le moment;
- L'écoute de la réception de notre réponse;
- Les remerciements et les au revoir.

3. L'intimidation bloque la communication. Sans notre mouvement pour ouvrir la conversation, c'est-à-dire le questionnement, l'âme ne peut que faire d'autres tentatives pour qu'on l'écoute enfin.

4. Lorsque l'âme se présente à nous, c'est qu'elle cherche à nous exprimer quelque chose, mais comme nous la laissons la plupart du temps sur le pas de la porte, elle n'en a pas l'occasion.

5. La clé de la communication avec l'âme réside dans le questionnement.

6. Il n'y a que l'âme qui peut offrir un sens à sa présence.

Section 7

Comment pouvons-nous apprivoiser la communication avec l'âme?

Mot d'enfant

«Fiston, comment dit-on chat en anglais ?»
«Cat !»
«Et comment dit-on chien ?»
«Cinq ?»

Jeu

Bien que la communication avec l'âme nous apparaisse impalpable, mystérieuse, voire inaccessible, elle est tout de même fort simple et à notre portée. Pour preuve, nous l'utilisons très souvent sans même nous en rendre compte. Les idées géniales qui nous arrivent soudainement ou encore l'inspiration, l'intuition, ne proviennent pas du néant. Elles sont le résultat d'une connexion entre le Moi incarné et le Moi supérieur et elles nous parviennent pour être matérialisées. Les rêves qui nous offrent un dénouement à une situation, un contact avec une âme en témoignent aussi. C'est donc à tort que nous croyons devoir tout chambouler dans notre vie pour établir la communication avec les plans supérieurs puisqu'elle est déjà établie. Il ne reste qu'à apprivoiser ses diverses manifestations pour la «reconnaître» consciemment. Le jeu est une manière intéressante d'apprivoiser cette voix avant d'entrer en relation avec les âmes ou des Êtres des plans supérieurs. Jouer, c'est se pratiquer à écouter notre voix intérieure, notre âme, dans des situations qui ne comportent aucun risque ou aucun stress. Nous pouvons nous pratiquer chaque fois que le résultat de l'écoute n'a pas d'incidence importante, comme dans les quelques exemples qui suivent :

- Avant de répondre au téléphone, essayons de deviner qui est la personne qui nous appelle (sans regarder sur l'afficheur, évidemment!) en se centrant au niveau du cœur;
- Prédire combien de lettres ou de courriels se trouvent dans la boîte aux lettres avant de l'ouvrir;
- En se rendant à un nouvel endroit, lorsque la situation n'est pas pressante, au lieu de suivre la carte routière, à chaque intersection, nous laisser guider par notre cœur;

- Opter pour le vin approprié pour le dîner sans s'aider des caractéristiques propres au vin ou au fin connaisseur de la boutique de vin;
- Décider si une formation, une conférence ou un spectacle nous sera bénéfique;
- Choisir le lieu de nos vacances en laissant monter librement le nom de la destination;
- Lorsque la température est incertaine, demander à notre cœur de choisir les vêtements qui conviennent;
- À la librairie, se laisser guider vers le livre qui sera le plus aidant pour nous dans le moment présent;
- Déterminer les invités à une fête amicale.

Jouer, c'est donc une manière de communiquer avec l'âme sans s'imposer la pression du résultat. Mais jouer à quoi, me direz-vous? Jouer à écouter. C'est un jeu très simple qui consiste à s'arrêter, à se centrer et à demander à notre âme de nous guider à propos d'un choix à faire, d'une direction à prendre, d'une prédiction à expérimenter. Ces petites pauses intérieures permettent de distinguer le ressenti lorsque nous captons la voix de l'âme ou lorsque c'est la voix du mental qui parle. Étant dégagés du stress que la communication avec une autre âme ou avec un Être de Lumière peut engendrer, nous sommes plus facilement capables de descendre au niveau du cœur et de capter le message de notre âme. De plus, il n'y a aucune obligation de résultat, car dans un sens comme dans l'autre, l'expérience est toujours profitable puisqu'elle nous permet d'identifier d'avantage notre ressenti. Nous devenons donc de plus en plus habiles dans la détection des voix intérieures.

En fait, nous pouvons jouer aussi souvent que nous le souhaitons, là où bon nous semble. Il n'y a aucun préalable, sinon que de s'arrêter quelques secondes pour descendre notre attention au niveau du cœur et poser une question claire et précise concernant la situation que nous vivons dans le moment présent, comme par exemple une direction à prendre. Si nous entendons la voix du cœur, un ressenti particulier se produira et la réponse obtenue confirmera ce ressenti; alors une joie s'installera en nous. Cependant, si nous avons capté la voix du mental, il ne se passera rien de particulier, outre peut-être une petite déception de ne pas avoir capté la voix du cœur. Il est tout de même important de se souvenir du ressenti associé à la voix du mental, car en le remarquant, nous pourrons mieux l'identifier consciemment une prochaine fois. Ainsi, d'une manière ou d'une autre, nous apprenons. C'est là l'utilité du jeu. Il est à notre service pour apprendre à identifier et à décoder les ressentis qui se passent dans notre corps. C'est un moyen rempli d'humour qui nous permet de dérider la conception rigide que nous avons au sujet de l'écoute de l'âme, laquelle n'est pas obligatoirement une cérémonie figée par des rituels précis. Au contraire, l'écoute de l'âme est une manière d'être, une manière de découvrir ce que nous sommes sous notre vêtement de chair, à savoir amour inconditionnel, paix, compassion, joie et grâce. Sur Terre comme au Ciel, l'humour du cœur, c'est la joie divine qui s'exprime. En jouant à écouter notre âme, nous jouons à être et c'est exactement ce que nous sommes venus apprendre. L'incarnation n'est en effet rien d'autre qu'un rôle de composition pour nous permettre d'«être», dans la matière, ce que nous sommes sur les plans plus subtils. Alors, jouons encore et encore. Plus nous nous amuserons à être, plus nous serons et cela, à la plus grande satisfaction de notre âme.

Dans chacune des situations plus haut mentionnées, peu importe le choix que nous ferons, les conséquences qui en découleront n'auront pas de répercussions très significatives sur le cours de notre vie. Se tromper au sujet de la personne qui nous téléphone ou au sujet du livre à lire ou encore de la destination des vacances n'est en quelque sorte, pas très grave. Un endroit de villégiature qui ne nous correspond pas est certes plus décevant qu'une lettre en moins dans le courrier. Cependant, cela nous procure l'occasion de pratiquer l'abandon et de tirer profit de l'expérience autrement qu'en évaluant ce qui s'est passé au moment de prendre la décision. Quelles étaient les options que nous avions? Sur le plan du ressenti dans notre corps, qu'est-ce qui a fait pencher la balance pour une décision plutôt que pour une autre? Qu'avait-il de particulier ce ressenti? Pouvons-nous l'associer à d'autres ressentis similaires que nous avons déjà eus? Si oui, est-ce que ce dernier nous a conduits vers un résultat identique, c'est-à-dire vers de la joie ou vers une déception, un regret qui nous fait dire : «J'aurais donc dû...» ? C'est réellement de ce point de vue que l'évaluation doit se faire pour pouvoir en tirer une leçon.

Voici un petit exercice où il est possible de bien s'amuser tout en apprenant à écouter la voix du cœur et le ressenti dans le corps en toute simplicité. Plusieurs fois dans l'année, nous avons à offrir un cadeau à un proche et nous sommes souvent à cours d'idées. Voilà donc une belle occasion d'entrer en contact avec notre âme pour être guidés vers le «présent» idéal pour cette personne.

Le choix d'un cadeau

Après avoir pris contact avec votre corps, par la respiration consciente, centrez votre attention au niveau du cœur. Visualisez la personne à qui vous souhaitez donner le cadeau. Puis en vous centrant sur l'amour que vous éprouvez pour cette personne, demandez à votre âme de vous inspirer et de vous révéler ce que celle-ci désire. Après avoir posé votre question, laissez émerger le mot, l'image ou le ressenti qui correspond à l'objet désiré. Supposons que le mot *chocolat* vous vient à l'esprit, votre âme vient de vous révéler un premier indice. Rendez-vous ensuite dans une chocolaterie et lorsque vous serez face aux diverses sortes de chocolat, centrez-vous à nouveau et demandez à votre âme : «Maintenant, quelles saveurs lui feraient plaisir?». Achetez les chocolats qui vous inspirent à ce moment précis.

Au moment d'offrir ce présent, soyez attentif à la réaction de la personne à qui vous les offrez et soyez aussi attentif à votre ressenti. Si vous avez réussi à capter la voix de votre âme, cette personne s'exclamera à coup sûr pour vous demander comment vous avez fait pour savoir quels étaient ses chocolats préférés. Vous éprouverez alors une joie profonde provenant de votre âme comme pour vous dire : «C'est merveilleux, on communique consciemment!». Et si vous n'avez pas réussi à entendre votre âme, vous serez quand même heureux, car donner est toujours un pur plaisir.

La voix du cœur nous mène parfois à faire des choix douteux pour notre mental. Déstabilisé pas cette option imprévue, ce dernier amplifiera significativement la pression sur les doutes pour nous faire changer d'avis, particulièrement si la voix du cœur n'offre pas rapidement une confirmation évidente. Il est vrai que certains choix du cœur nous donnent l'impression d'un cul-de-sac, mais il ne faut pas sauter aux conclusions trop rapidement. Les apparences sont souvent trompeuses. Il faut laisser le temps à notre âme de nous révéler le cadeau qui se cache derrière chaque expérience en la questionnant. Par exemple, un livre qui a attiré notre attention à la bibliothèque peut nous sembler hors contexte lorsque nous en entamons la lecture. Nous serons alors portés à remettre en question la qualité de notre écoute. Toutefois, en se recentrant à nouveau et en demandant à notre âme ce qui nous serait utile dans ce livre, nous pourrons peut-être recevoir le numéro de page ou de chapitre qui contient le message que notre âme veut nous transmettre. Sinon, peut-être sommes-nous simplement un messager pour un ami qui aura besoin de ce livre sous peu. Pour le savoir, il est absolument nécessaire de le demander.

Question d'humour…

Voici une blague qui illustre bien l'utilité du questionnement dans une conversation. Tous les petits détails deviennent des indices pour orienter le questionnement et nous apporter l'explication à notre incompréhension. Mais encore faut-il oser poser la question qui nous chicote, celle qui nous brûle les lèvres et qui revient constamment…

Un jour, un enfant répond au téléphone en chuchotant les salutations de convenances. Un homme lui demande :

- «Puis-je parler à ton père, s'il te plaît?»
- Tout bas, l'enfant lui répond : «Non, monsieur, il est occupé pour le moment.»
- «Alors, puis-je parler à ta mère?»

- Le gamin continue de chuchoter pour lui dire : «Non, monsieur, elle est occupée, elle aussi».
- «Ah ! Y a-t-il un autre adulte dans la maison?».
- «Oh, oui ! murmure-t-il. Il y a mes grands-parents, les voisins, la police et les pompiers.»
- «Mais de grâce, que se passe-t-il chez toi? Rien de grave, j'espère!»
- «Non, non! Hi! Hi! Hi! Ils me cherchent !» dit l'enfant toujours à voix basse pour ne pas qu'on le repère.

Le chuchotement était là un détail très important qui explique tout, n'est-ce pas? Cependant, si l'interlocuteur n'avait pas continué son interrogatoire, il n'aurait jamais compris pourquoi l'enfant parlait ainsi. Il en est de même avec l'âme. Elle utilise souvent des détails qui nous apparaissent insensés. Il importe de demander la raison de ces détails. Il n'y a jamais de hasard ni rien de fortuit. Tout ce qui compose la communication fait partie du message ou de l'apprentissage. Si un détail attire notre attention et nous intrigue, osons aller plus loin pour clarifier notre compréhension. Il est souvent étonnant de voir ce que cachait cette interrogation! Parfois, elle apportera la clé de compréhension à la communication, parfois, elle sera une confirmation de l'identité de notre interlocuteur alors que d'autres fois, elle se fera messagère des doutes du mental. Ainsi, peu importe ce qu'elle nous révèle, la question insistante est une enseignante hors pair. En restant observateurs de notre ressenti, nous arriverons à déceler si la question provient de la voix de notre cœur ou si elle vient plutôt de celle de notre mental. Il est normal qu'au fur et à mesure des expérimentations, nous soyons de plus en plus confrontés à la reconnaissance de notre ressenti. Cela nous permet de le fortifier davantage et de renforcer notre écoute. Notre âme nous guide avec humour et sagesse dans ce jeu qui est orienté vers l'apprentissage de la voix intérieure. N'oublions pas que les apparences ne sont pas toujours ce qu'elles montrent à première vue!

Si c'est pour moi...

Il y a quelques années, alors que je cherchais un emploi, j'ai lu une annonce pour un poste qui correspondait en partie à mes aptitudes et à mes connaissances. Malgré un léger pincement au cœur qui me faisait hésiter, je décidai d'envoyer mon curriculum vitæ quand même en me disant : «Si ce poste est pour moi, je serai convoquée». Un mois plus tard, on me convoque à une entrevue. Je m'y prépare sans trop de conviction, car le pincement au cœur y est toujours. Gardant encore en tête la petite phrase : «Si c'est pour moi, j'aurai ce poste», je me présente à l'entrevue. L'entrevue se déroule bien, mais j'en ressors convaincue de ne pas être retenue, n'ayant aucunement les qualifications requises. Je me dis alors que je le savais et que j'aurais dû écouter mon ressenti qui me tiraillait chaque fois que je pensais à ce poste. À ce moment, pour moi, le dossier est clos et je tourne la page. Surprise! Plus de deux semaines après l'entrevue, un message sur le répondeur m'annonce que ma candidature a été retenue. Sous le choc, je ne comprends plus rien. Je croyais que ma petite voix était claire et que ce poste n'était pas pour moi. Je m'étais donc royalement trompée puisqu'on me l'offrait aujourd'hui! Un état de panique me parcourt tout le corps. Je ne sais plus quoi faire, car je sens toujours que ce poste ne me convient pas. Alors, tout un babillage commence dans ma tête. Et si cet emploi était fait pour moi? Et si je ratais une occasion unique? Et si financièrement ça n'allait pas? Je me mordrais les doigts de l'avoir refusé... et si... et si... N'en pouvant plus, lorsque je me couche, je fais un postulat de rêve demandant une réponse claire quant à l'acceptation à de cet emploi. Au réveil, je suis habitée par les images d'un rêve très intense. Je prends un temps pour en revoir le fil avant d'ouvrir les yeux. Dans la scène, j'étais avec mes enfants et je bricolais avec eux. J'avais beaucoup de plaisir à le faire. Le plus marquant, c'est lorsque j'ai réalisé que l'objet de mon bricolage était une petite chapelle en bâtonnets de bois. Une chapelle? me dis-je alors sans trop comprendre pourquoi. Et comme dans un éclair, le sens se révèle. La chapelle représente la construction de mon intérieur, de ma spiritualité. C'est là un objectif que je me suis fixé. En acceptant cet emploi qui est très exigeant, je ne pourrai plus construire ma chapelle, du moins plus de la même manière. Je ne pourrai plus passer autant de temps avec mes enfants et cela aussi est primordial pour moi. La grâce m'envahit alors. Quel beau cadeau! Non seulement j'ai eu la réponse dans mon rêve, mais toute cette expérience m'a permis de prendre conscience du fonctionnement de mon ressenti. Du petit pincement au cœur à la panique, je réalise maintenant avec le fil des événements comment j'ai été ballottée entre le cœur et le mental dans le but d'apprendre à solidifier ma confiance envers la voix du cœur. Remplie de gratitude et de certitude, je peux refuser le poste sans aucun doute ni remords. Et je ne l'ai jamais regretté, car c'était là ce que je devais faire pour aider mon âme dans son incarnation.

En jouant à la découverte de notre ressenti chaque fois que l'occasion se présente, nous remplaçons peu à peu le réflexe de laisser les rennes de notre vie entre les mains du mental. Si anodine que semble chaque expérience, elle sert néanmoins de repère et d'ouverture de conscience. Jouer à écouter, c'est s'amuser à être. Cela permet de bâtir notre confiance dans la joie et le plaisir. En arrivant à reconnaître et à décoder le langage du corps dans des situations du quotidien, nous nous exerçons à écouter notre âme et cela devient une nouvelle manière d'être que notre mental finit par accepter sans trop de résistance. Puisque l'âme est un pont vers les plans supérieurs, le jeu nous conduit tout doucement à nous ouvrir à l'Univers tout entier et à tous les trésors qu'il recèle.

Jeu (résumé)

1. La communication est déjà établie. Il ne reste qu'à apprivoiser ses diverses manifestations pour la «reconnaître» consciemment.

2. Le jeu, c'est donc une manière de communiquer avec l'âme sans nuisance.

3. Le jeu est à notre service pour apprendre à identifier et à décoder les ressentis qui se passent dans notre corps. En jouant à écouter, nous jouons à être et c'est exactement ce que nous sommes venus apprendre.

4. Il est vrai que certains choix du cœur nous donnent l'impression d'un cul-de-sac, mais il ne faut pas sauter aux conclusions trop rapidement; les apparences sont souvent trompeuses.

5. L'âme utilise souvent des détails qui nous apparaissent insensés. Il importe de demander la raison de ces détails. Il n'y a jamais de hasard ni rien de fortuit. Tout ce qui compose la communication fait partie du message ou de l'apprentissage.

6. Puisque l'âme est un pont vers les plans supérieurs, le jeu nous conduit tout doucement à nous ouvrir à l'Univers tout entier et à tous les trésors qu'il recèle.

Kermesse de l'âme

Étant une fête foraine qui nous offre jeux, marchandises et moult possibilités d'expérimenter et de s'amuser, la kermesse est l'image tout indiquée pour considérer l'apprentissage de la communication avec l'âme dans le grand plan d'ensemble divin. En effet, la vie sur Terre n'est ni plus ni moins qu'une grosse kermesse au profit de l'âme afin de lui permettre de se «reconn-être», de se «reconnecter» à son être. Voilà l'objectif ultime de tout ce que nous faisons ici-bas. Chaque jour, chaque minute, chaque seconde terrestre n'existe que pour nous aider à atteindre cet objectif. La vie nous offre une panoplie de possibilités, mais ces dernières sont toutes des jeux que nous pouvons prendre au sérieux ou avec un grain de sel. Plus facile à dire qu'à faire, me direz-vous! Il n'est certainement pas facile de prendre la vie en riant avec la seule perception du mental qui se méfie de tout et qui ne sort jamais des sentiers balisés. Par la vision du cœur, les expériences nous semblent différentes, plus simples, plus légères. Même les plus éprouvantes perdent de leur lourdeur lorsqu'elles sont observées avec les yeux du cœur. Elles s'éclairent, s'expliquent, dans un ensemble beaucoup plus grand et cela diminue leur densité. La vision du cœur donne des ailes.

À la kermesse, certains jeux nous donnent du fil à retordre et d'autres nous font bien rigoler. Quelles différences y a-t-il entre les deux? Notre perception. Le jeu en lui-même ne change pas. Il demeure un jeu, mais lorsque nous l'abordons avec le mental, nous le dénaturons. Il devient un défi à relever au lieu d'être simplement un moment de plus pour se «reconn-être». Il en est de même avec la vie et avec les communications de l'âme. La lunette du mental déforme l'expérience et notre réalité devient alors fort différente de ce qu'elle aurait pu être. Si nous prenons chaque jeu de la kermesse comme une épreuve à surmonter, la journée sera longue, éprouvante et parfois très décevante. Selon notre état d'esprit, toute notre attention sera pointée vers les jeux réussis pour gonfler notre ego ou vers ceux échoués pour alimenter notre manque d'estime. Mais dans la vie comme à la kermesse, nous ne sommes ni gagnants ni perdants, nous «sommes». Si le résultat de l'expérience change notre humeur du moment, elle ne change pourtant rien à notre état d'être. Si l'expérience est décevante, nous ne devenons pas décevants pour autant. Si nous gagnons, nous ne sommes pas plus gagnants qu'avant. Nous sommes ce que nous sommes. Ce n'est pas le résultat des expériences vécues qui modifie notre nature profonde, mais les leçons que nous tirons de ces expériences. À trop nous identifier à notre corps, à la matière et à l'extérieur, nous oublions de jouer et d'apprendre ce que cette situation est venue nous enseigner. Nous stagnons alors et la grande kermesse de l'âme nous ramènera un jeu similaire afin de nous pratiquer encore jusqu'à ce que l'apprentissage soit réalisé.

Nous sommes amour, lumière, paix, grâce, joie et compassion. Nous sommes fluidité, adaptation, détachement, confiance et abandon. Nous sommes simplicité, clarté, aisance et facilité. Tous ces attributs font partie de notre essence divine et notre costume d'incarnation les cache sans doute un peu, mais il ne les fait pas disparaître pour autant. Ce rôle terrestre nous colle si bien à la peau que nous nous prenons au sérieux. Nous ne jouons plus ce personnage, nous le devenons et nous nous y perdons. Il en est de même avec la communication avec l'âme, nous ne nous amusons pas à la redécouvrir. Aussitôt en contact avec une telle expérience, elle devient une discipline, voire un code d'honneur à suivre. Nous jouons parfaitement le rôle de médium et le pouvoir égotiste s'en «pète» les bretelles! Cependant, le cœur, lui, n'en ressent aucune joie. La communication avec l'âme ne fait jamais bon ménage avec la rigidité ou la suffisance, caractéristiques qui appartiennent plutôt au mental. Elle doit être simple, fluide, spontanée, bref elle doit demeurer une occasion de jouer pour rester la messagère de notre essence divine. Autrement, elle sert les intérêts du mental.

Au fond, dans la vie comme à la kermesse, il faut simplement «être» présents pour profiter pleinement de ce qui s'offre à nous. Dès que nous cherchons un résultat, nous faussons l'expérience.

Lorsque cela arrive, il n'y a qu'à le reconnaître et en tirer leçon. Rester là à ressasser l'événement et à nous dire : «J'aurais donc dû... si j'avais fait ceci ou cela...» ne sert à rien. Le jeu est terminé et nous ne changerons pas le cours de la partie avec toutes ces élucubrations. Que tirons-nous maintenant de ce jeu? Si nous avons de la difficulté à retrouver notre état d'être, n'oublions pas le truc du chapitre H et demandons-nous : «Que ferait l'amour, en ce moment?». Inévitablement, cette question dédramatise la situation et nous apporte un point de vue différent. Que ferait la joie? Que ferait la compassion? Et hop, nous revoilà à l'essence même de la vie!

La communication avec les énergies subtiles ne doit pas être stressante, compliquée ou troublante. Elle doit demeurer un laboratoire d'expérimentation pour nous apprendre à «être» davantage. Elle n'a rien d'une mission capitale dont nous serions investis à la vie, à la mort. Elle est simplement un moyen d'exprimer notre essence dans la matière, un lien entre les plans subtils et la matière dense. Lorsque tout se complique, qu'un malaise s'installe, c'est le signal pour nous dire que nous avons quitté notre centre divin. Une grande inspiration en portant notre attention au niveau du cœur nous y ramène. L'incarnation n'est pas une course contre la montre. C'est un temps d'intégration qui nécessite de prendre notre temps. Pour l'âme, le temps n'existe pas. Alors l'âme est éternellement dans le moment présent et, en ce sens, elle a tout son temps. Il n'y a donc aucune raison de vivre en accéléré. Nous possédons le libre arbitre, qui nous permet justement de prendre le temps qu'il nous faut. Certes, les énergies planétaires actuelles et notre âme nous incitent à retrouver notre essence divine, mais cette urgence existe pour nous faire sortir de notre zone de confort, pour que l'incarnation soit un avancement dans l'intégration de notre être divin. Cette pression n'est absolument pas synonyme de précipitation, mais d'action.

Notre âme nous appelle à l'élévation ici comme de l'autre côté du voile. Sachons que cet appel est réel, mais qu'il nous est permis d'y répondre à notre rythme et surtout sans nous compliquer l'existence. Être en contact conscient avec notre âme ou celle des autres est un cadeau rempli d'amour, de joie et de paix. Jouons librement et simplement, tel que nous le ressentons, sans presse, sans reproche envers nous-mêmes, sans attentes envers les énergies des plans supérieurs. Lorsque nous jouons réellement, nous retrouvons notre essence, notre cœur d'enfant, dit-on. Mais ce cœur d'enfant n'est rien d'autre que le cœur de notre divinité dans toute sa pureté. Le jeu enlève la pression du résultat. Rien n'est grave lorsque nous jouons. Nous pouvons même mourir et ressusciter en moins de deux. L'important demeure la joie que suscite ce jeu. Ayons la même attitude lorsque vient le temps de prendre contact avec les plans supérieurs. Que la communication ait lieu ou non, cela n'a pas de conséquence vitale; c'est ce que nous en apprendrons qui en a. Que nous entendions ou non une âme n'est également pas dramatique. Son sort ne repose pas entre nos mains parce qu'elle est venue nous parler. En jouant à l'écouter, nous avons plus de chances de comprendre ce qu'elle désire nous dire qu'en forçant la note pour entendre.

Sylvie questionne son père.

Quelque temps après la mort de son père, Sylvie fait un rêve-contact où elle voit son père dans un hôtel. Ce dernier vient lui dire qu'il s'apprête à déménager. Au cours de la conversation, il lui dit également qu'il y a des jeux de société dans le hall de l'hôtel. Sylvie s'y rend et elle aperçoit avec surprise le jeu de *Scrabble,* format voyage, que son père lui a offert plusieurs années auparavant. Au réveil, Sylvie est très émue de cette conversation et elle comprend que son père lui propose d'établir la communication à l'aide du jeu de *Scrabble*. Elle installe donc le jeu, elle se centre au niveau du cœur et elle commence à poser des questions à son père. Pour chaque question, elle pige le nombre de lettres que son cœur lui indique et elle les place dans l'ordre de pige sur la planche de jeu. Étonnamment, chaque série de lettres lui apporte alors une réponse très claire et cela lui procure un ressenti très profond de la présence de son père. Il est là et c'est lui qui répond aux questions. Elle le sent au plus profond d'elle-même, mais ayant un mental actif, le doute s'empare un peu d'elle. Elle demande alors à son père si c'est bien lui qui lui répond. Elle pige la lettre J. Croyant qu'il s'agissait là d'une erreur, car elle s'attendait à prendre la lettre O pour oui, elle remet la lettre dans le sac, mélange toutes les lettres et elle retire une nouvelle lettre. Encore un J! Étonnée, elle se recentre pour en comprendre le sens et tout devient clair. «J» est la première lettre du prénom de son père. Il est bel et bien là et cette double pige confirme le ressenti de Sylvie qui est tellement heureuse d'avoir pu communiquer avec son père par le rêve et par le jeu!

Les moyens pour communiquer avec les plans subtils sont là à notre portée. Dans la simplicité du cœur, tout est prétexte à la communication, tout est prétexte à la simplicité de la vie. Sylvie a accepté de jouer avec son père. L'idée aurait pu lui paraître totalement saugrenue. En se centrant au niveau du cœur, elle a ouvert la porte à cette possibilité et la communication s'est établie. Elle s'est abandonnée à l'expérience, sans exigence envers elle, envers son père ou envers la Vie. Ici, l'expérience est concluante au premier essai. Toutefois, il aurait très bien pu arriver que ça ne fonctionne pas la première fois. Comme lorsque nous jouons à la kermesse, nous ne réussissons pas toujours du premier coup. Soyons indulgents envers nous-mêmes. Il faudrait être réellement habiles pour réussir tout ce que nous entreprenons en une seule tentative! Il nous arrive de nous tromper, de rater complètement et de devoir recommencer. Pourquoi en serait-il différent avec la communication. Nous n'avons pas droit qu'à une seule chance! Les âmes sont éternelles. Nous finirons bien par établir un contact un jour ou l'autre si cette communication doit se produire. Il faut absolument enlever cette pression inutile que nous avons par rapport aux contacts subtils et surtout cesser de chercher la perfection dans le résultat de la communication. Tout ce qui arrive est la manifestation de la perfection divine, ne l'oublions pas. Ce qui arrive devait arriver pour nous permettre d'apprendre. La perfection se trouve donc dans la situation elle-même et pas seulement dans le résultat de la communication.

Bref, avec de petites questions, pratiquons-nous à entrer en communication au quotidien. Jouons à écouter l'âme, la nôtre et celle des autres. C'est le meilleur moyen pour apprivoiser la communication sans stress, sans pression, sans attente, sans exigence. Ainsi, la perfection nous apparaîtra et elle enrichira notre reconnaissance de ce langage inné.

Kermesse de l'âme (résumé)

1. La vie sur Terre n'est ni plus ni moins qu'une grosse kermesse au profit de l'âme afin de lui permettre de se «reconn-être», de se «reconnecter» à son être.

2. Notre perception change le cours des événements, mais elle ne change pas le jeu en lui-même.

3. Nous ne jouons plus le personnage de notre incarnation, nous le devenons et nous nous y perdons. Il en est de même avec la communication avec l'âme; nous ne nous amusons plus à la redécouvrir, nous jouons le rôle de médium.

4. La communication avec les énergies subtiles ne doit pas être stressante, compliquée ou troublante. Elle doit demeurer un laboratoire d'expérimentation pour nous apprendre à «être» davantage.

5. Être en contact conscient avec notre âme ou celle des autres est un cadeau rempli d'amour, de joie et de paix.

6. Le jeu enlève la pression du résultat. Rien n'est grave lorsque nous jouons.

7. Soyons indulgents envers nous-mêmes. Il faudrait être réellement habiles pour réussir tout ce que nous entreprenons du premier coup!

8. La perfection se trouve donc dans la situation elle-même et pas seulement dans le résultat de la communication.

Section 8

Comment établir la communication en toute confiance?

Mot d'enfant

Moi, je n'aime pas avoir du carré de sable dans mes souliers.

Limites

Plusieurs d'entre nous désirent communiquer avec un être cher après son départ du plan terrestre ou encore avec un Être de lumière. Parfois, nous reconnaissons leur présence et nous aimerions tant leur parler, mais nous n'osons pas les inviter à discuter parce que nous avons peur de perdre le contrôle. Nous avons peur de vivre des situations qui iraient à l'encontre de nos attentes, de nos goûts ou de nos limites. Comme mentionné dans le chapitre précédent, la possibilité d'un contact avec les plans supérieurs nous fait perdre nos moyens, comme si la conscience d'une présence énergétique subtile changeait toutes les règles du jeu. Pourtant, il n'en est rien! La communication avec l'âme ne diffère pas de la communication avec l'être de chair et d'os. Tout comme celle avec les Êtres de lumière ou les autres êtres cosmiques, elle observe exactement les mêmes règles. S'il en était autrement, nous ne pourrions plus prétendre au libre arbitre puisque notre capacité de choisir en serait affectée. Rien dans la communication, tant matérielle que subtile, ne peut porter atteinte à ce libre arbitre à moins que nous le choisissions, consciemment ou non!

Si les relations humaines exigent très souvent d'imposer nos limites pour ne pas être envahis, les relations avec les énergies subtiles le requièrent également. Il ne peut en être autrement puisque communiquer, c'est communiquer, quel que soit notre interlocuteur. Sachons donc qu'il nous est possible en tout temps de refuser une communication, de l'accepter en se respectant ou de la remettre à plus tard. À la maison, laissons-nous la porte ouverte vingt-quatre heures sur vingt-quatre? Non, évidemment! Nous désirons avoir des moments d'intimité et nous ne souhaitons pas que n'importe qui puisse entrer chez nous. Si nous pouvons imposer ces limites ici-bas, alors pourquoi ne serions-nous pas autorisés à le faire avec les contacts subtils? Notre demeure intérieure en a tout autant besoin. Les limites ne sont pas la marque de notre incapacité à communiquer, mais plutôt l'expression de notre ressenti dans le moment présent.

Mettre des limites, c'est établir nos préférences, c'est refuser ce qui ne nous convient pas. Au fond, c'est exprimer notre état d'être. Pour accueillir l'autre, il est capital de s'accueillir. Le déni de soi n'offre jamais une interrelation très profonde. Pour bien écouter notre interlocuteur, il est parfois préférable de remettre à plus tard la conversation. Cela ne cause aucun préjudice si nous exprimons, avec compassion pour soi et pour l'autre, ce que nous ressentons à ce moment précis. De toute évidence, les expériences terrestres existent pour nous permettre d'expérimenter l'amour inconditionnel dans la matière, et pour ce faire, nous avons besoin de l'expérimenter au préalable pour nous-mêmes. S'accueillir et respecter notre être est donc primordial dans toutes les relations. Ici-bas, il serait impensable de demander à quelqu'un d'être en permanence disponible pour répondre aux besoins d'une personne. Tout le monde a le droit de prendre un répit, de s'accorder du temps, de s'amuser, de prendre des vacances ou d'être indisponible. Du point de vue de l'âme, cela est tout aussi vrai. Personne n'a l'obligation d'être disponible trois cent soixante-cinq jours par année. Le sort d'aucune personne ni d'aucune âme ne repose sur nos épaules et personne ne détient le titre d'«irremplaçable». Toutefois, nous agissons souvent comme si c'était le cas lorsqu'une âme s'adresse à nous. Nous pensons que nous ne pouvons pas lui manifester notre désaccord sur la manière dont elle s'adresse à nous, que nous ne pouvons pas refuser de l'écouter ou lui demander de revenir dans un moment plus favorable. Mais, il n'en est rien, puisque notre libre arbitre nous permet de choisir. Utilisons-le pour apprendre à nous aimer inconditionnellement et cela nous permettra d'accueillir l'autre de la même manière.

Nous avons beaucoup de préjugés quant aux communications avec l'âme. En fait, cela reflète nos peurs, mais également nos attentes par rapport aux plans subtils. À l'instar de la réalité qui n'est pas toujours conforme à nos attentes, il se peut très bien qu'une communication avec les plans supérieurs ne se produise pas comme nous le souhaiterions. N'oublions pas que la densité de la matière nous sépare des plans subtils et cela cause parfois de grandes incompréhensions de part et d'autre des interlocuteurs. L'âme qui s'adresse à nous doit trouver une manière d'être perçue par nos yeux, nos oreilles ou notre ressenti. Au moment où nous parvenons à l'entendre, nous ne réalisons pas toujours qu'elle a peut-être fait plusieurs autres vaines tentatives antérieurement à celle-ci. Or, le moyen de communication utilisé peut nous sembler fort déplaisant, mais l'objectif de l'âme est enfin atteint : elle a notre attention. N'en est-il pas de même ici-bas? En premier lieu, nous parlons doucement, puis nous haussons le ton, et à défaut d'être compris, nous finissons enfin par hurler ou par devenir turbulents. Une fois le contact établi, si nous crions encore, il y a fort à parier que notre interlocuteur nous demandera de baisser le ton. Avec l'âme, rien ne nous empêche alors de dire ceci : «Ça va, je t'ai entendu. Il n'est plus nécessaire de me parler de cette façon. Il me sera plus facile de t'écouter si tu me parles par… (identifier clairement la méthode de communication qui nous convient : le jeu, le ressenti, un passage dans un livre, le rêve, etc.)».

L'âme cherche exactement la même chose que nous : retrouver l'amour inconditionnel, retrouver la lumière en elle. Cette perspective nous permet de comprendre que la motivation qui se cache derrière ses agissements n'est pas différente de la nôtre. Cela nous permet également de nous servir de nos références actuelles pour entrer en relation avec elle. L'âme a, elle aussi, ses besoins, ses urgences, ses attentes, ses impatiences. Préoccupée par tout cela, elle agit parfois sans égard ou avec beaucoup de maladresse. Nous ne sommes pas obligés de subir quelque chose qui nous déplaît et nous avons la possibilité de choisir ce que nous souhaitons vivre. Sans aucune crainte pour nous ou pour l'âme, il faut faire cesser immédiatement les communications qui nous effrayent, qui nous troublent ou qui nous semblent inopportunes. Personne n'est investi d'une mission de torture et nul ne sera canonisé pour avoir été bafoué. Les âmes peuvent avoir besoin d'aide, mais cette demande ne doit jamais être à notre propre détriment. Plusieurs personnes se sentent appelées à aider les âmes en difficulté dans le passage entre les mondes et cela est louable, généreux et très bénéfique. Toutefois, sachons rester maîtres de l'aide que nous souhaitons offrir pour que cela demeure sain et bénéfique de part et d'autre.

Si nous ne nous sentons pas capables d'intervenir, demandons de l'aide.

Elle met ses limites.

Le conjoint de France est décédé dans un accident, il y a quelques années. Peu de temps après sa mort, elle le sentait souvent dans sa chambre, elle l'entendait pleurer et lui dire ce que ce n'était pas ainsi qu'il voulait partir. France lui répondait alors que la Terre n'était plus sa destination et qu'il devait se libérer de toutes les dépendances pour enfin trouver la Lumière et être bien. Puis le temps a passé, mais France sentait toujours sa présence. Une nuit, son conjoint lui a fait réellement peur. Dans un rêve-contact, ce dernier est venu lui dire qu'il avait tout essayé pour revenir ici-bas et qu'il s'était alors égaré. Il lui a demandé de venir avec lui et il l'a serrée très fort. Se sentant étouffée par cette emprise, France lui a alors demandé de la laisser et de ne plus revenir chez elle. Dans les jours qui ont suivi, elle a entouré sa résidence de lumière et elle n'a plus jamais ressenti la présence de son conjoint chez elle.

Trois ans plus tard, alors qu'elle était à l'église, France a de nouveau senti très fortement la présence de son conjoint. Elle savait qu'il voulait lui dire quelque chose, car tout son corps tremblait et s'agitait au point de déclencher une forte crise de larmes. Elle m'a alors téléphoné pour me demander ce qu'elle devait faire pour l'aider. Je lui ai alors suggéré de faire le petit rituel qui suit en compagnie d'amis qui pourraient la soutenir en niveau énergétique. Étant très intuitive, France a écouté son cœur pour venir en aide à son conjoint. Quelques jours plus tard, elle a fait un rêve où elle voyait arriver sur elle une boule de lumière. Elle s'est accroupie pour ne pas être heurtée par elle, mais elle a réalisé alors que cette boule représentait sa protection divine. Elle a éprouvé alors une grande joie en prenant conscience de cette protection. France a alors fait encore plus confiance à cette lumière qui l'habitait et elle a continué de prier pour son conjoint. Dernièrement, alors qu'elle se trouvait de nouveau à l'église, elle a demandé à son conjoint de lui envoyer un signe pour lui dire si tout allait bien pour lui maintenant. Le lendemain, une collègue de travail est venue la voir à son bureau et lui a dit : «J'ai un message pour toi. Cette nuit, j'ai rêvé à ton conjoint, mais ce n'était pas juste un rêve. C'était beaucoup plus, je sentais sa présence. Il m'a demandé de te dire : «Alain t'aime». J'ai longuement hésité avant de venir te voir. J'avais peur que tu me prennes pour une folle, mais c'était plus fort que moi, il fallait que je te le dise.» France a reçu ce message comme une confirmation à sa réponse. Son conjoint l'aimait toujours même si elle avait mis ses limites. En se respectant, cela ne l'avait toutefois pas empêchée d'aider son conjoint à poursuivre sa route. Pour s'assurer qu'Alain poursuivait son ascension, France lui a demandé de lui donner un signe, une chanson que ce dernier aimait lorsqu'il serait sur un plan de conscience qui lui permettait de le faire. Plusieurs semaines plus tard, en entrant dans sa voiture, France a ouvert la radio qui syntonisait alors une fréquence qu'elle n'avait pas l'habitude d'écouter. La fameuse chanson d'Alain y jouait. Son cœur s'est emballé et elle a compris qu'il s'agissait d'Alain qui venait lui dire qu'il était bien maintenant. Et comme si ce n'était pas encore suffisant, le même soir, France a de nouveau entendu cette pièce musicale sur une autre station. Elle lui a alors dit qu'elle avait bien reçu son message et qu'elle l'aimait. À ce moment, France a su hors de tout doute qu'Alain avait enfin trouvé sa Lumière.

Rituel de libération

Étape 1 : préparation

– Allumez quelques chandelles dans la pièce où s'effectuera le rituel de libération;

- Purifiez la pièce et toute la maison avec de la sauge, celle-ci possède des propriétés nettoyantes au niveau énergétique et elle favorise l'élévation des vibrations.

Étape 2 : centration

- À l'aide d'un exercice qui convient à tous, centrez-vous au niveau du cœur;
- Ressentez la force de votre Lumière et de votre guidance. Que toutes vos cellules s'illuminent et vibrent par cette grande force d'amour.

Étape 3 : demande et assistance

- Demandez l'aide de votre âme et de la guidance de toutes les personnes qui participent à ce rituel, y compris celle de l'âme en besoin (guides, anges gardiens, Êtres de Lumière, être chers désincarnés) pour vous accompagner dans ce processus de libération;
- Demandez à l'âme qui a besoin d'aide de venir vous rencontrer.

Étape 4 : libération

- Entourez-vous d'une bulle de lumière. Puis faites de même avec l'âme;
- Ressentez tout l'amour que vous avez pour vous et pour cette âme;
- Exprimez clairement à l'âme qu'elle ne peut plus s'accrocher à vous, à ce plan énergétique, et qu'elle doit maintenant se défaire de tous les liens qui la retiennent ici-bas;
- Libérez l'âme de toutes les dépendances qui vous lient à elle et rompez tous les liens qui s'accrochent à vous. Ensuite, voyez ces liens de dépendance se rompre les uns après les autres;

- Il n'y a maintenant plus aucune attache entre votre bulle de lumière et celle de l'âme. Il ne subsiste que l'amour pur;
- Visualisez la bulle de lumière de l'âme en besoin qui s'élève et qui se libère des autres attaches terrestres;
- Avec les mots de votre cœur, dites à l'âme qu'il est maintenant temps pour elle de rejoindre le plan énergétique qui lui convient, que le plan terrestre ne correspond plus à ses vibrations et qu'elle ne peut y trouver la paix qu'elle attend. Appelez à elle ses guides, des êtres chers qui l'accompagneront dans cette élévation. Dites-lui qu'elle n'est pas seule et que vous serez toujours là pour l'aider également par des prières;
- Après quoi, laissez cette âme entourée de lumière poursuivre librement sa route;
- Au centre de votre cœur, bénissez cette libération, bénissez votre guidance, votre âme et l'âme libérée;
- Reprenez contact avec votre corps. Purifiez à nouveau la pièce et la maison avec de la sauge.

Étape 5 : le soutien

- Le plus souvent possible au cours des jours qui suivent, allumez une chandelle pour l'élévation de cette âme et visualisez-la dans la Lumière. Les personnes qui vous accompagnaient lors du rituel peuvent faire de même. Cela favorisera le mouvement élévatoire;
- Faites ces prières d'élévation tant que vous en ressentez le besoin.

Les âmes ou les Êtres de Lumière qui s'adressent à nous sont, la plupart du temps, remplis d'amour et d'égard envers nous. Il n'y a donc aucune raison de les craindre ou de croire que nos limites vont les offusquer ou les faire fuir. Quant aux interlocuteurs qui agissent de manière déplacée, impromptue ou inacceptable, libre à nous de leur refuser l'accès à notre demeure intérieure en leur expliquant que la conversation avec eux est importante à nos yeux, mais que nous ne pouvons tolérer cette manière de s'adresser à nous ou que nous n'avons pas du tout envie de leur parler. Il existe certes des âmes de basses vibrations – dont nous reparlerons plus amplement au chapitre N – mais ce qu'il faut comprendre ici, c'est que la puissance de notre lumière, alliée à notre libre arbitre, nous protège contre toute intrusion. Plus nous serons conscients de cette protection, moins les éléments extérieurs auront d'emprise sur nous, que cette emprise soit minime ou non. Sur Terre, nous disposons de moyens de protection contre les intrus (verrous, systèmes d'alarme, police, lois, etc.) et nous n'hésitons pas à y recourir pour nous prémunir contre les intrusions. Soyons donc conscients de la force de la protection que notre Lumière et notre libre arbitre nous offrent. L'exercice de la bulle de miroir proposé au chapitre H est tout indiqué pour développer la conscience de notre lumière.

N'oublions pas également que nous ne sommes jamais seuls. Nos aides célestes, nos guides, nos anges gardiens et les Êtres de Lumière sont là pour nous aider à reconnaître cette force de lumière en nous. Encore faut-il croire en elle et en la présence de ces aides. Nous pouvons à tout moment nous référer à cette guidance pour nous accompagner dans une communication ou pour en comprendre la teneur. Nous nous imposons souvent une pression indue par rapport aux communications subtiles. Notre libre arbitre nous donne la possibilité de choisir ce qui nous convient au moment qui nous convient le mieux. Mettre ainsi nos limites donne lieu à une communication plus authentique. Cela nous permet aussi d'accepter nos propres limites en toute humilité. Notre âme poursuit un dessein voilé par l'incarnation. Pour l'atteindre, elle apporte dans ses bagages les outils dont elle a besoin. Certaines expériences ne lui sont pas nécessaires ou utiles. Ainsi, certaines personnes seront plus aptes à utiliser leur potentiel télépathique, d'autres, la canalisation et d'autres, la prémonition. Le contact avec les plans supérieurs est accessible à tous, mais pas nécessairement par tous les modes de communication. Nous aurons plus d'affinités avec certains et moins avec d'autre, tout comme notre personnalité n'est pas dotée de tous les talents. Nous devons cesser d'envier l'autre pour ce qu'il a et mettre notre énergie à chérir les aptitudes que nous avons, car c'est notre âme qui les a choisies pour son propre avancement. C'est là un cadeau inestimable qui est souvent envié par les autres, ne l'oublions pas. Nous avons trop souvent tendance à croire que l'herbe est plus verte dans le jardin du voisin. Cela est faux. Il faut apprécier et porter attention à ce que la vie nous offre! Cela dit, il n'y a évidemment rien qui nous empêche de chercher à développer d'autres aptitudes dans le respect de notre être sans s'acharner lorsque cela ne fonctionne pas. Acceptons plutôt que le temps, ou le mode de communication, n'est peut-être tout simplement pas approprié pour nous à ce moment. Cela fait aussi partie des limites de la communication.

C'est dans l'état d'être que ce que nous sommes s'impose, mais il ne s'expose pas nécessairement. Il n'en tient qu'à nous de le dire clairement. Autrement, nous quittons l'état d'être, rompant ainsi la communication avec notre interlocuteur, et alors nous n'avons plus accès à tous les outils que ce dernier nous offre. Exprimer les limites de notre être, c'est avoir foi en notre essence. Toutes nos communications en seront bonifiées.

1. Rien dans la communication, tant matérielle que subtile, ne peut porter atteinte à notre libre arbitre, à moins que nous le choisissions, consciemment ou non!

2. Il nous est possible en tout temps de refuser une communication, de l'accepter en se respectant ou de la remettre à plus tard.

3. Notre libre arbitre nous permet de choisir la manière dont l'âme s'adresse à nous.

4. L'âme cherche exactement la même chose que nous : retrouver l'amour inconditionnel, retrouver la lumière en elle. Cette perspective nous permet de comprendre que la motivation qui se cache derrière ses agissements n'est pas différente de la nôtre.

5. Sans aucune crainte pour nous ou pour l'âme, il faut faire cesser immédiatement les communications qui nous effrayent, qui nous troublent ou qui nous semblent inopportunes. Les âmes peuvent avoir besoin d'aide, mais jamais à notre propre détriment.

6. La puissance de notre lumière, alliée à notre libre arbitre, nous protège contre toute intrusion.

7. Le contact avec les plans supérieurs est accessible à tous, mais tous les modes de communication ne sont pas appropriés.

8. Exprimer les limites de notre être, c'est avoir foi en notre essence. Toutes nos communications en seront bonifiées.

Section 9

Y a-t-il des dangers à communiquer avec les plans célestes?

Mot d'enfant

Mon ami William est malade aujourd'hui.
Il a la gastronomie.

Malaises

Il y a toutes sortes d'histoires et de théories qui sont véhiculées quant aux dangers de la communication avec les plans célestes. Les deux prochains chapitres offriront des informations à ce sujet sans toutefois prétendre qu'il s'agit là de la seule vérité. Nous verrons plus amplement le jeu de force entre la noirceur et la lumière dans le chapitre N, mais d'abord, nous aborderons divers malaises qui peuvent être ressentis à la suite des communications. Nous en verrons la cause et la manière de s'en prémunir.

En premier lieu, rassurons-nous. Il n'y a aucun danger à communiquer avec les âmes, les Êtres de Lumière ou les Êtres cosmiques si – cette condition est importante – nous sommes pleinement conscients de notre lumière et de notre libre arbitre. Nous sommes une parcelle de Dieu, Dieu est en nous; que pouvons-nous craindre alors? Trop simpliste tout cela, car l'emprise et l'ombre existent et sont bien réelles, me direz-vous. Certainement, mais il faut savoir ce que ces deux manifestations signifient. Elles sont un manque d'amour, un manque de contact avec notre essence divine. La noirceur n'existe que lorsque la lumière se retire. L'emprise surgit lorsqu'une âme laisse entrer la noirceur en elle, consciemment ou inconsciemment. Tous les malaises et les inconvénients qui découlent des communications nous renseignent sur les failles qui existent dans notre cœur, laissant ainsi pénétrer le non-amour en nous.

Les malaises liés au manque de connexion au plan terrestre :

Le cœur est non seulement un temple intérieur, il est également un relais énergétique important puisqu'il est le pont entre les énergies terrestres et les énergies célestes. Notre nature divine s'exprime par les chakras supérieurs; les trois chakras inférieurs sont notre ancrage à la Terre. Il est aisé de constater que notre essence nous incite à l'élévation. Nous avons alors comme défi d'intégrer l'élévation dans la matière. Pour ce faire, nous devons absolument avoir recours aux chakras inférieurs qui jouent le rôle de fondation pour maintenir notre élévation bien ancrée. Sinon, nous serons tel un arbre sans racine, nous tomberons au moindre coup de vent. Toute la force de notre incarnation se trouve dans nos racines, lesquelles servent à nourrir nos corps énergétiques et à en éliminer les toxines. Les trois chakras de la base sont essentiels dans le processus d'élévation. Sans eux, nous ne pourrions accéder aux plans supérieurs. L'ancrage permet d'absorber le flux énergétique que l'élévation vibratoire occasionne. Comme on le dit si bien, il permet de garder les pieds sur Terre. Lorsque l'ancrage fait défaut, les malaises suivants peuvent se produire :

- des sautes d'humeur;
- des baisses d'énergie;
- des événements extérieurs désagréables qui se présentent immédiatement après la communication;
- des malaises physiques, tels des étourdissements, une grande fatigue, un sentiment de solitude.

Pourquoi ces malaises se produisent-ils après les communications subtiles? Ils sont en fait dus à une surcharge énergétique qui doit être évacuée, mais dont les issues prévues à cette fin sont bloquées. Les chakras inférieurs servent de canal pour drainer ce surplus énergétique dans le sol. À défaut de pouvoir y être évacuée, la surcharge cherchera donc une autre voie. En fait, le malaise provient du corps qui cherche à reprendre tant bien que mal son niveau vibratoire habituel. Ne bénéficiant pas de l'aide de la Terre pour absorber le décalage énergétique, c'est alors le corps physique ou émotionnel qui l'absorbe, causant ainsi de l'inconfort. Lorsque les chakras de la base sont pleinement fonctionnels et bien enracinés, l'évacuation de la surcharge énergétique ne provoque pas d'effets néfastes. Le malaise est donc un bon indice de l'état de notre enracinement. Lorsqu'il se manifeste, il faut tout de suite l'observer et vérifier l'état de nos chakras. Des exercices comme *La circulation énergétique des chakras,* plus amplement expliqués au chapitre D, sont de mise pour défaire les blocages énergétiques et permettre la libre circulation des fluides.

L'enracinement est donc absolument nécessaire pour vivre des communications célestes sans effets secondaires désagréables. Il permet également de s'élever davantage contrairement à ce que nous pourrions penser. Le corps physique possède une capacité limitée d'emmagasinage vibratoire, mais le lien avec la Terre lui permet d'absorber immédiatement le surplus d'énergie. Les racines sont notre paratonnerre. Elles captent la décharge énergétique pour l'envoyer dans la terre. Ainsi, à défaut de racines, l'élévation de notre taux vibratoire stagne et ne peut s'élever plus haut que le corps physique ne peut le supporter. Ainsi, nous ne pouvons pas accéder à des plans très élevés, question de survie! S'il en était autrement, comme l'éclair, le haut taux vibratoire dans un corps mal enraciné le ferait littéralement exploser. En conséquence, de belles et grosses racines favorisent l'accès aux plans vibratoires plus subtils; elles favorisent également un retour à la matière en douceur. Le manque d'enracinement provoque souvent une descente plus brutale dans la matière, et c'est là une manière peu confortable de réintégrer le taux vibratoire usuel. Avant une communication, il est de loin préférable, de prendre le temps de bien dégager les chakras inférieurs et de procéder à un rituel d'enracinement qui nous convient. La vie ne supporte pas le vide; alors, si nous ne prenons pas cette précaution, elle se chargera de le remplir à notre place.

Bienvenue sur Terre!

Lorsque j'ai commencé à méditer, je n'avais pas réellement de technique ou de rituel. Je m'asseyais là et je me centrais au niveau du cœur, puis je m'abandonnais à ce qui était là dans l'ici-maintenant. Il m'arrivait alors de prendre contact avec des plans vibratoires plus élevés qu'à l'habituel. Ce moment de grâce était tout à fait sublime, tellement que lorsque je revenais à mes énergies courantes, je conservais une grande fébrilité pendant un moment. Mais chaque fois que cela se produisait, je n'avais pas franchi la porte de la pièce où je méditais qu'il se produisait une situation des plus déplaisantes, toujours avec un synchronisme étonnant. La maison tout entière baignait dans un calme plat, mais en ouvrant la porte, le choc des énergies provoquait un orage plus ou moins foudroyant. Cela se manifestait par une querelle entre les enfants, une prise de bec avec un membre de la famille, une mauvaise nouvelle ou encore un bris matériel. Bref, il y avait chaque fois un événement qui était porteur de déstabilisation. Puis j'ai assisté à une soirée de canalisation donnée par mon amie Francine Ouellet. Elle a alors raconté une situation similaire pour nous expliquer qu'il s'agissait d'un manque d'enracinement. Quelle merveilleuse révélation ce fut pour moi! Chaque fois que je méditais, je ne m'occupais que de mes chakras supérieurs et de celui du cœur. Je ne portais jamais attention aux autres chakras. Je me désancrais ainsi de la Terre et la vie se chargeait de m'y ramener, comme pour me dire : «Bienvenue sur Terre, Sylvie! Tu es ici dans la matière, ne l'oublie pas.» Grâce à cet enseignement, j'ai instauré un rituel d'enracinement au début de ma méditation et celui-ci diminue de manière significative les retours brutaux. Il m'arrive encore de vivre des décalages vibratoires, mais je les comprends maintenant et je peux immédiatement me recentrer pour en stopper les désagréments.

Les malaises liés à la fuite :

Lors des premières communications avec des vibrations plus subtiles, nous retrouvons des sensations de joie, de bien-être et de paix que nous cherchions très souvent inconsciemment depuis notre arrivée sur Terre. Ces états d'être sont si merveilleux qu'il nous est souvent difficile de revenir à la réalité de notre incarnation. Nous avons peine à comprendre pourquoi nous avons troqué ce monde d'amour inconditionnel pour vivre dans un autre si conditionnel. La sensation de coupure, de dualité, se fait alors sentir plus profondément, provoquant de grands questionnements et parfois de l'isolement. Il est en effet très tentant de chercher à vivre de plus en plus souvent ces états de grâce en se retirant dans notre temple intérieur. Toutefois, il faut bien comprendre que cette tentation n'est ni plus ni moins qu'une fuite. Ne pouvant trouver dans l'incarnation cette dose d'amour inconditionnel, nous la cherchons ailleurs. Ce faisant, nous oublions que notre âme a choisi de venir sur Terre pour apprendre à se «reconn-être», à retrouver son état d'être dans la matière. Les expériences terrestres sont au service de l'évolution de notre âme. Notre temple intérieur est un lieu de discussion et d'intégration pour faire le pont entre les mondes. Il nous permet d'accéder à un haut niveau de compréhension de notre incarnation et il facilite notre avancée. Toutefois, s'il devient le refuge de notre personnalité en fuite, notre incarnation en sera fort perturbée et pourra éprouver les malaises suivants, causés par une décentration et un déracinement :

– Tristesse;
– Sentiment d'une profonde solitude;
– Peu de concentration et de motivation;
– Incompréhension de l'incarnation;
– Sentiment d'étouffement et de lourdeur;
– Refus de vivre cette incarnation.

Les malaises liés à la fuite sont particulièrement d'ordre émotionnel bien qu'il y ait également des perturbations physiques associées au déracinement. La fuite constitue un refus d'accepter l'incarnation. Nous cherchons plutôt à vivre des états de grâce qui nous comblent momentanément, mais le retour à la matière dense sans l'intégration de cette lumière ne fait qu'accroître l'écart entre les mondes. Chaque incarnation vise à créer une plus grande ouverture de conscience des divers états vibratoires qui nous habitent, diminuant un peu plus chaque fois le voile qui nous sépare des plans subtils. Or, la fuite dans des états de conscience plus grands accentue l'effet du voile puisque la matière nous semble si lourde. Nous pourrions faire le parallèle entre l'état de légèreté que procure l'apesanteur et celui qui se produit lors du retour à l'état normal de pesanteur. Les états de grâce nous allègent, mais ils amplifient la sensation de lourdeur de la matière s'ils ne sont pas intégrés.

Les remèdes efficaces contre ces malaises sont l'enracinement et l'acceptation de l'incarnation. L'enracinement permet une meilleure intégration de l'élévation de conscience dans la matière. Il est notre assise et notre source d'énergie physique. Il nous offre aussi tout le support de notre Mère, la Terre, qui nourrit nos trois chakras vitaux. Comment pouvons-nous espérer vivre une incarnation dans la matière sans l'apport énergétique de la Terre? Elle est notre alliée dans cette aventure, elle nous apporte non seulement l'énergie essentielle, mais elle nous fournit aussi l'abondance nécessaire à la réalisation de cette incarnation. Le manque d'enracinement nous coupe de cette énergie, ce qui amplifie la sensation de dualité et d'abandon. Se brancher à la Mère Terre, c'est s'ouvrir à toutes les possibilités qui existent dans la matière. À défaut d'enracinement, nous surfons sur la vague sans avoir accès aux trésors de la «mer».

Une fois bien enracinés, il nous est plus facile de plonger dans l'incarnation avec confiance, car nous nous sentons supportés. Plonger, c'est accepter de vivre pleinement cette expérience de vie en sachant que nous serons inévitablement mouillés dans l'aventure. Il serait impensable de croire que nous pouvons plonger en demeurant au sec. Voilà souvent ce que nous tentons de faire dans notre incarnation. Nous souhaitons vivre l'expérience de la matière sans prendre tout ce qu'elle entraîne. Nous ne réalisons plus, une fois incarnés, que nous n'avons pas atterri ici-bas par hasard. Notre âme a fait le choix de s'incarner, sinon nous ne serions pas ici. Il n'y aucune âme qui n'a pas accepté ce choix, libre arbitre exige. Nous avons choisi d'être dans la matière pour apprendre des leçons particulières qui prennent la forme d'événements quotidiens. Tant que la leçon n'est pas apprise, l'expérience se répétera, car c'est un enseignement que notre âme désire assimiler. En la fuyant, nous ne faisons que retarder le processus et augmenter la difficulté qui provient toujours de la résistance. Il est certes bien tentant de se réfugier dans un monde parallèle où règnent état de grâce et joie, mais il faut se rendre à l'évidence que ce n'est pas ce dont notre âme a besoin; autrement, elle serait restée là-haut. Si elle s'est incarnée, c'est qu'elle souhaitait réellement vivre l'expérience actuelle pour sa propre évolution. D'un point de vue humain, cela est fort difficile à comprendre, mais pour l'âme, la Terre est un laboratoire d'expérimentation où elle accepte de jouer un rôle qui lui apprendra davantage à se connaître. En résistant à cela, nous nous compliquons simplement la tâche. Nous sommes comme l'acteur qui refuse de jouer la scène principale, mais qui veut jouer tout le reste de la pièce. Lorsque les événements nous semblent insurmontables, arrêtons un moment pour nous centrer et rappelons-nous simplement que c'est un appel à l'amour qui provient de notre âme. Cet événement vient nous faire expérimenter l'amour dans la matière. Pour nous recentrer rapidement, demandons-nous alors : «Que ferait l'amour?».

Elle est si déçue!

Alors que je fais des appels pour informer les gens des activités de deux de mes amis, une dame me pose quelques questions qui sortent du cadre des informations que je dois donner. Elle me semble préoccupée par quelque chose et je prends simplement le temps de l'écouter. Elle devient émotive et, avec beaucoup d'hésitation, elle se décide à me parler des expériences de méditation qu'elle a faites selon les enseignements de mes amis. Elle s'y est consacrée tous les jours et elle a fini par vivre des états de grâce merveilleux. Cela lui a donné l'impression qu'elle a maintenant atteint un niveau vibratoire différent qui lui fera expérimenter la matière tout autrement. Effectivement, portée par cette élévation, les premiers jours qui ont suivi furent merveilleux pour elle. Chaque expérience se révélait comme un cadeau de lumière et elle le savourait pleinement. Toutefois, mal enraciné, son corps a fini par être incapable de suivre cette cadence énergétique et le retour à son énergie antérieure a été assez brutal. Sous le choc, elle tente à nouveau de faire les exercices de méditation, mais cette fois, elle n'a plus le même abandon, elle est remplie d'appréhension et plus rien ne va. Elle ne réussit plus à élever son taux vibratoire. Pourtant, elle souhaite tant revivre cet état! Sa vie d'avant lui semble maintenant trop lourde, terne et insensée. Devant les insuccès répétés et les attentes non comblées, tout lui paraît encore plus décevant. Je la sens alors très déstabilisée. Elle ne comprend pas pourquoi elle a pu connaître une telle sensation sans pouvoir la vivre à nouveau. Je l'écoute en lui retournant à l'occasion une question. Elle me parle des difficultés qu'elle traverse actuellement et du bienfait que lui procurait la méditation. Puis, soudainement, elle s'arrête un moment de parler, car elle réalise comment elle s'est servi de la méditation pour fuir sa vie actuelle. Ces moments de grâce n'étaient pas au service de sa vie. Ils lui servaient de refuge pour s'éloigner des leçons que son âme désirait vivre ici-bas. En parler lui a permis de trouver elle-même les réponses qu'elle cherchait.

Lorsque nous utilisons les communications avec les plans subtils pour fuir, les malaises émotifs s'installent. Ces derniers sont un repère pour nous dire que quelque chose ne fonctionne pas ou que nous n'utilisons pas la communication pour les bons motifs. Tant que la dame s'est accrochée à la fuite, elle est demeurée dans un tourbillon émotionnel désagréable qui l'empêchait d'élever à nouveau sa vibration. Les communications subtiles sont des outils au service de cet apprentissage, mais comme tout autre outil, lorsqu'elles servent à mauvais escient, elles causent du tort. Prenons le temps de nous arrêter pour observer nos motivations, notre façon d'utiliser cet outil et les explications viendront sans effort, avec clarté.

Les malaises liés à l'emprise :

Il est difficile de parler de malaises sans parler de ceux qui sont liés à la grande famille de l'emprise, un sujet tabou, dont on parle peu. De ce fait, nous la méconnaissons et nous la craignons. Il devient donc urgent de s'y intéresser afin d'être en alerte et de pouvoir agir ou réagir si elle se manifeste en nous ou chez un être cher. Toutefois, c'est un phénomène très vaste qu'il ne m'appartient pas d'expliciter de long en large dans ce livre. Il sera donc abordé sommairement afin de fournir quelques explications qui, je le souhaite, susciteront le goût d'en savoir plus[10] et surtout contribueront à démystifier un tant soit peu ce sujet si controversé. L'emprise, c'est un phénomène d'appropriation énergétique par une âme qui gravite dans le bas astral[11]. Celle-ci cherche à atteindre le plan terrestre pour tenter de contrôler à nouveau la matière au lieu de chercher à élever sa vibration pour retrouver sa famille d'âmes et le niveau vibratoire qui lui convient. En perdition dans les dédales du bas astral, elle s'accroche à la Terre et à tout ce qui peut nourrir ses motivations. Elle va alors s'accoler à des âmes incarnées ou à des lieux qui correspondent à un taux vibratoire répondant à ses besoins, croyant à tort que c'est là ce qu'elle doit faire. L'emprise peut être très légère, alors l'âme perdue gravitera simplement près de la source énergétique qui la nourrit, telle la sangsue. Elle peut toutefois aller jusqu'à la possession d'un être incarné, c'est-à-dire que l'âme perdue s'immiscera dans les corps énergétiques de celui-ci et prendra sporadiquement le contrôle du corps physique.

L'emprise est un phénomène bien réel qu'il ne sert à rien de nier. Au contraire, c'est en lui faisant face que nous pourrons en contrer les effets nuisibles. Selon le degré d'emprise, les malaises peuvent être ceux-ci : perte d'énergie, fatigue, épuisement, maux physiques, sautes d'humeur inexpliquées, perte de mémoire, excès de colère, crises d'hystérie, comportements violents ou agressifs envers soi et envers les autres. Il ne faut cependant pas voir dans ces malaises une manifestation systématique de l'emprise. D'autres causes peuvent occasionner les mêmes symptômes, et il est important de ne pas sauter aux conclusions trop rapidement. Pour nous aider à voir plus clair, sachons comment et pourquoi l'emprise se manifeste dans notre énergie. L'âme qui cherche l'emprise est en manque de lumière. L'ombre qui se manifeste en

---

10. E. Fiore, *Les esprits possessifs : une psychothérapeute traite la possession*, Exergue / A. Lapratte, *Une autre âme dans ma fille : histoire d'une mère confrontée à la possession de son enfant*, Le Dauphin Blanc. / A. Kardec, *Le Ciel et l'enfer*, version électronique sur le site www.allan-kardec.com.

11. Le bas astral compose une partie de la dimension de l'astral, soit celle correspondant aux plus basses vibrations. Dans l'astral, il y a aussi des plans vibratoires intermédiaires et supérieurs. Tous ces plans vibratoires représentent le niveau d'ouverture de conscience de l'âme. Les âmes qui se retrouvent dans le bas astral vibrent donc à un taux vibratoire très bas soit parce qu'elles ne bénéficient pas d'une très grande ouverture de conscience soit parce qu'elles se sont éloignées de leur essence divine durant leur incarnation. Pour en sortir, elles doivent retrouver leur Lumière intérieure.

elle l'éloigne de la Lumière et la pousse à chercher son énergie ailleurs. Le magnétisme énergétique est un phénomène reconnu et indiscutable. Tel l'aimant, nous attirons des énergies similaires et nous repoussons les forces opposées. Lorsque l'emprise se manifeste dans notre champ énergétique, c'est qu'il y a une brèche dans notre lumière qui permet à l'ombre d'y être attirée. Pour que l'ombre puisse entrer, il est absolument nécessaire que la lumière se retire, si partiellement soit-il. Nous sommes lumière, nous ne sommes pas ombre. Pour que cette dernière nous touche, il faut absolument qu'elle ait un accès. Autrement, la lumière repousse d'emblée l'ombre.

Des brèches énergétiques peuvent se créer dans toutes sortes de circonstances. Puisque nous ignorons le fonctionnement de la lumière et de l'ombre, elles se créent la plupart du temps à notre insu. Elles prendront naissance dans nos états émotionnels denses comme la colère, la haine, la jalousie, la méfiance, la peur ou la méchanceté. Ces états de non-amour résultent des zones d'ombre intérieure et attirent à eux d'autres manifestations d'ombre. À la longue, cela finit par devenir une porte d'entrée pour les âmes égarées qui gravitent dans les mêmes énergies. La peur alimente la peur, la haine nourrit la haine. Une pensée de colère ne crée pas à elle seule une brèche, mais elle est une cellule d'ombre qui s'infiltre dans notre énergie. Peu à peu, ces cellules se regroupent et finissent pas faire une zone d'ombre suffisante pour inviter une âme perdue. Il arrive également que l'emprise se produise dans des endroits propices tels que des lieux de massacres où plusieurs personnes sont mortes de manière violente ou atroce, l'emplacement d'un accident brutal, des hôpitaux, une maison où une âme perdue s'est installée, des bars, des piqueries, des maisons de jeu où les âmes ayant de fortes dépendances vont établir domicile. Cela pourrait même se produire par l'intermédiaire d'un objet précieux dont l'âme perdue ne peut se départir. Il arrive aussi que l'emprise puisse se manifester par l'attachement à une personne physique ou à une âme. En fait, l'emprise révèle systématiquement le refus conscient ou inconscient de quitter le plan terrestre. Souvent, l'âme perdue n'a pas réalisé qu'elle n'a plus de corps physique ou si elle l'a réalisé, elle ne voit pas que la matière n'est plus sa destination. Elle ne se rend également pas compte que de vampiriser une âme incarnée ne lui offre point les bienfaits de la lumière.

Elle s'accroche à un bambin.

Stéphanie m'écrit pour me dire que William, son fils de deux ans, lui parle souvent d'une personne qu'il voit dans la maison; chaque fois il lui dit : «Maman, madame, bobo au ventre» et l'enfant se plaint de douleurs au ventre. Elle me demande alors quoi faire pour remédier à cette situation. Je lui dis qu'elle ne doit pas accepter une telle façon d'entrer en communication. Cette âme peut se faire comprendre sans faire souffrir William. Je lui explique que c'est probablement une âme égarée qui cherche un moyen de leur parler. Alors, la prochaine fois que son fils verra la dame, je lui propose d'entrer en communication avec celle-ci pour lui signifier qu'elle a été entendue et lui faire comprendre que ce plan énergétique n'est pas le sien. Ainsi, Stéphanie et William pourront peut-être l'aider à rejoindre un plan qui lui correspond mieux en l'entourant de lumière et d'amour. Après quoi, je leur suggère de faire un geste symbolique montrant leur intention d'aider cette âme à s'élever, comme par exemple celui de souffler sur une bulle pour qu'elle s'envole. Au moment où j'écrivais ces mots, un ressenti très fort est venu m'habiter. La dame que voyait William était morte avec une intense souffrance au ventre (en accouchant ou à cause d'une maladie). Je sentais qu'elle était prise dans cette souffrance et qu'elle n'arrivait plus à s'élever. Elle demandait de l'aide. Quelque temps après, Stéphanie m'écrit de nouveau pour me dire qu'un soir, alors que son fils était dans le bain, il lui a dit qu'il voyait la madame dans sa chambre. Elle lui a alors demandé de faire comme elle et de lever ses mains au Ciel comme pour l'aider à s'envoler. Après quoi William a regardé dans sa chambre, puis il s'est tourné vers sa mère et lui a dit avec un grand sourire : «Patie madame, madame patie au Ciel!».

Il s'est écoulé quelques semaines sans aucun autre signe de la présence de la dame, mais cette dernière est revenue. Par contre, cette fois, c'était différent. William la voyait encore, mais la dame ne lui faisait plus mal. Au moment où Stéphanie me raconte cela, une forte sensation m'envahit. La dame était bel et bien morte en accouchant et William était alors son bébé ou à tout le moins, il représentait pour elle l'enfant qu'elle aurait voulu voir grandir. Cela expliquait donc pourquoi elle s'y accrochait. J'ai suggéré à Stéphanie quelques exercices pour tenter d'aider la dame à exprimer ce qu'elle désirait afin de l'aider ensuite à partir, mais cette dame a refusé d'entrer en communication avec Stéphanie. Les limites de mes compétences en ce domaine étant atteintes, j'ai suggéré à Stéphanie de consulter un thérapeute énergétique qui pourrait libérer William de cette emprise et, par le fait même, aider cette dame à quitter le plan terrestre.

Quelque temps après, une thérapeute est entrée en contact avec l'âme de la dame. Elle a confirmé que cette dame était liée à William et qu'elle était très jalouse de Stéphanie. Après avoir discuté avec elle un bon moment, la thérapeute est arrivée à lui faire comprendre qu'elle devait quitter ce plan pour trouver le sien. La dame a accepté alors de partir. Puis, la thérapeute s'est faite alors rassurante auprès de Stéphanie en lui disant que dans quelques jours, la dame ne devrait plus se manifester. Au cours des jours qui suivirent, la présence de la dame était encore bien manifeste. Puis un jour, aux petites heures du matin, Stéphanie a rêvé à la dame qui s'est présentée à elle avec son corps physique. Stéphanie était très émue de la rencontrer enfin. La dame venait lui dire qu'elle avait compris que sa place n'était pas dans sa maison et qu'elle avait décidé de retrouver sa lumière. Stéphanie lui a alors répondu qu'elle était très honorée de la rencontrer et qu'elle avait laissé une trace dans la vie de William. Stéphanie savait alors qu'il lui faudrait poursuivre l'enseignement de cette expérience à son fils. La dame lui a souri et s'en est allée. Au réveil, Stéphanie a éprouvé une sensation intense de soulagement, mais son mental ne pouvait s'empêcher de se demander s'il s'agissait réellement de la dame et si elle était bien partie. Elle a décidé alors d'appeler la thérapeute pour lui raconter son songe, mais elle n'a pas eu le temps de placer un mot. La thérapeute a engagé la conversation avec emballement et elle lui a dit : «Je suis contente de te parler, car je voulais justement te téléphoner. J'ai une bonne nouvelle pour toi. La dame est partie. Je l'ai accompagnée dans la lumière vers 5 heures ce matin.» Stéphanie venait de recevoir la confirmation de son rêve sur un plateau d'argent. Elle était si heureuse d'avoir été à l'écoute de son fils et d'avoir saisi que ses paroles n'étaient pas juste un babillage d'enfant. Son ouverture leur a permis à tous les deux de vivre une expérience extraordinaire, de libérer une âme errante et d'emmagasiner tout un enseignement pour William. Derrière la peur et la frayeur que la présence de cette dame a pu susciter se cachait la richesse de l'amour inconditionnel.

Bien que tout cela se passe souvent inconsciemment, il est important de souligner que notre âme conserve en tout temps son libre arbitre. L'emprise est le résultat des choix de notre âme, même si ces derniers nous semblent inconcevables ou inadmissibles. Rien de ce qui nous arrive n'est laissé au hasard. Toutes les expériences sont des appels à l'amour de notre âme. C'est l'ouverture de conscience qui permettra d'entendre ou non cet appel. La personnalité de William n'a certainement pas choisi cette emprise, mais son âme oui. Cette expérience sert à son apprentissage et seule son âme peut en comprendre la raison profonde. Il ne faut donc pas se sentir victime de l'emprise, car il s'agirait là d'une abdication de notre force intérieure, une remise d'armes à l'ennemi. Au contraire, il faut la voir comme une leçon qui nous sert dans notre évolution, une occasion de faire croître la connaissance de notre lumière, de notre essence divine.

C'est par la reconnaissance de notre lumière que nous pourrons éloigner de nous toute tentative d'emprise. Voilà pourquoi, dans les communications avec les âmes, il importe d'être conscients de notre état vibratoire et d'en susciter l'élévation. Nous ne pouvons communiquer qu'avec des énergies semblables. Si nous avons peur, les énergies de peur s'activent en nous et suscitent le contact avec des âmes aux prises avec la peur. Il en est de même pour toutes les émotions de basses vibrations. C'est un peu comme si nous invitions chez nous des gens peu recommandables. Une fois la porte ouverte, ces âmes risquent de s'accrocher à notre énergie et de ne plus vouloir s'en aller. Notre pire ennemie en ce domaine est donc notre propre ombre, tout comme notre façon de l'alimenter. Ainsi, toutes les actions non lumineuses contribuent à nourrir notre ombre intérieure et à nous en garder captifs, car par attraction, elles attirent ces mêmes énergies dans notre champ vibratoire. Moins nous sommes conscients des énergies qui nous affectent, plus il nous est difficile d'en sortir. Nous baignons alors dans une mer trouble où il est difficile de s'orienter.

Comment se sortir de l'emprise, me direz-vous? La plupart des thérapeutes en la matière utilisent la force de la lumière pour mettre fin à l'emprise. Qu'on pense aux prêtres qui travaillent avec les prières et divers symboles religieux, dont la croix, ou encore aux thérapeutes qui utilisent un cercle de lumière grâce à l'aide de plusieurs personnes. En étant conscients de l'ombre qui nous habite et surtout de la force de notre lumière, nous pourrons éclairer ces zones d'ombre. Nous avons notre libre arbitre, mais encore faut-il avoir la conscience et la force de l'exercer. Plus nos vibrations lumineuses s'élèvent, moins l'ombre peut nous affecter. La force de notre âme réside dans la Lumière et c'est là notre meilleure protection contre l'emprise de l'ombre. Lorsque nous sommes trempés jusqu'au cou dans l'emprise, de l'aide nous est souvent nécessaire pour nous en extirper. Ici-bas, pour décupler notre force, nous utilisons un levier. N'hésitons donc pas à nous entourer d'aide extérieure qui nous permette d'amplifier notre force intérieure. Toutefois, il faut savoir que si puissante que soit cette aide, elle ne peut à elle seule refermer les portes que nous laissons ouvertes, consciemment ou non. Nous seuls possédons le pouvoir de colmater les brèches intérieures, et si nous ne le faisons pas, d'autres âmes errantes s'y infiltreront. Par la puissance de notre lumière, imposons notre volonté d'être le seul maître à bord de notre véhicule de chair, illuminons tous nos corps pour fermer les accès à l'ombre et rayonnons cette lumière sur tout notre entourage. Toutes les âmes y gagneront.

Malaises (résumé)

1. Lorsque l'ancrage fait défaut, les malaises suivants peuvent se produire :

- des sautes d'humeur;
- des baisses d'énergie;
- des événements extérieurs désagréables qui se présentent immédiatement après la communication;
- des malaises physiques tels des étourdissements, une grande fatigue, un sentiment de solitude.

2. Lorsque les chakras de la base sont pleinement fonctionnels et bien enracinés, l'évacuation de la surcharge énergétique ne provoque pas d'effets néfastes.

3. Si notre cœur devient le refuge de notre personnalité en fuite, notre incarnation en sera fort perturbée et pourra éprouver les malaises suivants, causés par une décentration et un déracinement :

- Tristesse;
- Sentiment d'une profonde solitude;
- Peu de concentration et de motivation;
- Incompréhension de l'incarnation;
- Sentiment d'étouffement et de lourdeur;
- Refus de vivre cette incarnation.

4. Lorsque nous utilisons les communications avec les plans subtils pour fuir, les malaises émotifs s'installent. Ces derniers sont un repère pour nous dire que quelque chose ne fonctionne pas ou que nous n'utilisons pas la communication pour les bons motifs.

5. Selon le degré d'emprise, les malaises peuvent être ceux-ci : perte d'énergie, fatigue, épuisement, maux physiques, perte de mémoire, sautes d'humeur inexpliquées, excès de colère, crises d'hystérie, comportements violents ou agressifs envers soi et envers les autres.

6. La force de notre âme réside dans la Lumière et c'est là notre meilleure protection contre l'emprise de l'ombre.

Noirceur

Il y a quelques années, je me souviens d'avoir assisté à une soirée d'information sur des techniques de méditation. La première partie de la soirée portait sur l'enseignement de deux techniques de méditation, que j'ai trouvées particulièrement intéressantes, tandis que la deuxième partie nous apprenait à utiliser un code de protection pour accéder aux plans lumineux sans subir l'emprise de la noirceur. La seconde partie m'a laissée tout à fait perplexe, car ce groupe, qui se prétendait au service de la Lumière, nous interdisait de révéler le code de protection à qui que ce soit. Nous ne pouvions même pas le noter de peur qu'il tombe entre de mauvaises mains. Dans ma conception de la Vie, de l'Amour et de Dieu, cela était tout à fait inconcevable. Si nous sommes tous une parcelle de Dieu, pourquoi devrions-nous avoir besoin d'un code d'accès? Et dans l'hypothèse où un code d'accès nous permettrait d'accéder plus facilement à notre Lumière, pourquoi faudrait-il le garder secret? Ne devrions-nous pas alors le transmettre à tous ceux qui nous sont chers afin qu'ils puissent eux aussi accéder à leur Lumière? Cette soirée m'a profondément bouleversée et j'ai pris le temps de m'intérioriser pour y voir «clair».

Je venais de vivre en direct une manière d'entretenir la peur, une manière de garder les gens captifs d'une méthode. Rien dans cette soirée ne parlait de cette force à l'intérieur de nous, de ce lien d'amour qui nous est toujours accessible. Encore une fois, on nous référait à l'extérieur pour trouver la Lumière ou la noirceur, comme l'enseigne si bien la dualité. Mais la dualité n'est qu'une illusion, nous sommes un avec l'Univers et c'est justement cette unité que nous cherchons à recouvrer ici-bas. Être dépendants d'un élément extérieur pour atteindre notre lumière nous éloigne de l'unité. Nous sommes parcelle divine. Dieu est en nous puisqu'il est omniscient et omniprésent et que nous sommes sa chair et son sang. Nous n'avons pas à accéder à Dieu, car nous sommes Dieu. Chercher Dieu ailleurs qu'en nous, c'est nier notre essence divine. Nous sommes à l'image de Dieu et toute la création est aussi à son image. En dehors, comme en dedans, c'est Dieu. Ainsi, tout ce qui existe à l'extérieur de notre être est la manifestation de ce qui vit à l'intérieur. Il faut cesser de chercher à l'extérieur ce qui peut nous faire accéder à Dieu ou aux plans supérieurs. Tout est en nous. Dieu n'est pas un être à rencontrer, la Lumière n'est pas un lieu à atteindre. Ils sont tous deux synonymes d'un état vibratoire à retrouver. Cet état vibratoire nous est familier, il nous définit, il nous compose. Le voile de l'incarnation masque cette essence divine, mais elle est toujours là, bien présente et elle s'active dès que nous nous tournons vers notre cœur.

Partant de ce constat, il faut aussi comprendre que la Noirceur n'est pas plus extérieure à nous que la Lumière. Elle a également un état vibratoire intérieur. La Noirceur, c'est l'absence de Lumière ou l'absence d'amour. Elle se manifeste chaque fois que nous laissons le voile de l'illusion nous éloigner de notre essence divine. Elle est la force opposée à l'amour pur. Elle est le miroir qui nous offre le reflet du non-amour. C'est par la présence de cette force opposée que nous pouvons reconnaître et retrouver en toute conscience l'amour inconditionnel dans la matière. L'existence de la Noirceur est indéniable puisqu'elle est le contrepoids de la Lumière. Toute force possède son opposé. Cela dit, il importe de savoir que La Noirceur n'a jamais d'emprise sur la Lumière. Elle ne peut avoir de pouvoir que sur la noirceur elle-même. Alors, craindre la Noirceur, c'est l'alimenter, c'est peu à peu l'inviter à entrer chez nous. Comme mentionné dans les chapitres précédents, notre meilleure protection est la force de notre Lumière. L'Ombre se manifeste en nous et dans notre entourage parce que nous n'avons pas suffisamment foi en ce que nous sommes. L'emprise de la Noirceur se produit si une zone de basses vibrations existe dans notre champ énergétique.

Sachons que nous ne sommes pas venus subir l'Ombre; nous sommes ici pour recouvrer notre pleine Lumière. C'est dans la conscience de ce que nous sommes que nous pouvons limiter, voire anéantir l'emprise des forces de l'ombre sur notre âme. Nous cherchons des moyens extérieurs pour nous protéger contre toutes les forces de l'ombre, mais ce faisant, nous délaissons notre force intérieure. C'est dans l'espace du cœur que nous retrouvons la conscience de notre Lumière et que nous élevons nos vibrations. Des périodes récurrentes d'intériorisation deviennent un moyen des plus efficaces pour contrer les effets négatifs de l'ombre dans nos vies. Il est évidemment possible d'avoir recours à de l'aide extérieure pour nous aiguiller dans ce mouvement d'ascension, mais rien ni personne d'autre que nous ne peut offrir une protection adéquate contre l'Ombre puisqu'elle est un état vibratoire intérieur. Utiliser seulement des moyens extérieurs pour faire face à l'Ombre revient à mettre un diachylon sur une plaie. L'Ombre restera présente, car elle est la messagère du non-amour que nous avons envers nous-mêmes, envers les autres ou envers la Vie. Si nous souhaitons qu'elle se résorbe, il est essentiel d'aller à la source, la source d'Amour, la source de Lumière. Il existe une panoplie d'exercices, de techniques ou de méthodes pour nous permettre d'augmenter notre taux vibratoire et d'accéder à notre Lumière. Mais tous ces moyens passent inévitablement par une intériorisation. Voilà pourquoi j'étais si étonnée du contenu des informations qu'on nous avait données lors de la soirée d'information, car il m'apparaissait très clairement qu'aucun code ne pouvait m'offrir une protection plus efficace que ma Lumière intérieure. Il était aussi évident pour moi que m'attacher à ce code devenait une béquille qui m'affaiblirait à la longue. En l'utilisant, au lieu de développer ma force intérieure, je m'appuierais sur un élément externe en espérant qu'il soit à la hauteur au moment venu, occasionnant alors doutes ou angoisses. Or, voilà de quoi se nourrit la Noirceur : doute, angoisse, peur, dépendance, haine, colère, méchanceté, de tout ce qui est non-amour.

Alors, à la question : «Y a-t-il des dangers à la communication avec les plans célestes?», la réponse demeure non **si nous sommes conscients de notre force de Lumière intérieure**. Évidemment, il nous est possible d'être confrontés aux forces de l'Ombre et d'avoir l'impression qu'on cherche à nous déstabiliser. Logiquement parlant, plus la force de Lumière s'accroît, plus la force opposée qu'est l'ombre s'accroît aussi. C'est une question d'équilibre des pôles d'attraction. Mais, en toute logique aussi, il n'y pas de quoi s'alarmer de ce constat puisqu'en étant plus lumineux, l'ombre a de moins en moins d'emprise sur nous. Il faut aussi comprendre que même si des âmes de basses vibrations entrent en contact avec nous, ce n'est pas toujours pour nous faire du mal ou pour nous posséder. Ces âmes sont perdues et elles cherchent l'amour. Il n'y a pas de mauvaises âmes, à mon avis, puisque nous provenons tous de la même source. Mais il y a des âmes égarées dans le non-amour qui tentent parfois de nous entraîner avec elles dans ces basses vibrations. En nous centrant sur notre divinité, en invoquant notre guidance et en refusant d'être atteints par l'ombre, ces âmes ne peuvent avoir d'emprise sur nous. Ce sont là les trois ingrédients de notre protection : Lumière, Guidance et Libre arbitre. Nous sommes Dieu et nous sommes créateurs des événements de notre vie. Refuser l'emprise de l'ombre est un choix qu'il nous est possible d'effectuer et que nous devrions être en mesure de faire en tout temps. Nous n'avons jamais à subir de mauvais traitements pour notre évolution ou pour sauver qui que ce soit. C'est là une bien mauvaise perception de notre rôle divin et il faut absolument refuser tout mauvais traitement, toute violence verbale ou physique qui peuvent nous être faits, que ce soit dans les communications terrestres ou célestes. Ils ne sont jamais justifiés et reflètent toujours le non-amour que nous avons envers nous-mêmes.

La communication avec les plans supérieurs est là pour nous aider dans notre évolution, dans notre traversée terrestre. Elle n'a jamais pour objectif de nous affaiblir, de nous troubler ou de nous limiter. Lorsque ces situations se produisent, il s'agit là d'un signal pour nous rappeler à notre centre, à notre essence. Il faut immédiatement nous arrêter et manifester notre refus de vivre ces situations. Il faut ensuite nous centrer pour retrouver notre Lumière et y voir «clair». Nous pouvons également avoir recours à des outils extérieurs pour nous faciliter la tâche, des outils qui favorisent l'augmentation du taux vibratoire et les échanges énergétiques. En voici quelques-uns qui peuvent être utilisés avec des exercices de centration lors de nos méditations ou lorsque nous souhaitons établir une communication avec les plans subtils. Ils servent à soutenir notre action d'intériorisation, selon ce qui nous sied le mieux :

Outils d'élévation

- Les chandelles sont le symbole de notre lumière intérieure. Elles représentent notre essence divine et servent donc à supporter l'élévation de notre taux vibratoire. Elles éloignent par le fait même la noirceur par la force de lumière qu'elles répandent;
- La sauge séchée est utilisée pour nettoyer un objet ou une pièce. Elle neutralise les vibrations. Elle s'utilise avant et après les communications subtiles, les méditations ou toute activité d'intériorisation servant à purifier la pièce;
- Grâce à la fumée qu'il dégage, l'encens libère le plan matériel d'une énergie précise et il libère également les plans subtils proches de la matière (le plan éthérique et le plan astral). C'est l'essence de l'encens qui détermine l'énergie libérée. Il existe différentes sortes d'essences, pures ou mélangées, pour susciter des ambiances propices à différents rituels et états d'intériorisation. Selon sa forme (bâtonnets, granules, cônes, poudre) les propriétés de l'essence varient ;
- Les pierres possèdent des propriétés énergétiques distinctes et plusieurs d'entre elles favorisent l'ouverture de conscience (onyx rose), l'élévation du taux vibratoire (larimar, variété de turquoise), le dégagement d'un chakra spécifique (améthyste pour la couronne, lapis lazuli pour le 3e œil, lace-agate bleue pour la gorge, aventurine et chrysoprase pour le cœur, citrine pour le plexus solaire, cornaline pour le hara, grenat pour la base), ou encore elles servent à absorber les énergies de basses vibrations (ambre, étain);
- Le sel de mer est un puissant agent de purification qui peut nous soutenir dans les communications

subtiles avec des énergies de basses vibrations. En le plaçant aux quatre coins d'une pièce, il agit comme barrière de protection et de purification;

- La lampe de sel sert également à purifier l'environnement des ions négatifs. Elle favorise la détente nécessaire à l'atteinte de l'état méditatif;
- Certains sons et certaines musiques favorisent l'élévation des vibrations;
- La guidance est un outil extrêmement aidant en matière de protection contre la Noirceur. Voir à ce sujet, le chapitre G;
- Les prières (voir chapitre F, la prière *Je suis la lumière*) ou les mantras (l'universel *Om* ou encore *Om mani padme hum*) sont aussi de puissants agents de protection s'ils sont récités avec l'intention du cœur. La puissance de leur protection ne s'active que dans l'espace du cœur. Récitée machinalement, ils sont inefficaces;
- Les champs de protection sont des exercices de visualisation qui permettent d'installer autour de nous une barrière de lumière protectrice, comme l'exercice *Bulle de miroir* qui est proposé au chapitre H et l'exercice de la *Pluie de Lumière* ci-après proposé;
- Le thérapeute énergétique spécialisé dans le nettoyage de notre champ énergétique ou des lieux peut également nous venir en aide pour dégager les énergies de basses vibrations qui nous entourent.

Si efficaces que soient ces outils, ils ne pourront colmater les brèches dans notre bulle de lumière; ils ne peuvent que freiner les énergies que nous attirons, consciemment ou non. Ainsi, ils peuvent éloigner temporairement des énergies de basses vibrations, mais ces dernières reviendront si nous ne changeons rien dans notre état d'être. Voici un exercice de visualisation qui permet le nettoyage des chakras et de tous nos corps énergétiques. Fait de manière récurrente, il permet de colmater les brèches provoquées par des blocages énergétiques et de ressentir la force de la Lumière dans nos corps.

La pluie de Lumière

Cet exercice ressemble à l'exercice de déblocage des chakras proposé dans le chapitre D. Toutefois, il va encore plus loin en s'attardant davantage à chacun des chakras pour les nettoyer en profondeur. Pour bien réaliser ce nettoyage, il est important de comprendre comment est constituée chacune de nos sept roues énergétiques. De bas en haut, au centre de notre corps physique, se dresse le canal énergétique qui nous relie de la Terre au Ciel. Chaque chakra est composé de deux roues énergétiques (une roue avant et une roue arrière), chaque roue ayant la forme d'un entonnoir qui tourne à une fréquence très précise et qui vient s'attacher au canal énergétique.

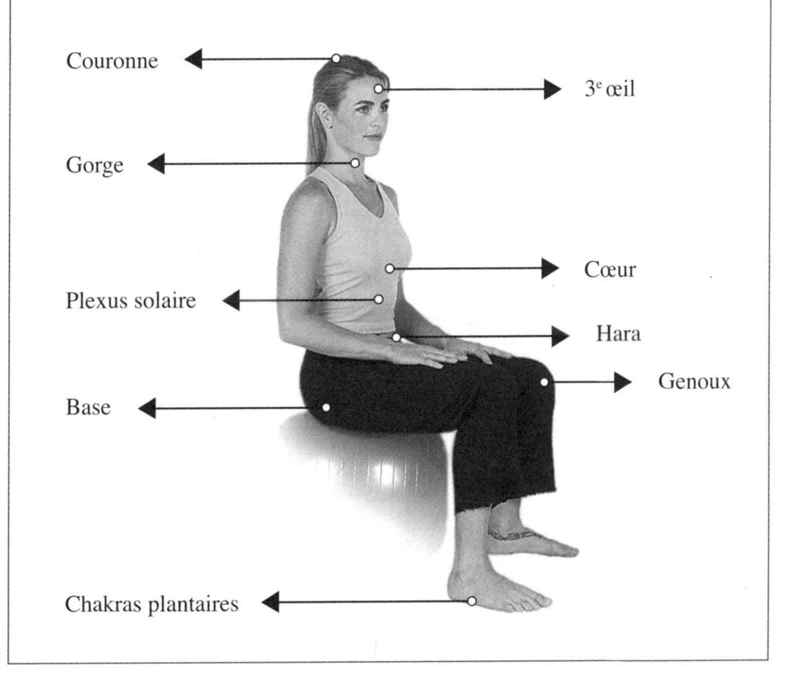

L'exercice consiste donc à nettoyer toutes les parties du chakra pour lui permettre un fonctionnement optimal et ainsi assurer une meilleure circulation énergétique.

Dans une position assise, les pieds bien à plat sur le sol, le dos bien droit et le menton légèrement abaissé, prenez quatre à cinq profondes inspirations pour gonfler complètement vos poumons et expirez bruyamment. La respiration amène l'état de détente et de centration. Puis portez votre attention sous la plante de vos pieds, là où se trouve le centre des chakras plantaires. Par la force de votre visualisation, imaginez-vous être au centre de chacun de ces chakras. Une puissante lumière provenant des plans célestes éclaire l'intérieur des chakras. Vous vous servez de la lumière pour éclairer toutes les parties centrales. Une fois ces centres bien éclairés et lumineux, tournez-vous face à la partie avant de ce chakra. Faites-y entrer la lumière. Entrez dans cet entonnoir jusqu'à la roue. Avec la force de la lumière, nettoyez-en toutes les parties en profondeur. Sentez le mouvement circulaire de la roue commencer à s'accélérer. Revenez au centre lorsque tout est parfaitement éclairé et propre. Puis tournez-vous vers la partie arrière du chakra. Toujours à l'aide de la Lumière, procédez au nettoyage de la partie arrière jusqu'à ce que la roue tourne librement, sans blocages. Revenez au centre. Ressentez maintenant la vibration de votre chakra qui est pleinement fonctionnel. Par votre canal de lumière, accédez au centre de vos chakras des genoux et répétez les mêmes étapes de nettoyage. Faites de même pour tous les autres chakras jusqu'à la couronne. Une fois le nettoyage complété, centrez votre attention au niveau du cœur et ressentez le mouvement circulaire de vos chakras avant, puis celui de vos chakras arrière. Revenez au centre de votre cœur et visualisez une fine pluie de Lumière qui tombe sur tous vos corps énergétiques pour les libérer de toutes les énergies négatives accumulées. Cette pluie de lumière élève vos vibrations et tous vos corps s'allègent. Vous savourez cet état de grâce et de légèreté. Lorsque vous êtes prêt, reprenez contact avec votre corps physique en gardant cette protection de lumière dans vos corps énergétiques.

La Noirceur demeurera toujours un appel intérieur à l'amour et à l'élévation de nos vibrations. Sa présence indique une zone d'ombre intérieure à éclairer. Souvenons-nous de notre essence divine pour faire fuir l'ombre.

Noirceur (résumé)

1. Tout est en nous. Dieu n'est pas un être à rencontrer, la Lumière n'est pas un lieu à atteindre. Ils sont tous deux synonymes d'un état vibratoire à retrouver.
2. La Noirceur, c'est l'absence de Lumière ou l'absence d'amour.
3. La Noirceur n'a jamais d'emprise sur la Lumière. Elle ne peut avoir d'emprise que sur la Noirceur elle-même.
4. C'est dans la conscience de ce que nous sommes que nous pouvons limiter, voire anéantir l'emprise des forces de l'ombre sur notre âme.
5. Il faut absolument refuser tout mauvais traitement, toute violence verbale ou physique qui peuvent nous être faits, que ce soit dans les communications terrestres ou célestes. Ils ne sont jamais justifiés et ils reflètent toujours le non-amour que nous avons envers nous-mêmes.
6. Nous pouvons également avoir recours à des outils extérieurs pour nous faciliter la tâche, des outils qui favorisent l'augmentation du taux vibratoire et les échanges énergétiques.
7. Si efficaces que soient ces outils, ils ne pourront colmater les brèches dans notre bulle de lumière; ils ne peuvent que freiner les énergies que nous attirons, consciemment ou non.
8. La Noirceur demeurera toujours un rappel intérieur à l'amour et à l'élévation de nos vibrations.

Section 10

Qu'est-ce que la communication avec les âmes apporte?

Mot d'enfant

*Le printemps, c'est quand la neige fond
et qu'elle repousse en gazon.*

Orientations

Autour du sujet de la communication avec les âmes gravitent toutes sortes de tabous tels que «Laissons les morts avec les morts.», «Ne dérangeons pas les morts.», «Les morts sont bien mieux là-haut.», «Il ne faut pas pleurer nos disparus.». Il n'est alors pas étonnant de douter de la pertinence d'entrer en communication avec les âmes qui quittent le plan terrestre. Avec tout ce qui circule comme information, nous n'osons plus nous adresser aux âmes de peur de les perturber, de retarder leur ascension ou carrément de les retenir. Au cours du présent chapitre, nous tenterons d'y voir clair. Pourquoi entrer en communication avec les âmes? Cette question ne sous-entend pas une obligation, car il n'y a rien de systématique ni d'automatique dans la communication subtile. Nous entrons en communication parce que, dans notre cœur, nous en ressentons le besoin. Le ressenti dont il est ici question est donc celui de notre âme qui nous souffle à l'oreille son désir de rester en contact avec l'être cher; il ne s'agit pas, en conséquence, des besoins de notre personnalité. La distinction est très importante, car la provenance de ce besoin marque l'orientation de la communication. Lorsqu'elle provient de la personnalité, elle est souvent signe d'attachement ou de refus, alors que lorsqu'elle provient du cœur, elle est la messagère de l'amour éternel qui nous unit. Cette distinction permet la compréhension de ce qui se cache derrière les nombreux tabous à propos de la communication avec les âmes. En effet, comme pour la plupart des interdits, il y a un fondement, qui leur a donné naissance, mais, avec le temps, le sens s'est complètement égaré et déformé. En comprenant le sens, il nous est alors possible de faire la part des choses. Allons voir.

Que veut-on dire en affirmant que nous devons laisser les morts avec les morts ou qu'il ne faut pas les déranger? Le fondement de ces affirmations provient du besoin d'élévation de l'âme. Lorsqu'une âme quitte le plan terrestre, elle doit retrouver le niveau vibratoire qui correspond à son ouverture de conscience. Pour ce faire, elle doit se détacher du plan terrestre et cela n'est pas toujours facile pour elle, particulièrement si elle n'a jamais pris conscience de sa divinité alors qu'elle était incarnée. Dès lors, si elle reste attachée à la Terre par des liens affectifs envers des personnes ou des objets, elle ne répond pas à ses besoins. Le passage de la mort est un appel à l'élévation de l'âme, mais les attaches retardent cette élévation. Afin d'aider l'âme à poursuivre sa route, ceux qui restent doivent donc faciliter ce passage en acceptant le départ de l'âme et en le soutenant. L'acceptation est souvent une permission que l'âme attend pour rejoindre son royaume vibratoire. Elle n'est aucunement synonyme de rejet ou d'abandon; elle représente plutôt le véritable amour qui nous unit à elle, un amour libre de toute dépendance, un amour sans condition.

Laisser les morts dans leur univers ne signifie pas que l'on doive rompre les liens et ne plus du tout avoir de contact avec eux, mais plutôt leur permettre de vivre librement ce qu'ils ont maintenant à vivre. Hormis le suicide, la fin d'une incarnation est toujours le choix de l'âme. En acceptant de la laisser partir, nous lui facilitons la tâche. C'est une façon de lui dire que nous respectons son choix. C'est aussi une manière de la supporter puisqu'elle peut partir plus librement, sans culpabilité et sans reproche. Imaginons un moment que nous ressentions le désir profond d'aller vivre loin de notre famille. Quelle réaction sera souhaitable pour nous? Celle où nos proches nous disent : «Ne t'en va pas. Nous avons trop de peine. Nous ne pouvons vivre sans toi. Tu ne peux pas nous faire cela. As-tu pensé à ce qu'il peut t'arriver là-bas? Tu ne pourras jamais te débrouiller sans nous, etc.» ou celle-ci : «Quel beau projet! C'est merveilleux ce qui t'arrive. Nous serons toujours là pour toi; nous sommes si heureux de t'encourager à atteindre ton but!» Sans aucune hésitation, nous préférerions tous le deuxième choix. Le cœur léger, nous sentant appuyés dans notre décision, nous pourrions partir en sachant que, quoi qu'il arrive, nos proches nous soutiendront.

La première attitude démontre un amour conditionnel, un amour avec attache, alors que la deuxième est l'expression de l'amour pur. Voilà ce dont nous avons tous besoin que nous soyons incarnés ou non. Au départ, lorsqu'il a été dit qu'il fallait laisser les morts avec les morts et ne pas les déranger, le but premier était de libérer l'âme des attaches terrestres pour qu'elle ne se sente pas coupable de partir ou responsable de notre malheur; cela ne signifie pas de ne plus jamais être en contact avec elle. L'amour inconditionnel élève toujours. Il serait donc inconcevable de croire qu'il puisse nuire à qui que ce soit. Alors, si la communication avec l'âme est orientée par le cœur, il est possible et même souhaitable de garder le contact avec elle pour qu'elle se sente soutenue et accompagnée dans cette traversée. Reprenons notre exemple. Nous partons vivre ailleurs avec l'aval de notre famille, mais comment nous sentirons-nous si elle rompt les liens? Abandonnés, attristés, déçus, désemparés, n'est-ce pas? L'âme le sera également.

L'amour véritable ne trouble pas, ne perturbe pas et ne dérange jamais! Il n'y a alors aucune raison de le restreindre. Par contre, il faut bien comprendre, dans ces propos, que le non-amour est nuisible pour toutes les âmes qu'il affecte. C'est donc dans cette optique qu'il nous est demandé de ne pas prendre contact avec les morts. Les requêtes incessantes auprès d'une âme qui tente de s'élever peuvent être étouffantes et restreignantes. Au fond, il en est de même dans notre incarnation avec les personnes qui s'accrochent à nous et qui nous interpellent constamment par dépendance. Elles sont un poids qui alourdit notre parcours et tôt ou tard, nous chercherons à nous défaire de cette emprise. Ce que nous souhaitons tous, ce sont des relations qui nous font grandir et non pas celles qui drainent notre énergie. Quelles sont les relations qui nous font croître? Celles qui se passent dans le détachement et le respect de l'autre. En ayant cela à l'esprit, toutes les communications terrestres ou célestes avec l'âme deviennent un outil d'évolution commun.

L'âme a besoin de notre soutien, de notre réconfort et de notre amour. Contrairement à ce qui est véhiculé si souvent, elle n'est pas mieux là-haut qu'ici. Le passage de la mort n'est pas une transformation magique. Nos besoins, nos limitations, nos forces demeurent exactement les mêmes une fois que nous sommes désincarnés. Notre mission est aussi la même, à savoir retrouver notre Lumière. Sur Terre comme au Ciel, nous ne sommes jamais seuls et notre guidance est là pour nous soutenir. Toutefois, pour la ressentir, il faut élever suffisamment notre taux vibratoire, exactement comme c'est le cas lorsque nous sommes incarnés. À défaut d'être en contact avec les plans vibratoires supérieurs, l'amour et la lumière des proches encore incarnés deviennent des phares pour éclairer notre voie. C'est là un soutien considérable pour l'âme qui se sent ainsi moins seule. Il est encore plus important aujourd'hui de porter une attention particulière aux âmes en transition, car les rituels funéraires n'offrent plus de soutien à long terme, laissant rapidement l'âme à elle-même. Voilà pourquoi il est urgent de défaire le mythe que la communication avec les âmes est nuisible pour elles. Elle le sera seulement si elle sert le non-amour; elle sera tellement bénéfique dans le cas contraire! Les passages de la vie sont des étapes importantes de transformation qui requièrent appui, compréhension et compassion. Nous sommes amour et notre âme carbure à l'amour. N'hésitons donc jamais à mettre cet amour au service des âmes qui nous entourent, qu'elles soient incarnées ou non.

La communication entre les âmes offre à ceux qui restent une nouvelle perspective de la vie, un espoir indéfectible que la mort n'est pas une fin, mais une continuité. Ainsi, elle répond à un besoin commun d'entraide pour traverser les mondes vibratoires. Sur Terre comme au Ciel, nous avons besoin de cet amour qui nous propulse vers notre Lumière. Ici-bas, le ressenti de la présence de l'âme est un baume très précieux, car il apaise la douleur de la perte physique. À l'instar de l'âme désincarnée, il y a une période transitoire à traverser, une période de détachement à la suite du décès d'un être cher, dans laquelle nous vivrons peine, colère, incompréhension, amour, gratitude et sérénité. Pour atteindre l'état de sérénité, il faut se permettre de passer toutes les étapes précédentes. Plusieurs personnes craignent de pleurer, de peur de retenir l'âme, ce tabou étant si souvent véhiculé.

Ici encore, il faut voir quelle est l'orientation de nos pleurs. Servent-ils à exprimer notre peine ou notre refus? Sont-ils synonymes d'attachement ou de libération? On nous défend de pleurer nos morts, mais ce ne sont pas les larmes qui nuisent à l'âme, ce sont plutôt les énergies qui les animent. Les laisser couler ou les retenir à l'intérieur de nous ne change rien pour l'âme. Elle recevra quand même la décharge énergétique qui lui est adressée.

Exprimer la peine liée à l'absence physique est non seulement une phase normale du deuil, mais elle est tout à fait saine pour ceux qui restent. Le fondement qui a donné naissance à ce tabou est justifié et exact si les pleurs sont dirigés vers l'âme qui quitte le plan terrestre et s'ils sont chargés de refus, de colère ou de toute autre émotion négative. Dans ce cas, ils reviennent à dire : «Je n'accepte pas ton départ. Ne me laisse pas. J'ai trop besoin de toi. Tu ne peux pas me laisser seul. Je t'en veux de partir ainsi. Tu n'as pas le droit de m'abandonner.» Cette forme de pleurs agit comme un boulet sur l'âme qui s'élève. Elle sera alors prise dans un tourbillon d'énergies négatives et elle pourra éprouver beaucoup de difficultés, voire une incapacité à s'en sortir, tant qu'elle n'aura pas retrouvé sa propre Lumière. Cependant, lorsque les pleurs sont orientés vers nous-mêmes, ils ne créent pas d'emprise pour l'âme. Ces pleurs expriment plutôt ceci : «J'ai de la peine de ton départ. Pour le moment, je ne comprends pas ce qui m'arrive, mais j'accepte la décision de ton âme de terminer cette incarnation. Je sais que c'est ce que tu souhaites et je te soutiens dans ton choix». Ou encore : «Je suis en colère et je me sens abandonné, mais je comprends que c'est un appel de ton âme et j'accepte ton choix.» Il est ici assez aisé de voir les deux niveaux d'amour, celui qui retient et celui qui libère. Comme le dit si bien monsieur Salomé[12], le «tu» tue la conversation et le «je» en permet la saine expression.

Retenir ses pleurs constitue un déni important de nos émotions et cela n'aura jamais pour effet de libérer l'âme chère. Apprenons plutôt à les exprimer pour évacuer la décharge émotive qui nuit à l'ascension de l'âme, la nôtre et celle qui vient de quitter le plan terrestre. Ce faisant, nous éliminerons les boulets énergétiques qui nous limitent de part et d'autre. Ce tabou nous mène droit dans une impasse. Nous avons besoin de libérer la peine pour faire notre deuil, mais si nous nous empêchons de le faire, nous retardons la transformation que le deuil suscite. Tant pour nous que pour l'âme chère, il y a stagnation énergétique puisque le détachement ne se fait pas. Si nous laissons l'âme libre de poursuivre sa route, n'enchaînons pas la nôtre dans un carcan émotif. Pleurer est un acte libérateur lorsqu'il est vécu dans le cœur. Ayons de la compassion pour nous-mêmes et offrons-nous la possibilité de traverser ce

12. J. Salomé, *Tais-toi quand tu parles*, Albin Michel, 1991, 183 p.

passage si important qu'est le deuil en vivant pleinement les émotions qui s'y trouvent. Ce ne sont pas nos larmes qui retiennent les âmes, mais le manque d'amour envers elles et envers nous-mêmes. Tant que la communication est orientée vers le cœur, elle est le gage de l'amour, de la vie et de l'élévation. Elle permet de satisfaire notre besoin mutuel d'amour, notre besoin de Lumière. Pour clore ce chapitre, voici une des belles expériences d'élévation qu'il m'a été donné de vivre.

Une libération commune

À la suite d'un article paru dans un magazine, une dame m'écrit pour me parler de la difficulté qu'elle éprouve à traverser le deuil de son fils B., décédé dans un incendie. Le lendemain matin, dans ma méditation, je reçois une vision d'une scène très claire. J'y vois la présence d'un beau grand jeune homme, mince, les cheveux couleur d'ébène et luisants, d'un look italien, ayant entre seize et dix-neuf ans. Sa présence est insistante et il reste là affichant un sourire si resplendissant que cela attire mon attention. Je m'interroge sur l'identité de cet adolescent. L'image du garçon s'estompe aussitôt mon questionnement posé pour laisser place à un autre jeune homme à la chevelure rousse, avec ce petit air espiègle que les points de rousseur au visage lui donnent. Il me semble plus jeune, âgé de seize ans tout au plus. Puis, derrière le deuxième garçon, je vois des murs enflammés et beaucoup de fumée. Je comprends qu'il s'agit bel et bien du fils de la dame qui désire entrer en communication avec moi. Les mots suivants montent alors : «Dis à ma mère que je n'ai pas souffert avant de mourir. J'ai été asphyxié avant que le feu ne m'atteigne. Je suis bien maintenant. Je n'ai pas souffert, je n'ai eu aucun mal. Je suis bien». Immédiatement après ma méditation, j'écris un courriel à la mère pour obtenir une description de son fils sans toutefois lui raconter l'essence de la communication, car je ne veux pas lui créer de faux espoirs si les images ne correspondent pas à son fils. Sans réponse, je présume que le moment n'est pas approprié pour elle. Plusieurs jours après, la sœur de la dame me joint pour solliciter mon aide. Sa sœur vit des moments fort éprouvants et elle aimerait savoir si je peux l'aider. Sans rien lui dire au sujet des images que j'ai reçues, je lui demande une description de son neveu et voici mot pour mot ce qu'elle me répond : «Bon voilà, je vais vous donner une description de mon neveu, B. Il est grand, au moins six pieds, bien bâti et svelte. Il a les cheveux bruns foncés, les yeux bruns foncés. Il a une tache de naissance sur la joue et le cou. Il était vraiment un beau jeune homme à l'allure d'un vrai rital (Italien). Il avait les cheveux courts.» Je reste bouche bée. Contrairement à ce que je croyais, le fils de la dame est le premier que j'ai vu et la description colle parfaitement aux images, mise à part la tache de naissance que je n'ai pas vue ou qui ne m'a pas été montrée. Je ne comprends alors vraiment pas ce que le deuxième jeune homme vient faire dans l'histoire.

De nouveau, j'écris à la mère et je lui raconte alors que j'ai obtenu la description de B. par l'intermédiaire de sa sœur. Je l'informe que cette description correspond en tous points à la vision que j'ai eue en méditant. Je lui décris alors l'ensemble de cette vision et je lui fais part du message que son fils voulait que je lui transmette. Tout en écrivant ce courrier électronique, je sens la présence de B. et je l'entends dire dans mon cœur : «Je suis avec toi, maman, toujours avec toi. Tu ne me vois pas, mais je suis là. Je ressens ta peine et je veux t'en soulager. Ferme tes yeux et regarde-moi. Je souris, je te souris pour te dire que nous sommes toujours ensemble. Je te souris pour te dire que je n'ai pas souffert, maman; je suis bien. Ne t'en fais pas pour moi. Je suis bien correct. Prends soin de toi. Je t'aime et je suis avec toi dans ton cœur. » Après quoi, je demande à la mère si le deuxième jeune homme ressemble à quelqu'un qu'elle connaît. Elle me répond que la description correspond à M., l'ami de son fils, celui qui habitait la maison incendiée. M. a réussi à sauver sa sœur qui dormait dans une chambre située tout près de celle de B. Ayant été grièvement blessé en sauvant sa sœur, M. n'aurait pas eu le temps de porter secours à B. encore endormi dans la maison enflammée. La mère est très affectée par le décès tragique de B.; elle a beaucoup de difficultés à comprendre pourquoi M. n'a pas pu le sauver puisqu'il était allé juste à côté, dans la chambre de sa sœur. La mère de B. est restée sur ses incompréhensions sans pouvoir parler avec M. depuis cette nuit-là.

Inquiet de voir sa mère dans ces états d'émotivité, B. voulait la rassurer et lui offrir une explication sur ce qui s'était passé pour l'aider à comprendre pourquoi M. ne l'avait pas sauvé. Ainsi, B. souhaite que la compréhension aide sa mère à mieux accepter son départ précipité et, en conséquence, cela lui permettra de poursuivre sa route le cœur plus léger, voyant sa mère un tant soit peu apaisée. Cette conversation d'amour profond était non seulement au service des besoins de la mère et du fils, mais également au service de la réconciliation entre la mère et M. Il semblait fort important pour B. que sa mère sache que M. n'avait rien à voir dans sa mort. B. est ainsi venu offrir une explication afin que tous trois puissent s'ouvrir aux transformations qu'ils avaient chacun à vivre. Voilà réellement une manifestation d'amour entre les mondes!

La communication avec l'âme, la nôtre et celle des autres, est un moyen d'accéder à des plans vibratoires supérieurs lorsqu'elle se passe au niveau du cœur. Elle est notre lien avec l'essence divine qui nous habite et qui habite les autres âmes. Elle nous est offerte pour nous permettre de nous élever, de nous accompagner et de nous entraider. Lorsque l'amour et la compassion sont l'orientation première de la communication, nous pouvons être assurés qu'elle sera bénéfique pour tous ceux qu'elle touche.

Orientations (résumé)

1. Nous entrons en communication parce que, dans notre cœur, nous en ressentons le besoin. Le ressenti dont il est ici question est celui de notre âme qui nous souffle à l'oreille son désir de rester en contact avec l'être cher; il ne s'agit pas, en conséquence, des besoins notre personnalité.

2. Laisser les morts dans leur pays ne signifie pas que l'on doive rompre les liens et ne plus du tout avoir de contact avec eux, mais plutôt leur permettre de vivre librement ce qu'ils ont maintenant à vivre.

3. Si la communication avec l'âme est orientée par le cœur, il est possible et même souhaitable de garder le contact avec elle pour qu'elle se sente soutenue et accompagnée dans cette traversée.

4. Sur Terre comme au Ciel, nous avons besoin de cet amour qui nous propulse vers notre Lumière. Ici-bas, le ressenti de la présence de l'âme est un baume indescriptible pour apaiser la douleur de la perte physique.

5. Pleurer est un acte libérateur lorsqu'il est vécu dans le cœur. Ayons de la compassion pour nous-mêmes et offrons-nous la possibilité de traverser ce passage si important qu'est le deuil en vivant pleinement les émotions qui s'y trouvent. Ce ne sont pas nos larmes qui retiennent les âmes, mais le manque d'amour envers elles et envers nous-mêmes.

6. Tant que la communication est orientée vers le cœur, elle est le gage de l'amour, de la vie et de l'élévation. Elle permet de satisfaire notre besoin mutuel d'amour, notre besoin de Lumière.

Propulsion

Comme mentionné dans le chapitre précédent, la communication avec l'âme favorise l'élévation du taux vibratoire puisqu'elle nous ouvre la voie des plans célestes. Elle peut donc être un élément de propulsion dans notre ascension, autant terrestre que céleste, en nous offrant information et compréhension au sujet des événements quotidiens que nous traversons. Ce contact céleste est également une aide précieuse qui contribue à l'élévation des âmes qui nous entourent par la puissance de la lumière que nous pouvons leur transmettre par notre canal médiumnique. En utilisant notre force de centration, nous devenons des émetteurs fort utiles pour accompagner les âmes qui sont éprouvées par les difficultés qu'elles ont à traverser. Nous nous sentons parfois impuissants à aider les âmes dans le passage entre les mondes, celles qui s'incarnent ou celles qui se désincarnent parce que nous méconnaissons notre force intérieure et son fonctionnement. Nous captons et nous diffusons passivement sans arrêt des énergies dans notre entourage. Cependant, nous pouvons le faire activement pour décupler cette énergie en y ajoutant la puissance de l'intention du cœur. L'intention crée la manifestation, la matérialisation. En fait, elle est le moteur de notre pouvoir créateur.

L'intention du cœur, c'est donc l'énergie que nous utilisons pour orienter nos pensées dans leur matérialisation. Plus notre intention du cœur est grande, plus sa manifestation est assurée. Par l'intention, nous pouvons accomplir beaucoup, particulièrement en matière de soutien à l'âme. Il importe cependant de préciser la source de l'intention. Provient-elle du mental qui entend contrôler ce qui se passe ou provient-elle du cœur où elle représente la volonté divine? En matière de communication avec l'âme, l'intention du cœur détermine la qualité, la profondeur et la fluidité du lien énergétique entre l'âme et le cœur alors que l'intention du mental brouille la communication. Il ne faut pas conclure pour autant que l'intention du mental n'a pas la possibilité de créer et de matérialiser des pensées. Elle peut certainement attirer à nous nombre d'entre elles. Toutefois, n'oublions pas que tout ce qui émane du mental est de basses vibrations. Ainsi donc, ses créations le seront également. Que voulons-nous attirer à nous ou offrir aux autres? En allant dans notre temple intérieur pour élever nos vibrations, nous invitons la puissance divine à nous accompagner dans notre création afin qu'elle soit un gage d'amour inconditionnel.

Voilà qui semble aisé, mais comment pouvons-nous utiliser concrètement cette intention du cœur au profit de notre âme ou de celle des autres qui nous entourent? La prière est une manière de transmettre notre intention du cœur. Il faut absolument spécifier ici que la prière à laquelle nous faisons référence n'est pas celle où nous remettons notre pouvoir entre les mains d'une force extérieure qui décidera du bien-fondé de notre requête. Il s'agit plutôt de l'état de centration qui nous donne accès à notre pouvoir créateur et qui en permet l'éclosion. Contrairement à ce que nous avons appris, la véritable prière n'est pas une requête, c'est une offrande. Prier dans l'espace du cœur, c'est offrir notre lumière, notre amour et notre compassion au service de l'âme. Prier, c'est insuffler de hautes vibrations à l'âme pour lui permettre d'accéder à sa force intérieure. Dans notre entourage, chaque fois qu'une âme incarnée ou non vit un moment important, nous pouvons la soutenir par la prière. En nous centrant sur la puissance que les mots de la prière sous-tendent, nous pouvons utiliser notre force intérieure au profit de l'ascension de l'âme. Le vocabulaire employé devient alors un moyen d'accéder à la puissance de l'intention qui nous habite, car il est habituellement porteur d'une charge vibratoire intense. Si les prières toutes faites sont un précieux outil, elles ne sont pas cependant obligatoires pour transmettre notre intention. Dans l'espace de notre cœur, nous prions naturellement et de manière très appropriée. Un flot de mots justes et remplis de compassion émergent instantanément. En l'absence de livrets de prières, c'est à la voix qu'il faut s'en remettre. N'ayons crainte, l'expression de notre intention se manifestera au moment opportun. Tout est en nous, ne l'oublions pas.

Dans l'espace du cœur, la prière est toujours désintéressée. Nous ne prions pas pour obtenir une grâce, mais pour offrir une dose concentrée d'amour inconditionnel et de lumière. Ce faisant, nous suscitons l'élévation du taux vibratoire, le nôtre et celui de l'âme réceptrice. La véritable prière est orientée vers le bénéfice de l'âme et non pas vers la satisfaction de nos croyances ou de nos désirs, si purs soient-ils. Par exemple, lorsqu'un proche est malade, il est courant de prier pour le recouvrement de sa santé. De prime abord, cela nous semble une intention fort valable. Cependant, un tel souhait sous-entend souvent une requête pour soulager notre peur de perdre l'autre ou nous soulager de toutes les contraintes que sa maladie entraîne dans notre vie. Pensons-nous à l'âme lorsque vient le temps d'émettre une prière? Nous arrive-t-il de nous demander ce qu'elle souhaite réellement dans les circonstances ou même ce que souhaite la personnalité de cette âme? Nous sommes beaucoup plus portés à nous figurer ce que nous aimerions si nous étions l'autre. Or, cette façon de penser et de prier est une intrusion dans le libre arbitre de l'âme. Nous lui envoyons une énergie qui ne correspond peut-être même pas à ce qu'elle cherche. Veut-elle ou doit-elle guérir ou préfère-t-elle quitter le plan terrestre? Nous n'en savons rien et il est très rare d'avoir accès au but que recherche l'âme dans l'expérience qu'elle traverse, car cela ne nous appartient pas réellement. Donc, sans cette information, si nous orientons la prière dans une direction précise, comme celle de la guérison, nous risquons de lui offrir confusion et malaise, ce qui est à l'opposé de notre intention initiale.

Règle générale, cette première intention provient d'un élan de compassion pour soutenir l'autre dans ce qu'il traverse. Maintenons cet élan dans la direction de la compassion sans orienter la prière. Notre rôle n'est pas de sauver l'autre; il est de le soutenir et de l'accompagner. Pour cela, il faut absolument accepter inconditionnellement le libre arbitre de l'âme. Son choix peut aller à l'encontre du nôtre, mais ici, ce que nous pensons, voulons ou croyons n'a plus d'importance. Au service d'une âme, nous sommes des messagers de Lumière. C'est là notre seul objectif : transmettre la Lumière à l'âme que nous soutenons. Notre mental n'aura jamais les éléments de connaissance nécessaires pour trouver les besoins de l'autre. Seule l'âme sait ce qui lui convient; alors lorsque nous orientons nos prières vers une direction précise sans la consulter, nous imposons notre vision à l'âme accompagnée. Comme un lancer de dé, cette oraison peut être aidante si cette dernière suit la volonté de l'âme accompagnée, mais, dans le cas contraire, elle peut également être déstabilisante. Imaginez la lutte qui s'amorce alors entre l'énergie d'une prière de guérison et l'énergie de l'âme qui désire clore son incarnation. En plus des difficultés qu'elle doit dépasser pour arriver à terminer sa vie terrestre, elle a en plus à contrer les effets de la prière de guérison. Il en est de même lorsque nous utilisons des prières qui correspondent à nos propres croyances au lieu de tenir compte de celles qu'affectionne l'âme accompagnée. Voulant soutenir une âme avec des prières qui nous élèvent, nous pouvons susciter la confusion en elle, qui ne reconnaît, voire n'accepte pas, cette vibration. D'où la nécessité, lorsque nous devenons un canal pour l'autre, d'être dans un espace de neutralité totale afin que notre aide soit profitable.

La neutralité signifie l'accueil inconditionnel de l'autre. Pour cela, tout ce que nous avons à faire, c'est atteindre un état d'être favorisant l'intériorisation et, ensuite, laisser notre âme faire le travail. C'est exactement le même principe que pour la communication avec l'âme. Propulser l'âme, c'est mettre notre canal de lumière à la disposition d'une âme pour que lui soit offerte l'énergie dont elle a besoin. Voilà le point essentiel : répondre aux besoins de l'âme et non pas combler les nôtres. Dans l'espace du cœur, les actions justes se manifesteront. Par l'intermédiaire de notre canal, nous pourrons lui offrir amour et lumière pour l'aider dans son élévation, que cette âme soit incarnée ou non. Le processus d'élévation est continuel et se déroule sur Terre comme au Ciel. Peu importe le passage qu'elle traverse, cette âme bénéficiera des énergies lumineuses que nous lui transmettons pour aller dans la direction qui est sienne. Si cette dernière a besoin d'autre chose que d'amour et de lumière, elle nous le fera savoir. Pour réellement aider une âme, nous devons être à l'écoute de ses besoins.

À l'âme de le dire

Dans les ateliers et les conférences, des gens viennent fréquemment me demander conseil pour aider une âme. Ils me racontent avoir tout fait ce qu'ils pouvaient pour accompagner cette âme, mais ils ressentent encore une demande d'aide de sa part. Ils se sentent démunis et ne savent plus quoi faire puisqu'ils ont épuisé tous les moyens qu'ils ont jugés adéquats. Lorsque je leur réponds que je ne le sais pas plus qu'eux, je sens leur déconfiture. Cela est pourtant la vérité. Comment pourrais-je savoir quel est le besoin de cette âme? C'est exactement comme s'ils me demandaient quel est le besoin de leur voisin, que je ne connais absolument pas. Il m'est impossible de savoir cela à moins de le demander directement à l'âme concernée. Et cette étape est pratiquement toujours escamotée. Si nous voulons réellement aider une âme, demandons-lui ce dont elle a besoin. Nous nous éviterons ainsi pertes d'énergie et soucis. Si cette dernière ne l'exprime pas, amour et lumière seront toujours de mise pour l'aider.

Notre impatience à vouloir aider nous pousse souvent à agir rapidement pour nous donner l'impression d'être enfin utiles à quelque chose. Cependant, les seules actions qui offrent une satisfaction profonde sont celles qui sont faites en accord avec l'âme. Autrement, notre malaise persiste. Lorsque l'âme en besoin est comblée, nous le sentons et nous savons alors que ce qui devait être fait pour elle l'a été. Répondre aux besoins de l'âme n'est habituellement pas une quête digne de Superman. Nous n'avons pas besoin de chercher la méthode infaillible ou la prière idéale ou encore le geste sensationnel à poser. C'est dans l'espace du cœur que notre force se décuple, que nous pouvons nous envoler pour accompagner l'âme dans son ascension, que nous pouvons réciter des prières au pouvoir vibratoire des plus intenses. Mais comme nous ne voyons pas les répercussions énergétiques de tout cela, nous avons l'impression d'avoir été inactifs, voire non aidants. Une simple prière récitée avec l'intention du cœur offre pourtant plus de puissance qu'une journée d'activités intenses exécutées dans le contrôle du mental. La prière est un outil encore plus puissant lorsque nous demandons à l'âme à qui elle s'adresse de nous guider pour lui offrir les bons mots. Notre prière devient alors un véritable don pour elle. Voilà le cadeau de notre âme qui se joint à la sienne pour servir l'amour.

Ayons le réflexe de transformer nos prières en véritable offrande en laissant notre âme en être le maître d'œuvre. Observons notre manière de prier pour voir si notre intention provient de l'âme ou du mental. Demandons-nous si notre action propulse l'âme ou si elle répond à des besoins personnels. La prière qui élève est celle dont l'âme accompagnée a besoin. Si notre intention de propulsion est pure, le savoir et les croyances n'ont alors plus aucune utilité. Nous laissons simplement agir la Lumière sans nullement chercher à la diriger ou à l'influencer. Aider une âme peut donc nous amener à faire ou à dire des choses qui ne correspondent pas à nos croyances ni à nos connaissances. Ici, ce sont celles de l'âme que nous aidons qui importent. Voilà pourquoi il est essentiel de descendre au niveau du cœur pour stopper l'influence de notre mental et permettre à la Lumière d'être ce qu'elle doit être dans l'ici-maintenant. Pour nous aider, il existe une panoplie d'exercices de centration que nous pouvons utiliser. Tout comme mentionné au chapitre N, il existe également des outils – encens, pierres, chandelles, musiques, mantras, huiles essentielles – suscitant la centration et l'élévation du taux vibratoire. Ils sont tous disponibles dans des boutiques de produits naturels ou ésotériques. Ici encore, ces outils n'ont rien de magique et ils ne pourront à eux seuls calmer totalement le mental. Toutefois, ils sont un support énergétique non négligeable pour favoriser un état de centration encore plus profond, particulièrement dans des moments de grande émotivité. Ils sont donc fort appropriés pour intensifier le pouvoir de nos prières. Voilà pourquoi la plupart de ces outils sont présents dans les temples religieux ou dans les centres spirituels.

La prière est si universelle que les âmes, incarnées ou non, l'utilisent. Le pouvoir de l'intention n'est pas un privilège réservé à notre personnalité, mais à notre âme. De là-haut, les âmes s'en servent pour nous offrir réconfort, soutien et accompagnement. Lorsque nous nous sentons enveloppés soudainement ou encore lorsqu'une vague d'amour nous élève, il s'agit souvent d'une âme chère qui répond aux besoins de la nôtre. Entre âmes, nous nous aidons! Tout comme nous, ces âmes entendent nos appels à l'aide et elles nous accompagnent par leur amour et leur lumière.

Une prière sur mesure

Un jour, dans une méditation, je reçois une brève communication pour mon amie Claudette. L'âme de sa sœur encore incarnée et gravement malade vient me visiter et me demande de remettre à Claudette le message suivant : *Je suis toujours avec vous dans la foi et c'est dans la foi que vous me trouverez.* J'appelle Claudette et lui répète la teneur de la communication que j'ai eue avec sa sœur. Elle en est très émue. Je me sens remplie de joie et je n'imagine pas alors que ces paroles vont au-delà de la portée d'un *simple* message. Or, quelque temps après, Claudette me confie qu'elle répète souvent la missive de sa sœur en guise de prière. Ces quelques mots l'apaisent et l'aident à traverser les moments éprouvants qu'elle vit présentement. L'âme de sa sœur savait que cette petite phrase serait très bénéfique pour Claudette et elle lui a offert en cadeau. Les âmes savent nous offrir le réconfort propice, car elles ressentent nos besoins et elles en sont très souvent à l'écoute. Amour et Lumière se transmettent de part et d'autre du voile pour nous aider à traverser les différents passages de notre vie.

D'un côté comme de l'autre, la communication avec les âmes permet la propulsion par l'énergie qu'elle propage. Cependant, d'un côté comme de l'autre, tout se passe dans l'espace du cœur. Toute l'énergie de l'offrande est décuplée par notre état d'être. C'est là que la frontière entre les mondes se dissipe. C'est là que la transmutation de l'énergie se produit par la grâce de l'amour divin. Soyons simplement le réceptacle de cette transmutation pour que nos intentions soient réellement un moteur d'ascension pour l'âme et une offrande au service de son élévation.

Propulsion (résumé)

1. La communication avec l'âme favorise l'élévation du taux vibratoire puisqu'elle nous ouvre la voie des plans célestes.

2. C'est par l'intention que la propulsion se manifeste, qu'elle se matérialise.

3. En matière de communication avec l'âme, l'intention du cœur détermine la qualité, la profondeur et la fluidité du lien énergétique entre l'âme et le cœur alors que l'intention du mental brouille la communication.

4. Dans l'espace de notre cœur, nous prions naturellement et de manière très appropriée.

5. La véritable prière est orientée vers le bénéfice de l'âme et non pas vers la satisfaction de nos croyances ou de nos désirs, si purs soient-ils.

6. Contrairement à ce que nous avons appris, la prière n'est pas une requête, c'est une offrande.

7. Notre rôle n'est pas de sauver l'autre, il est de le soutenir et de l'accompagner.

8. De là-haut, les âmes se servent également de la prière pour nous offrir réconfort, soutien et accompagnement.

Section 11

Doit-on entrer en contact avec une âme qui s'élève?

Mot d'enfant

Hier, j'ai monté dans la grande senseur (l'ascenseur).

Quand et quoi

Est-ce qu'on peut entrer en contact avec une âme qui vient de quitter le plan terrestre? Voilà une des questions qui me sont le plus fréquemment posées par les personnes que je rencontre. Comme je le mentionne dans les chapitres précédents, la communication avec une âme désincarnée ne diffère pas de celle avec les âmes incarnées. Existe-t-il ici-bas une règle interdisant d'entrer en contact avec une personne? Y a-t-il des temps où il n'est absolument pas recommandé de parler à un être cher? Cela dépend du motif, me répondrez-vous. Tout cela fait référence aux règles du gros bon sens. Si un ami vit une situation difficile, nous hésiterons évidemment à l'appeler pour lui parler d'un incident mineur alors que nous le joindrons immédiatement en cas de force majeure, car nous savons qu'il serait troublé de ne pas avoir été informé pour le seul motif qu'il traverse une période difficile. Les amis ne sont-ils pas là pour s'entraider dans les moments difficiles? Pourquoi en serait-il autrement avec les âmes désincarnées?

Certes, le passage entre Terre et Ciel est un moment très crucial pour l'âme; elle a besoin de beaucoup d'intériorisation pour retrouver sa Lumière, pour retrouver le plus rapidement possible le plan vibratoire qui lui correspond. La mort amorce ce changement de vibrations par le détachement du corps physique et des autres corps énergétiques, mais l'âme doit poursuivre ce mouvement en se détachant de tout ce qui la retient à la Terre. Elle devra donc se défaire des attaches émotives, des dépendances affectives et matérielles et des émotions négatives qui l'ancrent à la Terre. Pour s'élever, l'âme doit inévitablement transformer l'amour conditionnel en amour inconditionnel, transformer la dualité en unité. Ces étapes sont inévitables, car ce sont elles qui permettent de retrouver la lumière en nous. Ne l'oublions pas, la **Lumière n'est pas un lieu, c'est un état vibratoire** correspondant à la pureté de l'amour que nous éprouvons pour nous-mêmes et pour notre entourage. La tâche de toute âme est donc de retrouver cet amour inconditionnel en elle pour devenir la Lumière.

En quittant le plan terrestre, l'âme vit donc une transition vibratoire qui peut être déstabilisante si elle ne s'est pas préparée à ce passage. La transition entre les mondes est un temps de grand ménage où l'âme fait le bilan de sa dernière incarnation. Dans les premiers jours après le décès du corps physique, elle doit d'abord réaliser qu'elle n'a plus de corps, qu'elle a changé de plan vibratoire et qu'elle n'appartient plus au plan terrestre. Si cela semble évident pour certaines âmes, la confusion est parfois grande pour d'autres qui se voient toujours incarnées. Plusieurs personnes croient qu'il est préférable de ne pas s'adresser aux âmes qui viennent de partir pour leur permettre de réaliser qu'elles n'appartiennent plus à ce plan. Toutefois, à mon avis, cela ne les aide qu'en partie. Étant attachées aux plans terrestres puisqu'elles se croient encore «en vie» comme avant, elles ne voient pas leurs guides ni les aides célestes qui les entourent. Elles ne reçoivent donc pas d'assistance de ce côté. Elles n'en reçoivent pas plus du plan terrestre, puisque les âmes incarnées avec lesquelles elles tentent d'entrer en contact ne les entendent pas ou ne leur parlent pas par crainte de les perturber. Ces âmes se retrouvent donc dans une situation d'isolement tant qu'elles ne réalisent pas qu'elles sont passées dans une autre dimension vibratoire.

Nous pouvons donc être très aidants en entrant en contact avec ces âmes pour leur expliquer ce qui se passe et ce qu'elles ont à faire. Immédiatement après le décès, il est important de s'adresser à l'âme pour lui dire qu'elle vient de vivre un passage important, qu'elle n'a plus de corps physique, qu'elle doit maintenant retrouver en elle le plan vibratoire qui lui convient et que ses guides sont tout près d'elle pour l'y accompagner. Il est également souhaitable de lui dire que nous lui permettons de partir et que c'est là son chemin, son choix d'âme. L'acceptation facilite grandement le détachement de part et d'autre. Nous pouvons également être très aidants envers ces âmes en exprimant nos émotions, en leur parlant de ce que nous vivons, à la condition de le faire au «je» et dans l'amour et le respect de l'autre, sans accusation et sans culpabilisation. Rappelons-nous que l'âme ressent tout ce que nous vivons. Notre émotivité, exprimée ou non, l'affecte, car les émotions sont des liens énergétiques qui nous relient les uns aux autres. La relation avec l'âme désincarnée est identique à la relation humaine. Ici-bas, si nous sommes remplis de ressentiment envers un proche, nous ne pouvons vivre une relation harmonieuse avec ce dernier, même si nous taisons notre ressentiment. La connexion de cœur à cœur ne peut s'établir puisque nous éprouvons des émotions négatives qui brouillent le signal. Même si nous taisons ces émotions, elles seront perçues et ressenties et elles affecteront la personne visée. Il y a de fortes chances qu'elles la perturbent davantage, car ce proche interprétera ce qu'il a ressenti sans avoir d'explications pertinentes qui justifient sa compréhension. Dans toute relation, il n'y a rien de mieux qu'une conversation de cœur à cœur pour se comprendre et pour s'entraider.

Si le passage entre les mondes est important pour l'âme qui quitte le plan terrestre, il l'est également pour celles qui restent. De part et d'autre, nous avons besoin de nous parler, de nous accompagner mutuellement et de continuer d'alimenter ce lien d'amour qui nous unit. La mort est un cadeau d'élévation pour tous ceux qu'elle touche. Si la communication est rompue, les âmes, incarnées ou non, ont plus de difficulté à vivre cette élévation, car elles doivent traverser une difficulté supplémentaire : l'illusion d'être seules. Nous l'avons vu précédemment, nous ne sommes jamais seuls, mais lorsque nous sommes en transition, la communication subtile est la manifestation de la continuité de ce lien d'amour pur avec les âmes qui nous entourent. C'est un phare dans la nuit. Tant pour celles qui restent que pour celles qui partent, la communication d'amour favorise l'ouverture de conscience. Elle apporte une compréhension élargie de la mort, elle libère des dépendances affectives et elle apporte le pardon. La communication du cœur dénoue toutes les impasses. Ainsi, chacun de notre côté, il est possible de s'élever plus rapidement, car nous ne restons pas bloqués par des états émotifs non exprimés. Comme dans les relations humaines, la compassion et l'amour nourrissent toujours l'évolution de chacun.

Chaque fois que nous ressentons le besoin de communiquer avec une âme qui vient de quitter le plan terrestre, demandons-nous si cette communication sert l'amour inconditionnel. Si la réponse est affirmative, il n'y a aucune raison de ne pas communiquer avec l'âme. Son processus d'élévation ne peut être retardé lorsqu'il s'agit de véritable amour. Toutefois, il est évident que si nos intentions de communication n'existent que pour déverser notre fiel accumulé contre elle ou pour marquer notre refus de la laisser partir librement, cela aura pour effet de nuire, non seulement à l'élévation de l'âme chère, mais également à la nôtre. Ce passage n'est pas un hasard dans notre vie, il sert aussi notre âme. Comme toute autre expérience, en refusant de la traverser dans l'amour, l'acceptation et le détachement, nous passons à côté d'un appel que notre âme nous a lancé afin d'élever nos vibrations d'amour. Nous passons également à côté d'une occasion d'aider une âme à vivre ce passage plus librement.

Tout ce qui nous arrive, y compris la mort, est au service de notre ouverture de conscience. La communication avec l'âme est un outil pour nous aider à traverser les différents passages de notre vie d'âme. Une question demeure alors : «Comment utilisons-nous cet outil de communication?» Le marteau peut servir à construire ou à détruire. Il en est de même pour la communication avec l'âme. En l'utilisant au service de l'amour pur, ses effets sont merveilleusement bénéfiques pour toutes les âmes. L'âme qui quitte le plan terrestre se sent soutenue et écoutée alors que celles qui restent éprouvent moins la sensation de perte, de vide que laisse le départ. Chacune de leur côté, elles peuvent se libérer des situations non terminées, elles peuvent se dire ce qui n'a pas été dit. Elles peuvent ressentir cette connexion si profonde qui s'étend au-delà de la matière, leur permettant de poursuivre leur route dans la plénitude et non dans le manque. S'empêcher de communiquer avec une âme sous prétexte qu'elle vit un processus d'ascension important revient à s'empêcher de communiquer avec un être cher qui vit une difficulté. C'est une interruption du mouvement énergétique qui affecte toutes les âmes concernées. Rappelons-nous que ce n'est jamais la communication qui cause du tort, mais la façon dont nous nous en servons. L'amour élève toujours!

À ce sujet, une autre question m'est souvent posée : «Est-ce qu'il est souhaitable de faire des demandes à une âme qui s'élève?» Ici encore, il faut user de discernement. Il n'y a pas de règle unique. Tout est question de fait et non d'automatisme.

Affirmer qu'il ne faut jamais faire de demande à une âme qui s'élève équivaut à dire que toute demande d'aide à un ami occupé à faire quelque chose d'important est prohibée. À quoi serviraient les liens d'amour s'il fallait les limiter ainsi? Nous ne sommes pas seulement disponibles pour l'autre quand ça va bien pour lui et pour nous. Il est évident que l'âme qui s'élève a beaucoup à faire et qu'elle a besoin de toute son énergie pour accomplir le grand ménage de sa dernière incarnation. Toutefois, même si nous ne nous adressons pas à elle dans une situation difficile, elle ressent notre tourment et elle en est plus ou moins affectée, particulièrement si ce qui nous tourmente la concerne. Une communication claire et respectueuse avec elle permet d'exprimer ce qui nous tracasse, de nous sentir moins seuls et surtout de dénouer les liens d'émotivité qui nous relient à elle. Au lieu de rester dans ce tourbillon émotif, après une communication saine, l'âme pourra plus rapidement se concentrer sur sa tâche, surtout si nous l'aidons aussi de notre côté en l'entourant de Lumière, en la bénissant ou en priant pour elle. Une demande d'aide accompagnée d'un retour énergétique est pour l'âme une collaboration, un échange énergétique mutuel bénéfique pour chaque partie. Alors pourquoi s'en priver?

Cependant, il faut faire la part des choses entre une demande raisonnable et des demandes abusives. Une demande occasionnelle accompagnée d'un mouvement énergétique d'élévation pour l'âme n'a rien de néfaste ni pour l'âme ni pour nous-mêmes. Toutefois, lorsque les demandes deviennent de la dépendance et qu'elles équivalent à un refus de laisser l'âme poursuivre sa route, elles deviennent réellement dommageables pour celle-ci. L'âme qui est constamment interpellée n'arrive plus à remplir sa mission et sa liberté s'en trouve affectée. Alors la relation s'empoisonne. Lorsque nous ressentons le besoin de demander quelque chose à l'âme, posons-nous la question suivante : «Est-ce que cette demande est au service de l'amour?». Par exemple, si je m'adresse à l'âme de ma grand-mère pour qu'elle m'aide à traverser le deuil de sa présence physique et qu'en contrepartie je l'encourage à élever sa vibration en l'entourant d'une bulle de Lumière, cela peut être libérateur, tant pour elle que pour moi. Elle a son libre arbitre, et si elle accepte de répondre à ma demande d'aide, c'est qu'elle y trouve des avantages, ne serait-ce que celui de me savoir plus heureuse. C'est là un échange basé de part et d'autre sur l'amour et il est profitable à tous. Toutefois, si j'appelle ma grand-mère chaque fois que je dois faire un choix ou prendre une direction, je deviens harassante pour cette dernière qui tente de se concentrer sur son élévation. Cela ne sert évidemment pas l'amour puisque je remets mon pouvoir de choisir entre les mains de quelqu'un d'autre. Ce faisant, je manque d'amour envers moi et envers ma grand-mère. Celle-ci a toujours le choix d'accepter ou non mes nombreuses demandes, mais pendant qu'elle effectue ce choix, son attention est détournée. Ma dépendance à ma grand-mère nous retarde toutes les deux. L'amour nourrit la relation, la dépendance la mine à petit feu.

Chaque cas en est donc un d'espèce. Il ne faut pas bannir les demandes de manière radicale. Plusieurs âmes désincarnées m'ont exprimé leur désir d'aider et de soutenir leurs proches. De part et d'autre, il y a ici une volonté de nous parler et de nous entraider. Les âmes désincarnées connaissent notre libre arbitre et elles attendent que nous demandions de l'aide pour ne pas s'immiscer dans notre vie. Alors, pour recevoir, il faut demander. Il importe donc de savoir que ce n'est pas la demande d'aide comme telle qui est nocive, mais ce qu'elle sert réellement. Une demande qui sert l'amour ne peut que contribuer à l'avancement des deux parties. En voici un merveilleux exemple.

La réponse ne tarde pas.

En décembre 2004, Suzanne rêve à sa grande tante Jeanne d'Arc, qu'elle n'a pas vue depuis au moins dix ans. Dans ce rêve, Jeanne d'Arc gagne à la loterie et se présente au dépanneur où Suzanne travaille comme caissière pour réclamer son prix, mais cette dernière ne peut la payer puisqu'elle n'a pas assez d'argent dans son tiroir-caisse. Jeanne d'Arc lui dit alors que ce n'est pas grave et qu'elle va repasser bientôt avant de partir en voyage. Deux jours plus tard, la mère de Suzanne l'informe que Jeanne d'Arc a été hospitalisée le jour même où elle a fait ce rêve. Comme l'état de santé de sa tante est très précaire, Suzanne perçoit que ce songe est une demande d'aide de Jeanne d'Arc et elle décide d'aller lui rendre visite. Une communion inexplicable s'installe alors entre elles. Pendant plusieurs mois, Suzanne visite Jeanne d'Arc à raison de deux fois par semaine. Des liens solides d'amitié s'installent entre elles.

En mai 2005, après avoir discuté longuement de la mort, Suzanne demande à sa tante si elle peut faire quelque chose pour elle dans l'immédiat ou dans le futur. Après un temps de réflexion, Jeanne d'Arc lui répond qu'après sa mort, elle aimerait bien avoir une grosse rose toute gonflée, de couleur rose dans ses mains, car c'est sa fleur préférée. Elle décède quelques jours après cette conversation. Le jour de ses funérailles, Suzanne trouve, dans le bouquet que sa mère avait cueilli pour Jeanne d'Arc, une belle grosse rose sauvage qu'elle retire avec tout son amour pour la remettre entre les mains de sa tante afin d'exaucer son vœu si cher. Puis, elle regarde sa tante et elle lui dit qu'elle a l'air d'un ange. Dans son for intérieur, elle sourit à l'idée que sa tante puisse réellement devenir son ange gardien. Après ce moment de grâce passé seule avec Jeanne d'Arc, Suzanne lui demande une dernière faveur, celle de lui faire un signe, un tout petit signe pour lui faire savoir si elle a bien trouvé son chemin pour rentrer à la maison. Le cœur rempli de gratitude envers Jeanne d'Arc pour les merveilleux moments passés avec elle, Suzanne lui dit au revoir.

Aussitôt rentrée chez elle, comme à l'habitude, Suzanne vérifie les courriels qu'elle a reçus en son absence. Un courriel l'attend et la bouleverse complètement. C'est la réponse à sa demande qui se manifeste à peine quatre heures plus tard. Voici le message intégral qu'elle a reçu (voir l'image ci-jointe). Il s'agit d'un ange tout souriant tenant un bouquet de fleurs et qui dit : «C'est avec les bras chargés de fleurs que je viens te dire combien je t'aime. Que cette journée soit spéciale pour toi!» Le message se termine par l'image d'une grosse rose toute gonflée, de couleur rose.

Quelle magnifique réponse pour Suzanne! Par ce message, Jeanne d'Arc vient lui dire qu'elle est bien (puisque l'ange dégage la sérénité), qu'elle l'aime et qu'elle veillera aussi sur elle (comme un ange gardien) grâce à son amour. Enfin, elle exprime toute sa gratitude à Suzanne d'avoir réalisé son vœu (image de la rose). Merveilleux et étonnant, n'est-ce pas?

Bien que Jeanne d'Arc était dans son processus d'ascension lorsque la demande de Suzanne lui a été adressée, l'amour et la gratitude qui en émanaient a largement compensé l'effort que Jeanne d'Arc a dû mettre pour y répondre. C'est un geste d'amour qu'elle a posé envers Suzanne et toute la reconnaissance alors éprouvée par celle-ci a propulsé Jeanne d'Arc dans sa Lumière. Ce mouvement d'amour réciproque a contribué à leur élévation respective.

Tant avec les âmes incarnées qu'avec celles qui sont désincarnées, il importe que les relations soient basées sur l'amour, sur la liberté et sur le respect pour qu'elles servent notre élévation. Perturbons-nous les âmes lorsque nous leur adressons des demandes? Cela dépend de l'intention et de l'énergie que cache notre demande et cela dépend aussi de ce qui se cache dans la réponse. L'âme aussi peut agir par dépendance, par attachement ou par émotivité. Lorsqu'une requête est gorgée d'amour, elle sera un outil d'élévation pour l'âme, même si cette dernière réagit dans le non-amour. L'amour élève toujours. Alors, pour réellement aider une âme qui vient de quitter le plan terrestre, il importe de communiquer avec elle dans l'amour. Si nous ressentons le besoin de lui demander une faveur, faisons-le également dans l'amour et offrons-lui nos plus pures intentions de Lumière en retour. Peu importe la manière dont elle réagira à cette demande, l'énergie contenue dans nos intentions saura l'aider à cheminer. Lorsqu'il s'agit de demandes adressées à une âme, il n'y a pas de notion de temps ni de contenu en présence de l'amour inconditionnel. S'il n'y a qu'un cœur qui parle à un autre cœur dans la simplicité du moment présent, comment une telle communication pourrait-elle nuire à l'autre? L'amour pur est un moteur d'avancement pour toutes les âmes.

Quand et quoi (résumé)

1. Immédiatement après le décès, il est important de s'adresser à l'âme pour lui dire qu'elle est passée sur un autre plan, qu'elle n'a plus de corps physique, qu'elle doit maintenant retrouver le plan vibratoire qui lui convient et que ses guides sont tout près d'elle pour l'accompagner.

2. Notre émotivité, exprimée ou non, affecte l'âme chère, car les émotions sont des liens énergétiques qui nous relient les uns aux autres.

3. Chaque fois que nous ressentons le besoin de communiquer avec une âme qui vient de quitter le plan terrestre, demandons-nous si cette communication sert l'amour inconditionnel. Si la réponse est affirmative, il n'y a aucune raison de ne pas communiquer avec cette âme.

4. La communication subtile sert toutes les âmes; celle qui quitte le plan terrestre se sent soutenue et écoutée alors que celles qui restent éprouvent moins la sensation de perte, de vide, que laisse le départ.

5. Une demande accompagnée d'un retour énergétique pour l'âme est une collaboration, un échange énergétique mutuel bénéfique pour chaque partie.

6. Lorsque nous ressentons le besoin de demander quelque chose à l'âme, posons-nous la question suivante : «Est-ce que cette demande est au service de l'amour?».

7. L'amour pur est un moteur d'avancement pour toutes les âmes.

Regrets

Après la mort d'un être cher, nombre de personnes éprouvent des regrets. Elles n'ont pas eu, n'ont pas pris le temps ou n'ont tout simplement pas osé dire, clarifier, pardonner ou cajoler cet être cher ou encore elles n'ont pas pu être là à un moment crucial. Elles aimeraient revivre différemment les événements pour se consoler, pour s'apaiser. Habitées par ces regrets, il leur est plus difficile de faire un deuil rapidement. Toute émotion non exprimée est une énergie stagnante. Il est important de la libérer pour continuer d'avancer. Tant que nous gravitons dans cette énergie de basse vibration, il est impossible de s'élever suffisamment au-delà des événements eux-mêmes et d'y trouver un sens plus profond. De plus, le taux vibratoire des regrets ne sert pas non plus l'âme qui quitte son incarnation pour s'élever vers un taux vibratoire qui lui sied. Elle les ressent et en est affecté. Les regrets constituent donc une difficulté supplémentaire, plus ou moins grande, pour l'âme qui devra passer à travers cette vibration sans y rester attachée afin de poursuivre sa route. Nous savons tous que les regrets ne riment à rien, mais lorsqu'ils se manifestent, souvent il n'est pas aisé de se sortir du tourbillon énergétique qu'ils occasionnent. Puisqu'il est véhiculé qu'on ne doit pas déranger une âme dans son ascension, s'en départir dévient alors un véritable casse-tête. Personne n'ose les exprimer de peur de nuire à l'âme, mais nous risquons alors d'être dévorés par ces désirs inassouvis. Voilà que la valse des regrets continue de plus belle jusqu'à ce qu'une ouverture du cœur permette la compréhension de l'événement. En voici un exemple.

Le choix de mes grands-parents

Dans les jours précédant la mort de mon grand-père paternel, son épouse assistée de ses deux filles et de leur conjoint se sont relayés pour le veiller jour et nuit afin qu'il ne soit pas seul au moment de sa mort. La veille de son décès, la nuit s'annonçait difficile et ils ont tous décidés de rester auprès de lui. Au matin, une infirmière leur a conseillé d'aller se reposer un peu puisque son état était tout de même stable. Ils ont hésité un peu à le laisser seul, mais comme il n'y avait pas de danger et qu'ils étaient tous épuisés, ils ont convenu de revenir après le dîner. Ma grand-mère a téléphone à mon père pour lui demander de venir les retrouver vers 14 heures; en l'attendant, elle irait se reposer chez sa fille. Elle lui a aussi demandé de ne pas monter à la chambre avant qu'elle n'arrive. Elle souhaitait que mon père et ma mère l'attendent dans le hall de l'hôpital afin qu'ils se rendent tous ensemble à la chambre de mon grand-père. Mes parents respectèrent cette demande. En arrivant à la chambre de grand-papa, ils furent complètement stupéfaits d'apprendre qu'il venait de décéder quelques minutes auparavant. Chacun d'eux s'en est voulu de l'avoir ainsi abandonné. Tous regrettaient de l'avoir laissé mourir seul, lui qui avait toujours été si présent pour eux. Durant bien des années, ma mère a raconté cet événement, troublant pour la famille de mon père et chaque fois, on pouvait ressentir combien chacun d'eux aurait souhaité revenir en arrière pour rester avec mon grand-père jusqu'à la fin.

Plusieurs années après cet événement, ma grand-mère a eu, elle aussi, le soutien de ses enfants dans les jours précédant son passage dans l'autre monde. Plusieurs jours se sont écoulés avant qu'elle ne rende son dernier souffle. Personne ne comprenait ce qui la retenait ainsi à la Terre. Ce n'est que le jour de sa mort que la compréhension a pu se faire. Durant tous les jours où nous l'avons veillée, ma grand-mère n'a jamais été seule dans sa chambre. Il y avait toujours deux personnes, et parfois plus, avec elle. Au fil des jours et des nuits à nous relayer ainsi, nos énergies commençaient à s'épuiser. Un après-midi, une bonne partie de la famille était rassemblée dans la chambre. Il faisait chaud et l'air se raréfiait. Nous avons donné congé à l'une de mes tantes et à son conjoint pour qu'ils aillent se reposer. Ma tante et moi sommes sorties dans le corridor afin de nous détendre un moment. Il ne restait que mon père et ma mère dans la chambre. Mon père a alors exprimé le désir de parler seul à seul avec sa mère. Ma mère est donc sortie dans le corridor et elle a fait le guet afin que personne n'y entre. Quelques minutes plus tard, mon père est ressorti de la chambre en disant : «C'est fini...Elle est partie doucement.» Rempli d'émotions, il expliqua à ma mère qu'à peine était-elle sortie de la chambre que ma grand-mère s'est ouvert les yeux, elle a regardé mon père en souriant, puis elle a regardé au plafond comme si elle était appelée par une force invisible. Elle a rendu son dernier souffle en tenant paisiblement la main de mon père.

Encore une fois, toute la famille ne comprenait pas ce qui s'était passé et regrettait d'avoir quitté la chambre. Toutefois, il n'y avait aucun regret à y éprouver ni aucune culpabilité à ressentir. Mon grand-père et ma grand-mère ont tous deux choisi de partir ainsi. Mon grand-père n'aimait pas les adieux. Il lui était donc trop difficile de partir avec un être cher à ses côtés. Il a préféré partir en leur absence. S'il avait voulu partir accompagné, il savait qu'il en avait la possibilité. Il a préféré partir en l'absence des siens et ma grand-mère l'avait inconsciemment compris en demandant à tout le monde de se rassembler dans le hall. À son tour, ma grand-mère a eu, elle aussi, cette possibilité et elle le savait. C'est en présence de mon père qu'elle souhaitait vivre ses derniers moments. Il était de notoriété familiale que mon père était bien spécial aux yeux de ma grand-mère. Elle n'avait qu'un garçon et il avait toujours été «son» garçon sans jalousie de la part de ses deux belles filles adorées. Elle a donc choisi le seul moment depuis des jours où elle a pu être seule avec lui. Dans un état d'intériorisation propice à l'accompagnement, mon père a pu entendre l'appel de sa mère. Cet appel devait être fort pour qu'il exprime ainsi un de ses désirs, lui qui est plutôt fort réservé de ce côté.

Ce faisant, il a permis à ma grand-mère de partir selon sa volonté.

Avec cette compréhension, culpabilité et remords se sont effacés pour laisser place à la sérénité. Il n'y a pas eu aucun manquement ni abandon. Il y a simplement eu manifestation d'un choix d'âme qui, comblée d'amour par les siens, avait choisi de partir à sa façon.

Les regrets proviennent souvent de nos attentes. Nous espérons que les événements se déroulent d'une certaine manière, bien souvent pour nourrir nos propres manques, et nous sommes déçus lorsqu'il en est autrement. Cependant, nous n'avons pas le contrôle sur la mort de l'autre. C'est à l'âme seule que revient le choix de ses derniers moments. Comprendre cela apaise les remords. Nous oublions souvent de regarder la situation avec les yeux de l'âme qui nous quitte. Nos désirs ne sont pas nécessairement les siens. En acceptant la manière dont elle a choisi de partir nous lui facilitons la tâche. Cela ne veut pas dire que l'on doive pour autant renoncer à nos propres désirs. Nous avons souvent l'impression qu'après la mort, il est trop tard. Nous nous sentons alors impuissants à nous libérer des émotions qui nous habitent parce que la relation matérielle est terminée. Tout ce que nous voulions exprimer avant que cet être cher quitte le plan terrestre, nous avons encore l'occasion de le faire en communiquant avec son âme. Il est vrai que le corps physique de ce dernier n'est plus, mais son âme et ses corps subtils existent toujours. Nous pouvons donc nous libérer en lui confiant ce qui nous habite, et ce, en allant dans l'espace du cœur et en lui demandant respectueusement s'il veut bien participer à cette communication.

Libération des regrets

Dans une position confortable, centrez votre attention sur votre respiration. Inspirez lentement et suivez le mouvement de l'air qui gonfle vos poumons et votre abdomen, puis, tout doucement, dégonflez l'abdomen et les poumons jusqu'à ce que tout l'air en soit expulsé. Répétez ce mouvement trois autres fois. Reprenez votre respiration normale et centrez votre attention au niveau du cœur. Vous êtes dans votre temple intérieur. Visualisez cet endroit magnifique décoré avec soin. C'est un lieu paisible et vous vous y sentez merveilleusement en paix et en harmonie. Au centre de ce temple, se trouve une alcôve tout illuminée abritant deux magnifiques fauteuils dorés. Vous prenez place sur l'un d'eux. Bien confortablement installé et par la puissance de votre pensée, vous interpellez X, cette âme à qui vous souhaitez tant parler et vous lui manifestez votre désir d'entrer en communication avec elle si elle le désire. Attendez sa réponse. Ressentez sa présence dans le fauteuil situé en face de vous. Rempli de gratitude, ouvrez-lui votre cœur et laissez tout simplement monter les mots librement. Écoutez la réponse d'X (s'il juge opportun de vous répondre maintenant). Lorsque le silence fait place au discours, revenez tout doucement dans votre espace du cœur. Remerciez X pour l'échange qui vient de se produire et reprenez contact avec votre environnement.

En tout temps, il est donc possible de terminer ce que nous n'avons pu clore dans les derniers moments de l'incarnation d'une âme. L'avant-mort n'est donc pas une fatalité incontournable. Cet exercice de libération peut être fait même plusieurs années après la mort. Tant qu'il est exercé dans l'amour inconditionnel et dans le détachement, il demeure sain et bénéfique, car l'expression de nos désirs non réalisés amène une libération tant pour soi que pour l'âme qui, de toute manière, ressent les basses vibrations liées aux regrets et aux remords. Il ne faut donc pas craindre de nuire à l'âme en tentant de lui parler de nos émotions. Toutefois, il est important de spécifier que cet exercice est bénéfique seulement s'il est utilisé dans l'espace du cœur. Si le mental s'en empare pour fuir la douleur de la perte ou pour nier la mort, il devient un outil néfaste pour notre élévation et pour celle de l'autre âme, car il n'est plus question alors de libération, mais d'attachement.

Une des difficultés rencontrées lorsque nous réalisons cet exercice est l'incertitude. Puisque nous n'avons plus le corps physique en référence, nous ne savons pas si nous avons réellement été entendus, si l'âme a accepté de nous écouter et nous ne demeurons que partiellement libérés de nos regrets. Cette impression d'adresser nos paroles dans le vide provient d'un manque de centration. Le vide n'existe qu'en dehors du cœur, car dans cet espace, nous touchons la plénitude par notre connexion directe avec l'Univers. Parfois, nous avons bien senti la présence de l'âme et compris sa réponse, mais en sortant de l'espace du cœur, de nouveau les doutes s'emparent de nous. Et si l'âme n'avait pas compris... et si elle n'était pas au rendez-vous... et si nous avions fabulé... Pour s'assurer que notre message s'est bien rendu, nous avons la possibilité de demander à l'âme un signe, une réponse claire ou toute autre confirmation qui nous satisfera. Si l'âme était au rendez-vous, elle saura nous le faire savoir sans aucune hésitation. L'amour qui nous unit sert de pont entre les mondes. Ici comme dans les autres mondes, un appel du cœur ne nous laisse pas insensible. Lorsqu'un être cher désire ardemment nous parler et que nous sentons l'urgence chez lui, nous laissons tomber nos occupations momentanées pour l'écouter. Il en est de même pour l'âme. Son libre arbitre lui permet de répondre ou non, mais lorsqu'il s'agit d'un être cher, les choix s'imposent souvent d'eux-mêmes.

Doutes et confirmation

Après une conférence, une dame demande à me parler. Elle me raconte qu'elle aurait tant aimé dire à son conjoint ce qu'elle éprouvait depuis sa mort. Elle est remplie de regrets et elle me demande de l'aider à prendre contact avec son conjoint. Une petite voix me pousse à la questionner. Je lui demande alors si elle a essayé de lui parler. Elle acquiesce, mais immédiatement elle remet en doute les réponses qu'elle a reçues de l'âme de son mari. Elle croit avoir imaginé tout ça et me demande de vérifier. Encore une fois, une petite voix me parle et me pousse à lui expliquer un petit exercice pour obtenir une confirmation.

Le voici:

Assoyez-vous confortablement dans un moment et un endroit propices à la détente avec un livre en main (que votre cœur aura au préalable choisi). Après avoir pris quelques profondes inspirations, les yeux fermés, centrez-vous au niveau du cœur et demandez ensuite une confirmation concernant la communication précédente. Toujours centré au niveau du cœur, ouvrez maintenant le livre en gardant les yeux clos et pointez un endroit inspiré par le cœur. Ouvrez les yeux et lisez le passage que votre doigt vous montre.

Quelques mois plus tard, j'ai revu cette dame et elle est venue me raconter qu'elle a bel et bien reçu la confirmation demandée. Le paragraphe du livre lui a donné exactement l'objet de la réponse que son conjoint lui avait faite lors de leur première communication. La dame a ajouté : «Et dire que je doutais de cette réponse ! En lisant le passage du livre, il a bien fallu que je me rende à l'évidence.»

Comme mentionné plus haut, toute âme possède le pouvoir de choisir et il peut arriver qu'elle ne vienne pas au rendez-vous. Il ne faut pas le prendre personnel ou croire que nous ne sommes pas capables de communiquer, ou pire, que l'âme ne veut pas entendre ce que nous avons à lui dire. L'âme a ses raisons qui motivent ce choix. Peut-être est-ce trop difficile pour elle de nous parler en ce moment ou peut-être n'a-t-elle pas l'énergie suffisante pour abaisser ses vibrations jusqu'à nous ou encore peut-être est-elle aussi dans un bouillon de regrets qui l'empêchent d'être à l'écoute? Il peut y avoir plusieurs motifs pour expliquer un refus et il ne nous appartient souvent pas de les connaître. Cela dit, au lieu de rester en plan avec nos regrets, nous pouvons aussi nous adresser à notre âme pour lui demander comment il nous est possible de nous départir des regrets et remords en l'absence de l'âme concernée. Inévitablement, une solution se présentera à nous, car notre âme veut notre avancement et elle sait que ces émotions ne le favorisent pas. Nous ne sommes jamais seuls et lorsque nous nous adressons à elle, c'est toute notre guidance qui se met en branle pour nous aider. Rien n'est impossible pour l'âme. À l'image de Dieu, nous sommes créateurs et toute la force d'amour est à notre service pour manifester ce dont nous avons besoin.

Après le passage d'une âme chère sur un autre plan, tentons le plus rapidement possible de nous défaire des regrets par la compréhension des événements. Si cela ne s'avère pas libérateur, la communication avec l'âme concernée par ces regrets pourra être source d'apaisement. À défaut, notre âme saura nous guider si nous lui demandons. L'important, c'est de sortir de ces émotions restreignantes tant pour nous que pour l'âme qui quitte le plan terrestre.

Regrets (résumé)

1. Personne n'ose exprimer ces fameux regrets de peur de nuire à l'âme, mais il est important de se départir rapidement de ces émotions de basses vibrations.

2. C'est à l'âme seule que revient le choix de ses derniers moments. Comprendre cela apaise les remords.

3. En tout temps, il est donc possible de terminer ce que nous n'avons pu clore dans les derniers moments de l'incarnation d'une âme.

4. Tant qu'il est exercé dans l'amour inconditionnel et dans le détachement, un exercice de libération des regrets demeure sain et bénéfique, car l'expression de nos désirs non réalisés amène une libération tant pour soi que pour l'âme qui, de toute manière, ressent les basses vibrations liées aux regrets et aux remords.

5. Toute âme possède le pouvoir de choisir et il peut arriver qu'elle ne vienne pas au rendez-vous fixé pour l'expression des regrets. C'est là son libre arbitre.

6. À défaut de pouvoir communiquer nos regrets à l'âme concernée, la nôtre saura nous guider vers un moyen libérateur si nous lui demandons.

Section 12

Comment pouvons-nous comprendre les messages obtenus?

Mot d'enfant

Avoir 100 ans, c'est être centenaire.
Avoir 1000 ans, c'est être millionnaire.

Symbolique des messages

Un message qui nous est envoyé peut prendre plusieurs formes. Il peut se manifester par une nuée d'oiseaux, une fleur qui attire notre attention, un paragraphe dans un livre, les paroles d'une personne, un rêve ou un événement hors du commun. Le sens de ce message ne se trouve pas dans l'événement lui-même, mais dans le ressenti. La symbolique utilisée par l'âme n'est qu'un accessoire de compréhension pour la personne qui reçoit le message. C'est une manière spécifique, voire sur mesure, de communiquer qui rend chaque communication unique en son genre et incomparable aux autres. Les communications répondent aux besoins des âmes concernées. Elles se manifestent pour l'avancement de chacune d'elles en utilisant des moyens que seules les personnes visées peuvent voir, ressentir ou entendre. Voici quelques exemples pour illustrer ces propos.

Une rose pour toi

Une dame me raconte combien elle et son mari étaient encore amoureux après des années de vie commune. Pour lui exprimer son amour, son mari lui offrait très souvent des roses, qu'elle affectionnait particulièrement. À la mort de son mari, la dame a tout de suite senti sa présence auprès d'elle. En son for intérieur, elle savait que ce lien d'amour allait se poursuivre, mais elle avait quand même besoin d'un petit clin d'œil pour soutenir cette conviction. À l'église, alors que le cortège funèbre se dirigeait vers la sortie et qu'elle devait emboîter le pas pour le suivre, elle fut complètement renversée de voir une rose tomber sur le sol, la seule d'ailleurs à s'être détachée de l'arrangement floral posé sur la tombe de son mari. Par surcroît, celle-ci était tombée juste devant l'entrée de son banc. Cette dame venait de recevoir le plus beau signe de la présence de son mari. Il continuait de lui offrir son amour par l'intermédiaire de cette rose.

Cette dame souhaitait se voir confirmer son ressenti. Elle n'avait pas absolument besoin de voir pour croire, mais un petit coup de pouce pour solidifier sa foi ne pouvait pas lui faire de tort. Son mari l'a entendue et il a répondu spontanément à son appel sans même qu'elle ait besoin d'officialiser ce désir. En connexion par le cœur, ces deux âmes continuent leur relation d'amour. Ce précieux cadeau d'amour était non seulement au service de l'élévation de l'âme de la dame, mais il lui certifiait qu'elle pouvait dorénavant avoir une foi absolue dans la continuité de la relation d'amour avec l'âme de son mari. Il était également au service de l'élévation de l'âme du mari par tout l'amour qu'il contenait et pour toute la joie qu'il a reçue en retour.

Frédéric salue sa mère

Dans le livre *Ils nous parlent... entendons-nous?*[13], je raconte la communication que j'ai eue avec Frédéric. Je suis toujours en contact avec Huguette, la mère de Frédéric, et nous nous téléphonons lorsque le cœur nous en dit. Ce printemps, alors que je classais mes documents, j'ai mis la main sur la photo de Frédéric et une petite voix m'a dit : «Appelle Huguette.» J'ai immédiatement pris le téléphone pour lui parler, mais il s'est soudainement mis à sonner et cet appel m'a fait mettre à plus tard la conversation avec Huguette. Le cours des activités a ensuite repris et j'ai oublié le coup de fil que je devais donner à Huguette. Plusieurs jours plus tard, une forte impulsion est venue

13. S. Ouellet, *Ils nous parlent... entendons-nous?*, Loretteville, Le Dauphin Blanc, 2004, p. 88.

me remémorer mon oubli. Immédiatement, j'ai composé le numéro d'Huguette. À l'autre bout, cette dernière semblait fort amusée de mon appel et elle me dit : «C'est vraiment spécial que tu me téléphones aujourd'hui». Sans comprendre l'allusion qu'elle faisait avec le mot «aujourd'hui», je lui raconte très candidement que j'avais essayé quelque temps auparavant, que j'avais ensuite oublié et puis voilà que l'idée m'était revenue ce jour-là. D'une voix tout enjouée, elle me dit : «Ça n'a pas marché l'autre jour, parce que c'était «aujourd'hui» qu'il fallait qu'on se parle. Sais-tu ce qu'il y a de particulier aujourd'hui?» Je n'en avais aucune idée. «Cela fait quatre ans aujourd'hui que Frédéric est décédé.» Huguette et moi étions sans mot! Il n'y avait alors rien d'autre que de la gratitude qui nous habitait. J'en avais les larmes aux yeux. Wow! Frédéric m'avait préparée à faire cet appel plusieurs jours auparavant parce qu'il voulait être certain de pouvoir faire un clin d'œil à sa mère le jour précis de sa mort. Huguette avait ressenti la présence de Frédéric dès qu'elle avait entendu ma voix à l'autre bout du fil.

Frédéric voulait saluer sa mère en ce jour précis. Je n'avais réellement aucune idée de ce qui se tramait derrière tout cela. Toutefois, avec l'explication d'Huguette, j'ai compris pourquoi les événements s'étaient déroulés ainsi. J'aurais pu croire que j'avais mal interprété la petite voix que j'avais reçue le jour où la photo de Frédéric m'était tombée sous la main. J'aurais pu me mettre dans tous mes états en constatant que j'avais oublié d'appeler Huguette et me ronger les sangs de n'avoir pas été au service de Frédéric comme il me l'avait demandé. Mais rien de tout cela ne m'a effleuré l'esprit, car Frédéric ne voulait pas nécessairement que je parle à sa mère au moment où je faisais du grand ménage. Sa demande était plutôt celle-ci : «Appelle ma mère lorsque je te le ferai sentir». Tout comme nous, les âmes planifient, préparent des surprises. Elles nous demandent de les aider à les réaliser, mais parfois la réalisation se produit en plusieurs étapes. Nous en comprenons le sens seulement lorsque la surprise est terminée.

Un rayon de soleil

Le jour des funérailles du fils de Claude, le ciel est gris, sombre et le temps est froid, exprimant toute la tristesse de voir partir si tôt ce magnifique petit garçon. Au cimetière, il pleut à torrents. Parents et amis se camouflent tant bien que mal sous leur parapluie pour ne pas être détrempés. Le directeur des pompes funèbres vient accueillir la famille endeuillée avec un parapluie, mais un phénomène des plus particuliers se produit alors. Au creux des gros nuages noirs gonflés de pluie, se crée une petite brèche qui laisse filtrer un rayon de soleil et cette percée est située juste au-dessus de la famille de Claude et du petit cercueil de son fils. Il pleut partout ailleurs, mais Claude, sa femme, son autre fils et le cercueil sont illuminés par le soleil et ainsi épargnés par l'averse. Le phénomène est si étrange que tous les parents et amis le remarquent. Après avoir terminé les prières d'usage, le prêtre lève les yeux au ciel. La percée de soleil commence alors à se rétrécir pour n'illuminer que le cercueil. Puis, comme si l'âme de ce petit garçon s'envolait vers le ciel, le rayon de lumière s'est tout doucement retiré, laissant toute la famille dans un état de grâce. Claude n'a jamais oublié ce qu'il a ressenti tout au cours de cette cérémonie. Son fils était là avec eux pour leur dire qu'il serait toujours leur petit rayon de soleil.

Des souliers sur mesure

La fille de Suzie habitait à l'extérieur de la province lorsqu'elle est décédée. Son corps a été rapatrié dans sa municipalité pour les funérailles, mais sans aucun de ses effets personnels. La veille des funérailles, n'ayant absolument aucun vêtement qui convienne chez elle, Suzie décide donc d'aller lui en acheter. Elle désire également lui offrir des souliers rouges, sachant comment Karine les adorait. Suzie cherche en vain ces fameux souliers rouges, mais ils sont rares et elle n'arrive pas à mettre la main sur une paire qui convienne. Au bord de l'abandon, elle s'adresse à sa fille et lui dit : «Karine, si tu veux vraiment ces souliers, aide-moi sinon j'abandonne.» À peine a-t-elle terminé cette demande que Suzie entend la vendeuse dire le mot «Karine». «Quoi?», lui répond-elle totalement étonnée. La vendeuse lui dit alors tout naturellement : «Oui, vous savez les chaussures *Karine*, faites par Hush Puppies, je crois que j'ai une paire dans l'arrière-boutique.» Suzie est envahie par une vague de joie; elle sait que Karine l'accompagne. De retour avec l'unique paire qui lui reste, la vendeuse tend la boîte à Suzie qui observe aussitôt qu'il s'agit de la bonne pointure. Elle ouvre la boîte. Les souliers sont réellement parfaits pour sa fille. Ses yeux se posent sur la marque des chaussures accolée à l'intérieur. Il y est écrit en larges lettres : «Karine». Suzie en frissonne d'émotion. Comment remettre en question la présence de Karine ce jour-là avec une pareille symbolique?

Tout comme nous sommes toujours là pour ceux que nous aimons, les âmes se manifestent aussi pour nous aider à traverser des moments difficiles, pour nous insuffler l'espoir ou la joie, pour nous donner un coup de main au besoin. Claude et Suzie ont tous deux ressenti cette aide si bénéfique. Ce coup de main providentiel était certes salutaire au moment où il s'est produit; le ressenti de la présence demeure à jamais gravée dans leur cœur pour continuer à nourrir leur foi en la continuité de la relation. Ce dernier est porteur de l'ampleur de la vie. Il amène aussi la certitude que la mort n'est qu'un passage et non une fin et que nous pourrons retrouver l'âme chère sur d'autres plans énergétiques. Enfin, ce ressenti est la manifestation de l'amour éternel entre les âmes. Par cette communication, la perception de la grandeur de la Vie ne peut que s'agrandir et s'embellir, car elle amène une autre perspective, voire elle nous mène dans une autre dimension.

Un appel de nuit

Depuis quelques heures, dans une chambre située à l'étage, une dame est profondément endormie. Elle se réveille en sursaut. Elle observe et écoute ce qui se passait, mais comme tout lui semble normal, elle se recouche. Étrangement, elle ne se rendort pas. Les yeux fermés, elle sent son père l'appeler; ce dernier est couché au salon en dessous de sa chambre. Comme aspirée dans un mouvement énergétique, elle se retrouve, en conscience, auprès de son père, lui tenant la main et lui soufflant tout doucement des mots d'encouragement. Elle lui dit de ne pas avoir peur et que tout va bien aller. Elle le sent quitter le plan terrestre en toute confiance. Puis, brusquement, elle revient dans son lit. Elle se lève et elle descend au salon. Son père vient de mourir. Elle le sait déjà. Cette dame est remplie de gratitude d'avoir pu accompagner son père et surtout d'avoir compris son appel. Son père a su comment la guider à lui.

Les âmes ont aussi besoin de nous. Elles nous le font savoir par toutes sortes de manières. La nuit est un moment favorable pour communiquer avec nous puisque notre mental est au repos. Cette dame a su s'abandonner sans peur à la demande de son père. C'était la première fois qu'elle recevait une telle demande. La sensation d'être aspirée lui a demandé abandon et acceptation. Elle aurait très bien pu freiner ce mouvement par crainte de l'inconnu. L'amour de son père l'a mise en confiance et elle a ainsi pu vivre un intense moment de grâce avec lui.

Rencontres sur l'autoroute

Sonya est à Québec pour une formation; après quoi elle entend visiter sa tante Francine qui en est aux derniers jours de son incarnation. Au beau milieu de la journée, elle reçoit un message de son conjoint qui lui dit de ne pas se rendre à l'hôpital parce que Francine est décédée. Énormément déçue de n'avoir pu lui rendre visite une dernière fois, Sonya tente alors de joindre des amis avant de retourner chez elle afin de parler de sa peine. Rien à faire, aucun d'eux n'est disponible. Le cœur lourd, Sonya prend l'autoroute pour rentrer à la maison. Sur la voie de gauche, elle dépasse distraitement les voitures. À un moment, une petite voix l'incite à porter attention à la voiture verte qui se trouve à sa droite. Son conducteur la regarde et elle reconnaît le conjoint de Francine. Tous deux se garent en bordure de l'autoroute, si heureux de cette rencontre inattendue. Après avoir échangé un moment, chacun reprend la route, le cœur plus léger d'avoir pu parler du décès de Francine. Dans la voiture, Sonya décide alors de communiquer avec Francine pour lui exprimer son amour, lui dire ce qu'elle a aimé chez elle, et elle se remémore des merveilleux moments passés en sa compagnie. Sonya permet à Francine de partir en paix et l'entoure de Lumière pour l'aider à s'élever. En guise de réponse, un rayon de soleil se fraie un chemin à travers le ciel ennuagé pour venir envelopper Sonya qui éprouve alors un grand calme et une paix intérieure indescriptible. Elle sent Francine tout près d'elle, comme si elle était venue lui faire un câlin. Sa tante est bien présente ce jour là. Sonya sait hors de tout doute que c'est elle qui a orchestré ces deux merveilleuses rencontres sur l'autoroute.

Ce qui en apparence semblait de l'infortune pour Sonya s'est révélé être un cadeau inestimable. Elle voulait voir des amis pour parler du décès de sa tante et rien ne fonctionnait. Croyant à la conjuration du sort, elle a fini par accepter l'idée de rentrer à la maison bredouille. Mais cette idée qui la poussait à rentrer chez elle était venue pour lui permettre de rencontrer la personne tout indiquée pour parler de la mort de Francine. Cette conversation lui a permis de se retrouver dans l'espace du cœur où elle a pu ensuite communiquer avec sa tante et ressentir sa présence. Rien n'aurait pu lui laisser présager qu'elle trouverait ces inestimables «présents» sur l'autoroute. Du point de vue de l'âme, les événements sont toujours plus grandioses et empreints d'amour. Cependant, pour en voir la grandeur, il est nécessaire de descendre dans l'espace du cœur pour prendre de l'altitude. C'est ce qui a permis à Sonya de capter la petite voix qui lui disait de tourner son regard pour cueillir les «présents» que Francine lui avait préparés.

Une suggestion appropriée

Un matin, mon conjoint et moi invitons Annick et Dany à venir nous rendre visite. Annick est enceinte et nous souhaitons lui donner les articles de bébé dont nous ne nous servons plus. Juste avant qu'elle arrive, il me vient très clairement à l'idée de lui prêter le livre *Les neufs marches*[14] de Daniel et Anne Meurois-Givaudan. Mais j'y résiste, car je n'ai jamais eu de discussions sur les âmes avec Annick et je ne sais pas si elle désire en entendre parler. J'ai pour habitude de laisser les gens de mon entourage me parler de ce sujet pour ne rien imposer ni rien brusquer. Alors, j'opte encore une fois pour la même attitude et je garde ce livre à l'écart en me disant que si l'ouverture se crée, je lui en parlerai. Dès qu'Annick met les pieds dans la maison, les mots *Les neufs marches* n'arrêtent pas de tourner dans ma tête. Je les retiens en

14. A. et D. Meurois-Givaudan, *Les Neufs Marches*, Sois, 1996.

me disant que ce n'est pas le moment. On fait le tour des objets à offrir, puis vient le temps de parler des livres que j'ai lus et qui m'ont beaucoup aidé à accueillir mes enfants et à les guider par rapport à leur croissance. Encore une fois, j'évite de parler des *Neufs marches*, en me trouvant toutes sortes de prétextes pour ne pas le faire. Un silence s'installe dans la conversation et, n'en pouvant plus, je prononce les fameux mots qui se bousculent dans ma tête. Annick me regarde, les yeux tout pétillants, et me dit : «Ah! oui, *Les Neuf Marches*. Ma meilleure amie m'en a parlé. Il paraît que c'est vraiment bien. J'aimerais bien le lire.» À ce moment, j'ai compris pourquoi je me sentais ainsi poussée à parler de ce livre. Son âme et tout probablement l'âme du beau petit poupon qu'elle portait voulaient qu'Annick lise ce livre. Mon âme a été la messagère en me poussant ainsi à lui parler de ce livre, car il est évident que je ne l'aurais pas fait sans cette incessante pression.

Comme vous le voyez, tous les moyens sont bons pour les âmes afin d'entrer en contact avec nous. Que ce soit durant l'incarnation, pendant le passage entre les mondes ou après l'incarnation, elles trouvent toujours le moyen le plus approprié pour se faire comprendre. Certains pourraient dire que ces événements ne signifient rien du tout, qu'ils ne portent aucun message. Toutefois, il y a un point en commun dans toutes ces expériences : le ressenti. Les personnes qui ont reçu ces signes ont toutes vécu une intense émotion lorsque la scène qui la concernait s'est produite. Pour chacune d'elle, sans le moindre doute, il s'agissait là d'une manifestation de la présence de l'âme. Évidemment, si elles racontent ces expériences à leurs proches, plusieurs d'entre eux trouveront qu'il s'agit là d'une manifestation du hasard ou de fabulation. Seule la personne qui a ressenti cette présence sait au plus profond d'elle-même que ni le hasard ni la fabulation ne sont en jeu. Toutes les cellules de son corps ont vibré à la présence de cette âme venue prendre contact avec eux. Cette sensation ne se simule pas, elle ne s'invente pas. Elle se vit spontanément dans l'instant présent. Aucune de ces personnes n'aurait pu prévoir un tel message ou n'aurait pu en imaginer la portée.

Spontanéité et ressenti, voilà les attributs des messages provenant des plans supérieurs. Chacun d'eux, précédemment relatés, vous a été présenté pour démontrer qu'il n'y a pas d'uniformité dans la symbolique utilisée par les âmes. Chaque âme personnalise le message selon les outils qui lui sont disponibles en fonction de la personne à qui elle s'adresse. Donc, chaque message est créé à partir du bagage de l'âme qui émet ce message et chacun est adapté à la compréhension de l'âme à qui il s'adresse. Les symboles alors employés font partie du message et servent à identifier l'âme qui nous parle. En les choisissant, l'âme doit s'assurer qu'ils nous sont accessibles pour que nous puissions les décoder. Elle n'a d'autre choix que d'utiliser nos systèmes de croyances et de connaissances pour s'adresser à nous; autrement, nous ne comprendrions pas son message. La symbolique varie donc d'une âme à l'autre et d'un message à l'autre. Difficile de s'y retrouver, croyez-vous? Absolument pas, car tout ce qui est utilisé par l'âme pour communiquer fait partie du message, et notre ressenti en indique le sens comme nous le verrons dans le chapitre T. Nous pouvons tous recevoir des messages et nous avons tout ce qu'il faut à l'intérieur de nous pour les comprendre, car la symbolique utilisée correspond en tous points à nos outils de référence.

Télépathie, signe de jour ou signe de nuit ne sont que la voie utilisée par l'âme pour expédier le message. La symbolique du message demeure la même peu importe son mode de livraison. Certains seront plus à l'aise de communiquer par le rêve et les messages lui seront ainsi offerts. D'autres seront plus réceptifs aux signes de jour ou en méditation. Le mode de communication est comme l'enveloppe qui scelle une missive. Il porte le message, mais ne l'influence pas ou n'en change pas le contenu. Nous savons d'emblée le ou les modes de communication que nous préférons. Une fois cela établi, il ne nous reste qu'à observer notre ressenti, car il est la clé pour nous permettre d'entrer en communication avec les plans supérieurs. Il est aussi la clé qui apporte la compréhension du message ou, à tout le moins, de la partie du message qui nous concerne. Dans le prochain chapitre, nous verrons comment décoder ce ressenti.

Signes (résumé)

1. La symbolique utilisée par l'âme n'est qu'un accessoire de compréhension pour la personne qui reçoit le message.

2. Les communications se manifestent pour répondre aux besoins des âmes concernées et pour l'avancement de chacune d'elles en utilisant des moyens que seules les personnes visées peuvent voir, ressentir ou entendre.

3. Le ressenti est la clé de la symbolique utilisée par l'âme.

4. La symbolique varie donc d'une personne à l'autre.

5. La symbolique utilisée par l'âme correspond en tous points à nos outils de référence.

Transposition

Pour comprendre la symbolique des messages reçus, il nous est nécessaire de mettre des mots sur le ressenti. Ici, la rigueur est de mise, car si nous ne prenons pas garde au mental, le message sera complètement dénaturé. Alors, il s'embrouillera et deviendra incompréhensible. Au moment de la réception d'un message, le ressenti est clair; c'est lui qui nous permet de décoder la symbolique du message. Toutefois, notre mental voudra inévitablement comprendre, analyser, classer ou répertorier cette expérience. Pour ce faire, il se mettra tout de suite à la tâche en interprétant la symbolique afin de lui donner une logique implacable. Le mental qui doute désire des preuves pour se conforter, mais malheureusement, ce n'est ni dans l'analyse ni dans la comparaison que le sens du message reçu pourra être compris. Seul le ressenti révèle le message; la symbolique le confirme. La logique ne nous est ici d'aucun secours. Pour mieux comprendre, voici une communication reçue par Suzanne.

Le téléavertisseur

Suzanne visite son frère Gilles qui s'apprête à quitter le plan terrestre. Ce jour là, ce dernier confie à Suzanne qu'il aimerait bien entendre une dernière fois le bruit des feuilles qui dansent dans le vent sur la montagne où il jouait lorsqu'il était enfant. Puisqu'il est alité et sans force, Suzanne lui promet que le jour suivant sa mort, elle ira sur cette montagne et elle lui prêtera ses oreilles afin qu'il puisse entendre le vent. Comme promis, le lendemain du décès de Gilles, Suzanne accompagnée de ses deux sœurs gravissent la montagne et s'installent au sommet sur un rocher. Toutes trois se tiennent par les mains et tendent l'oreille pour Gilles. À peine trente secondes plus tard, le téléavertisseur de Suzanne se met à vibrer. Elle vérifie qui désire la joindre et c'est le numéro de Gilles qui apparaît. Suzanne croit alors que sa belle-sœur veut lui parler et elle retourne chez elle. À la maison, elle pose le téléavertisseur près du téléphone et ce dernier vibre de nouveau. Encore une fois, il s'agit du numéro de Gilles. Elle s'empresse de téléphoner à sa belle-sœur pour savoir ce qui se passe, mais celle-ci est absente. Son neveu lui dit que ce n'est pas lui qui a tenté de la joindre. Suzanne ne comprend plus rien et elle laisse un message à sa belle-sœur afin d'éclaircir tout cela. Après quoi elle efface les deux appels sur le téléavertisseur. Puis, elle se rend chez ses parents pour parler du décès de Gilles et de l'organisation des funérailles. Là encore son téléavertisseur vibre, mais cette fois, il n'affiche aucun numéro. Suzanne devient de plus en plus étonnée. Plus tard dans la journée, elle parle à sa belle-sœur qui lui dit qu'elle a effectivement appelé trois fois sur son téléavertisseur, mais elle a fait ces appels la veille de la mort de Gilles. Depuis, elle n'a jamais tenté de la joindre. Suzanne avait bien reçu un des trois messages deux jours plus tôt et elle avait immédiatement rappelé sa belle-sœur. Stupéfaite, elle réalise alors la synchronicité des événements. Sa belle-sœur l'a appelée trois fois la veille de la mort de son frère, mais elle n'a reçu qu'un appel. Le deuxième appel lui a été livré seulement au moment précis où elle a tenu la promesse qu'elle avait faite à Gilles et le troisième est arrivé au moment où elle s'apprêtait à téléphoner à sa belle-sœur. Puis, une quatrième vibration, tout à fait inexplicable, est arrivée alors qu'elle était chez ses parents pour leur parler de Gilles. Incroyable! s'étonne-t-elle. Puis, le jour des funérailles de Gilles, alors que Suzanne s'apprête à partir pour l'église, elle saisit son téléavertisseur et ce dernier vibre encore une fois sans aucune raison, comme pour lui dire : «Oui, c'est vrai!, c'est moi, ton frère qui te parle ainsi.». Cette fois, Suzanne est bel et bien certaine que Gilles est là, avec elle; sa vibration est bien présente.

Dans les faits que recèlent cette expérience, il y a plusieurs éléments. D'abord, une promesse; entre Suzanne et Gilles, puis la réalisation de la promesse; ensuite, un téléavertisseur qui vibre de façon inexplicable, et en bout de ligne, un ressenti. À partir de ces faits, plusieurs théories peuvent être élaborées pour expliquer pourquoi le téléavertisseur a émis de telles vibrations. Les plus sceptiques prétendront à un défaut de fonctionnement, un problème de pile ou une erreur de répartition. D'autres n'y verront que le fruit du hasard, si bien orchestré soit-il, et certains prétendront qu'il s'agissait bien d'un appel de l'âme de Gilles. Nous pourrions continuer la liste des hypothèses plausibles encore bien longtemps en nous approchant du sens réel ou en nous en éloignant carrément. Mais une chose est certaine, personne d'entre nous ne pourra affirmer détenir la véritable explication, malgré toute l'expérience et la connaissance du sujet que chacun de nous détient. Seule Suzanne possède cette compréhension, car c'est à elle que s'adresse ce message et c'est elle qui a éprouvé le ressenti. Elle détient donc la clé de la signification. Elle seule peut trouver le sens à ces manifestations, elle seule peut savoir pourquoi son frère a utilisé le téléavertisseur plutôt qu'un autre moyen, elle seule peut donner un sens à ces appels. C'est en prenant contact avec ce ressenti qu'elle trouvera la certitude du sens de ces manifestations, mais si elle s'engage sur le sentier de la logique en tentant de comprendre ce qui s'est passé, elle ne trouvera que des doutes, qui seront à l'ampleur de son ardeur à vouloir trouver une explication.

Lorsque nous sommes en présence de manifestations subtiles, nous avons tendance à chercher ailleurs le sens des expériences ressenties. Nous les racontons à nos proches pour tenter d'y voir clair, nous les analysons et les scrutons à la loupe pour les comprendre. Mais en les décortiquant, nous en perdons le sens ultime. Décortiquer une telle expérience représente un aussi grand danger que tenter de traduire un texte mot à mot sans prendre la phrase dans son ensemble, sans la mettre dans le contexte du paragraphe ou du chapitre. Certes, les mots seront bien traduits, mais la signification de la phrase risque d'être fort déformée. Un bon traducteur va d'abord s'imprégner de l'émotion du texte pour ensuite choisir les mots justes qui rendront cette émotion. Il en est de même avec les messages reçus. Le ressenti doit être transposé en mots sans chercher à l'interpréter. Dans le récit de son témoignage initial, Suzanne termine en disant : «C'est comme si Gilles voulait me dire qu'il était toujours avec moi». Voilà la clé de ce message. C'est lors de la dernière vibration que Suzanne comprend le lien avec les précédentes. Toutes se résument donc dans cette phrase. Suzanne a transposé la pensée de Gilles en mots. Voilà ce que son frère cherchait à lui dire et c'est son ressenti qui offre à Suzanne cette signification. Toute autre hypothèse demeure des suppositions sans fondement.

Pour transposer en mots, il importe donc de se remettre dans le ressenti éprouvé au moment de la ou des communications. Immédiatement des mots montent. Des «c'est comme si...» ou encore «on aurait dit...» ou «j'avais l'impression de... » ou «je ressentais...» sont des précieux indices pour décoder le sens du message. Ce sont ces mots qui nous donnent le sens et non toute l'analyse des mots qui en découlera par la suite. Il y a en conséquence une spontanéité et non une sélection de mots spécifiques. Le ressenti, c'est la voix du cœur qui nous offre les termes justes de manière imprévisible et insoupçonnable. Lorsque nous voulons comprendre le sens du message et en avoir la certitude, nous pouvons replonger dans le fil des événements menant à ce ressenti pour nous le remémorer, comme dans l'exercice de centration qui suit.

Retrouver le ressenti

Dans un endroit propice au calme et à la détente, installez-vous confortablement, le dos bien droit et les pieds à plat sur le sol. Prenez quelques profondes inspirations en centrant votre attention sur l'air qui entre et qui sort de vos poumons. Suivez la trajectoire de l'air tout en ressentant la détente s'installer un peu plus profondément à chaque respiration. Portez votre attention sous la plante des pieds et visualisez de grandes et profondes racines qui s'enfoncent dans la terre. Une fois bien ancré au sol, portez votre attention au niveau du cœur et descendez dans votre temple intérieur. Ressentez la paix et la beauté qu'il dégage. Demandez à votre âme et à l'âme qui vous a offert un message de vous aider à reprendre contact avecle ressenti de ce message. Concentrez maintenant toute votre attention sur ce ressenti. Revivez-le. Laissez-vous imprégner de nouveau par le message reçu. Soyez attentif aux images, aux émotions, aux mots qui surgissent alors spontanément. Il n'est pas question ici de tenter de comprendre quoi que ce soit, mais seulement de vous laisser imprégner par un ressenti, celui que l'âme désire nous transmettre. Lorsque ce ressenti est clairement imprimé dans toutes vos cellules, reprenez contact avec votre corps en gardant en mémoire images, ressenti ou mots qui ont alors émergé. Ouvrez les yeux et exprimez ce que vous avez vécu. La clé de compréhension se trouve dans l'expression de ce ressenti. Portez attention aux mots qui vous apporteront la certitude de la signification du message reçu.

Des exercices de centration permettent de reprendre contact avec l'essence du message reçu. Nous pouvons donc en tout temps nous y replonger si nous en sommes trop éloignés en tentant de le comprendre. J'ai observé très souvent que les gens qui ont reçu un message savent exactement le sens de ce dernier, mais ils le remettent en doute par manque de confiance en leur voix intérieure. Ils ont tellement peur de se tromper ou ils cherchent tellement à prouver l'existence de cette communication qu'ils s'en éloignent par toutes sortes d'analyses. La confirmation qu'ils cherchent se trouvent souvent dans les derniers mots employés pour clore leur récit, les fameux « c'était comme si...» ou «j'avais l'impression de...». Nous aurions beau recevoir toutes les preuves du monde, seules celles qui nous ramènent à un profond ressenti contiennent la certitude de l'existence de la communication et son sens profond. Il faut donc apprendre à retourner à ce ressenti pour trouver ce que nous cherchons. L'exemple de ce que Kim a vécu nous en offre une belle illustration.

Des aurores boréales

Kim possède une formation en communication et elle se décrit comme une personne très terre à terre qui analyse tout pour trouver un sens à ce qui lui arrive. Elle est très près de sa grand-mère avec qui elle discute de tout, y compris de sa grande peur de la mort. Sa grand-mère lui dit alors qu'une fois dans l'autre monde, elle viendra lui offrir un signe pour lui montrer que la mort n'existe pas et qu'elle n'a pas à en avoir peur.

Sa grand-mère décède en juillet 2000. Au salon funéraire, Kim s'approche du cercueil de sa grand-mère et elle rappelle à sa grand-maman sa promesse de lui faire un signe. Ce soir-là, après une rencontre familiale, Kim, son conjoint et leur fils accompagnés de la sœur de Kim rentrent à la maison en voiture. Dans le ciel clair et étoilé de Rouyn-Noranda surgissent alors de spectaculaires aurores boréales géantes. Les esprits cartésiens de Kim et de son conjoint, météorologiste, se mettent aussitôt en branle. Des aurores boréales en juillet? Voilà qui est plus qu'étonnant! C'est même plus près de l'improbabilité que de la réalité. Elles n'apparaissent habituellement pas à ce temps de l'année et encore moins à la hauteur du 54e parallèle se disent aussitôt Kim et son conjoint. Cependant, le spectacle est si majestueux que tous s'exclament devant tant de beauté. Kim et son conjoint connaissent bien le phénomène pour avoir habité pendant trois ans dans les Territoires du Nord-Ouest et ils sont ravis de renouer avec ce cadeau de Dame Nature. Le lendemain, toujours intriguée par cette manifestation impromptue, Kim questionne en vain toute sa famille pour savoir si quelqu'un d'autre avait vu les aurores boréales la veille. Inquiète de ne trouver aucune corroboration, elle demande même à son fils s'il les a bel et bien vues pour s'assurer de ne pas avoir eu la berlue. Certes, Kim et sa famille les ont vues, mais ils semblent être les seuls, car il n'y a aucune autre trace de ce magnifique spectacle. La télévision, la radio ou le journal local n'en ont fait aucune mention.

En quête de compréhension, Kim se sent alors poussée à trouver le sens à tout cela, car elle est troublée. À ses yeux, il ne peut s'agir du hasard. Elle fait quelques recherches sur Internet et elle découvre des informations qui la renversent. Manifestement, la présence des aurores boréales en juillet à la hauteur du 54e parallèle relève pratiquement de l'impossibilité. Alors, comment expliquer ce qu'elle et sa famille ont vu? se demande-t-elle à ce moment. Continuant son étude du sujet, elle trouve un texte d'Ernest Hawkes, anthropologue canadien, qui fait référence au bruit qu'émettent les aurores boréales. Ce dernier attribue les sons des aurores à la voix des défunts tentant de communiquer avec leurs proches encore incarnés. À ce moment précis, Kim ressent au plus profond d'elle-même que sa grand-mère est venue lui parler par cette symbolique hors du commun. Toujours aux prises avec son rationnel si fort, elle n'arrive cependant pas à comprendre les propos de sa grand-mère. Que voulait-elle bien lui dire?

Plusieurs années plus tard, en lisant le livre de France Gauthier, *On ne meurt pas*[15], elle trouve la réponse tant attendue. Sa grand-mère s'était servie des aurores boréales comme signe, car elle savait que Kim et son conjoint les verraient. Ils les avaient si souvent observées dans le Grand Nord. Kim lui racontait d'ailleurs souvent combien elle se sentait en paix en les regardant. Puis, comme dans un éclair de génie, Kim ressent en elle ce que sa grand-mère a voulu lui dire ce fameux soir de juillet. *Elle est en paix!* Kim en a la certitude. Elle réalise alors que sa grand-mère a tout prévu pour qu'elle comprenne le message : une symbolique qui lui est propre, le texte de monsieur Hawkes qui lui tombe sous les yeux et, évidemment, des témoins afin qu'elle ne puisse pas nier le phénomène. Kim reconnait là tout le sens de l'humour de sa grand-mère et elle s'imagine alors comment cette dernière devait rigoler de les avoir vus, son conjoint et

15. F. Gauthier, *On ne meurt pas*, Libre Expression, 2004, 140 p.

elle, faire tant de recherches pour prouver la magnifique vision dont elle s'était servie pour leur parler.

Le récit de Kim ressemble à beaucoup d'autres histoires où seuls les faits changent. Le contexte de quête de sens demeure identique pour tous. Nous cherchons la tangibilité de l'expérience pour y croire. Cependant, les communications avec les plans supérieurs ne s'évaluent aucunement dans la matière, laquelle demeurera toujours un accessoire utilisé pour livrer un message et non pour en offrir le sens. Les aurores boréales sont très certainement des phénomènes naturels mesurables, quantifiables et évaluables. Toutefois, jamais en elles-mêmes, ces dernières n'auraient pu exprimer à Kim le message de sa grand-mère. Il n'y avait que dans l'espace du cœur que Kim pouvait trouver un tel sens. Le texte de monsieur Hawkes l'y a conduite en lui fournissant des éléments de confirmation qu'elle ressentait déjà. Sa volonté de savoir n'était pas seulement le signe d'une curiosité aigüe. Elle était aussi l'écho de sa petite voix intérieure qui lui disait en sourdine : «C'est grand-maman qui est derrière tout ça». Puis, au moment propice, le livre de France Gauthier l'a guidée vers une intériorisation, et de là, elle a pu saisir, voire palper, les mots que sa grand-mère cherchait à lui souffler à l'oreille depuis cette nuit de juillet 2000.

Bien que le sens se révèle toujours par le ressenti, sa compréhension n'est pas un automatisme. Il arrive fréquemment que la signification d'une communication nous soit donnée bribe par bribe, tout comme ce fut le cas pour Kim. Il importe cependant d'oser demander pour pouvoir recevoir. C'est un peu comme ici-bas lorsque nous recevons une missive que nous ne comprenons pas et que nous ne demandons aucune explication à l'expéditeur. Le message restera lettre morte. Une fois la demande bien énoncée, le détachement, l'acceptation et l'écoute du ressenti sont les prochaines étapes. Il est absolument nécessaire de laisser l'âme totalement libre de venir nous répondre. Le détachement, c'est la confiance absolue envers le processus divin qui répond à tous nos besoins. L'attachement est tout le contraire. Il est le symbole de la peur du manque, de la peur de l'absence. L'attachement est le contrôle que nous tentons d'avoir sur les événements et sur les personnes qui nous entourent parce que nous manquons de confiance dans le mouvement de la Vie. Si nous désirons une réponse, il est important de croire qu'elle nous sera adressée d'une manière ou d'une autre. La compréhension de la communication ne proviendra pas nécessairement d'une nouvelle communication avec l'expéditeur, mais peut-être d'une communication avec notre âme ou avec notre guidance. Si nous nous entêtons à vouloir communiquer avec une âme particulière, nous bloquons la fluidité énergétique et cela empêche la réponse de nous parvenir. C'est un peu comme si nous attendions un appel téléphonique avec impatience sans jamais cesser d'utiliser le téléphone. La ligne étant occupée, l'appel attendu ne peut nous parvenir. Lorsque nous faisons une demande, il est donc important de libérer notre lien énergétique de toute attente et de toute attache pour que la réponse puisse arriver jusqu'à nous. Au fond, c'est la compréhension que nous souhaitons, et c'est dans l'ouverture du cœur que cette dernière proviendra assurément.

En effet, c'est dans l'ouverture du cœur que tout se produit. Dès que nous cherchons à dominer la communication, tout le processus s'interrompt et cela nous laisse l'impression que le lien subtil établi nous glisse entre les mains. L'étape la plus difficile dans la communication est inévitablement l'acceptation, qui demande d'accueillir la réponse, quelle qu'elle soit, même si cette dernière signifie le silence ou l'absence de réponse. Accepter signifie avoir la sagesse de voir que ce que nous souhaitons dans le moment présent n'est pas nécessairement ce dont notre âme a besoin. Toutefois, il est important de spécifier qu'accepter la réponse, quelle qu'elle soit, ne signifie pas que l'on doive tout gober sans rien dire. Ce qui a été mentionné dans le chapitre L demeure. L'acceptation ne va donc jamais à l'encontre de nos limites puisqu'il s'agit là d'un état d'être. Accepter, c'est ouvrir son cœur pour y laisser entrer l'amour inconditionnel. Lorsque nous sommes, nous ne pouvons vivre qu'une vibration qui correspond à cet état d'amour intérieur. C'est grâce à cet état d'être que nous repoussons automatiquement les basses vibrations qui nous nuisent.

La compréhension de toute communication ne peut donc se trouver dans la résistance du mental, où elle risque de nous passer sous le nez. Nous avons vu au chapitre E qu'il est primordial de retrouver l'état d'être pour pouvoir écouter notre ressenti et écouter la réponse demandée. En restant dans le mental, non seulement nous ne pouvons entendre la communication, mais en plus, nous repoussons toute possibilité de compréhension, car l'âme à qui nous nous adressons vibre à un taux vibratoire supérieur au nôtre. Il lui est déjà ardu de se faire comprendre, si nous ne faisons aucun effort pour l'écouter, elle renoncera à son désir de nous parler. Nous pouvons lui faciliter la tâche en élevant nos vibrations pour être à son écoute. Cet état nous conduira à ressentir le lien qui s'établit et à nous centrer sur le ressenti qu'il amène. Après quoi, nous pourrons transposer en mots les informations que l'âme désire nous transmettre. Plus nous serons à l'écoute de notre ressenti, plus il nous sera facile de faire confiance aux mots qui en émergent. C'est une question de pratique et de confiance et les chapitres J et K sont tout indiqués pour y parvenir.

Transposition (résumé)

1. Seul le ressenti révèle le message; la symbolique le confirme. La logique ne nous est ici d'aucun secours.

2. Lorsque nous sommes en présence de manifestations subtiles, nous avons tendance à chercher ailleurs le sens des expériences ressenties.

3. Décortiquer une telle expérience représente un aussi grand danger que tenter de traduire un texte mot à mot sans prendre la phrase dans son ensemble, sans la mettre dans le contexte du paragraphe ou du chapitre.

4. Pour transposer en mots, il importe de retrouver le ressenti éprouvé au moment de la ou des communications.

5. Les gens qui ont reçu un message savent exactement le sens de ce dernier, mais ils le remettent en doute par manque de confiance en cette voix intérieure.

6. Bien que le sens se révèle toujours par le ressenti, sa compréhension n'est pas un automatisme. Il arrive fréquemment que la signification d'une communication nous soit donnée bribe par bribe.

7. Il importe cependant d'oser demander le sens pour pouvoir le recevoir.

8. Une fois la demande bien énoncée, le détachement, l'acceptation et l'écoute du ressenti sont les prochaines étapes.

9. Plus nous serons à l'écoute de notre ressenti, plus il nous sera facile de faire confiance aux mots qui en émergent.

Unicité des communications

Chaque communication est unique et nous procure un ressenti particulier. Certes, il existe des éléments comparables entre chaque communication, mais il est important de les traiter comme des entités distinctes et surtout de ne pas tenter de les comparer l'une par rapport à l'autre. Lorsque nous établissons des rapprochements entre les contacts, nous les dénaturons et nous perdons le sens du message. Alors que je vivais mes premiers contacts avec les plans supérieurs, ce conseil m'a été donné par mon amie Francine Ouellet[16] et je l'en remercie, car mon esprit analytique tentait d'établir la véracité de la communication en fonction de l'intensité des vibrations ressenties. Si j'éprouvais une forte vibration, je qualifiais le contact réussi, alors que si je ne ressentais qu'un léger changement de taux vibratoire, je remettais immédiatement en question cette communication en me disant qu'il devait s'agir de mon imagination. Cependant, en mettant ce conseil en pratique, j'ai vite réalisé que l'état de mon ressenti était plutôt lié à la communication elle-même et non à son existence. Ainsi, selon le degré de centration et selon l'intensité nécessaire au message, le ressenti variera. Mais que ce ressenti soit extrêmement fort ou très minime ne change rien à l'existence même de la communication.

Plusieurs fois, j'ai remis en doute la réception d'un message parce que mon ressenti n'était pas aussi fort que les fois précédentes. Mais c'était là une erreur, car avec l'usage, j'aurais fini par établir tout un système hiérarchique pour classifier les différentes

16. F. Ouellet, *De l'amour humain à l'Amour divin*, Varennes, Marie-Lakshmi, également coauteure de *La médiumnité, réalité intime et personnelle*, *Mon retour par l'intégration christique* et *Je Me souviens de toi, Ô ma Lumière*, tous publiés aux Éditions Marie-Lakshmi.

sortes de vibrations intérieures et faire des associations sans aucun fondement, par exemple : un très faible ressenti signifie l'absence de communication, un faible ressenti provient d'un contact avec le bas astral, un moyen ressenti révèle un contact avec une âme dans la période de transition ou encore un fort ressenti indique un rapport avec une âme qui a trouvé sa Lumière. Toutes les manières de répertorier les communications sont absolument vaines, car aucune d'entre elles n'est comparable à une autre. Il est évident que le contact avec le bas astral n'offre pas le même ressenti que celui avec les plans supérieurs, mais il est capital de ne pas établir de corrélation systématique entre le ressenti et le niveau vibratoire de notre visiteur. Outre le taux vibratoire propre à notre interlocuteur, plusieurs autres facteurs influencent le ressenti durant la communication :

- le mode de communication employé;
- l'intensité de l'émotion ou la profondeur du message que l'interlocuteur désire transmettre;
- l'influence de notre guidance ou des autres participants à cette communication;
- notre propre taux vibratoire.

Chacun de ces éléments contribue à la variation du taux vibratoire de la communication, mais il serait évidemment fort complexe de pouvoir déterminer avec précision leur influence respective et de pouvoir ainsi trouver le taux vibratoire de notre interlocuteur. Par exemple, il est possible de recevoir une communication télépathique avec un Être de Lumière qui nous laisse un ressenti moindre qu'un autre vécu lors d'un contact subtil avec une âme chère qui voudrait nous transmettre tout son amour. Dans cet exemple, il serait inutile de tenter d'évaluer les niveaux vibratoires de l'Être de Lumière ou celui de l'âme en fonction de notre ressenti, car cette association ne tiendrait pas compte de plusieurs autres éléments qui font intégralement partie du taux vibratoire de cette communication. Tout comme il serait infructueux de tenter d'évaluer notre ressenti en tenant uniquement compte de notre centration. Certes, il s'agit là d'une composante importante, mais qui ne peut à elle seule définir ou expliquer tout ce que nous avons éprouvé durant un contact subtil. Lorsque nous prenons en considération tous les autres facteurs, nous réalisons rapidement que la comparaison ou la classification des communications n'a aucun sens et n'apporte pas les réponses ni la sécurisation recherchées. De plus, comme toutes ces opérations relèvent du mental, nous nous éloignons de l'essence du message en nous y attardant. Le ressenti exprime l'unicité du contact vécu et de tous les facteurs qui y ont contribué à ce moment.

Confusion dans la nouveauté

J'étais en contemplation devant une superbe rivière lorsque intérieurement j'ai ressenti le besoin de prendre mon carnet de notes et un crayon. Bien installée devant ce magnifique paysage, j'ai laissé ma main transcrire les mots dictés par mon cœur. Je m'attendais à recevoir un message de mon âme et je fus très étonnée de ressentir une autre présence qui désirait transmettre un message à un être cher. Je me suis abandonnée à la demande et j'ai écrit la missive. Une fois ceci terminé, j'ai remercié l'âme de sa présence et de sa confiance et j'ai repris contact avec le décor fabuleux. À ce moment, il m'était impossible de maintenir mon attention avec l'harmonie qui régnait autour de moi, car en moi c'était la confusion qui s'installait.

C'était la première fois que je recevais une communication en dehors de ma traditionnelle période de méditation. Mes repères habituels faisaient défaut. Mon ressenti était alors tellement différent pendant cette communication que j'en étais totalement déstabilisée. Je me suis alors demandée si je n'avais pas imaginé toute cette histoire. Réellement prise dans un bouillon d'inquiétude, je décidai de mettre cette communication de côté et de ne pas la livrer à son destinataire tant que je n'aurais pas la certitude de son existence. J'ai demandé des confirmations, mais elles ne sont pas venues, ou du moins, je n'ai pas obtenu celles que j'ai demandées. Comme je n'en voyais aucune autre, cela m'a inquiétée davantage; alors, j'ai décidé qu'il valait mieux ne jamais en révéler le contenu. Toutefois, l'âme en avait décidé autrement et elle s'est bien chargée de revenir me dire qu'il fallait que je parle à cet être cher. Plusieurs semaines après avoir vécu cette expérience, j'ai de nouveau senti la présence de l'âme dans une méditation et j'ai ressenti que le moment était maintenant venu de livrer le message. Après ma méditation, les doutes et l'angoisse sont revenus au galop en repensant à l'absence de confirmation. J'ai donc de nouveau demandé la validation, mais cette fois en rêve pour être certaine de ne pas être distraite par mon mental. J'ai reçu une double confirmation, car j'ai fait deux rêves avec le symbole que j'avais demandé. Cette fois, je ne pouvais plus douter! Pourtant, mon mental ne se résolvait pas à passer à l'action ayant de la difficulté à accepter cette divergence de taux vibratoire inexplicable en fonction de ses références.

Dans cette lutte très inconfortable entre le mental, qui ne veut pas, et le cœur, qui pousse à agir, je suis retournée dans l'espace du cœur pour «être» à nouveau en contact avec ce ressenti. Alors tout est devenu limpide. Comme l'expérience s'est déroulée autrement, mon ressenti fut tout à fait nouveau. Expérience unique, taux vibratoire unique! Voilà qui était si simple! J'ai alors pu livrer le message en toute confiance, sachant avec certitude que c'était là la volonté de mon interlocuteur.

Parmi les éléments influençant le ressenti, il y a notre propre taux vibratoire. Plus nous élevons nos vibrations, plus nous pouvons recevoir des messages de grande intensité. Notre cœur est un réceptacle. Pour accueillir, il doit s'ouvrir et son degré d'ouverture détermine sa capacité d'accueil. Mais ce degré d'ouverture varie au gré de notre émotivité, de notre enracinement et de notre centration. Il n'est donc jamais égal, surtout jamais acquis. Cette ouverture est en constante mouvance. Elle suit le rythme du cœur. Tout comme les gouttes d'eau qui s'infiltrent dans le sol laissent leur marque et finissent par creuser un sillon de plus en plus large, les expériences vibratoires élargissent également notre champ énergétique. Cependant, ce sillon doit être alimenté pour ne pas se refermer. La fréquence des communications aide à maintenir l'ouverture et elle en favorise l'approfondissement sans être pour autant synonyme de profondeur systématique. Il est important de mentionner que ce n'est pas parce que nous communiquons souvent avec les plans supérieurs que nos communications seront plus profondes. La profondeur provient d'un état de centration et non pas de la fréquence. Elle requiert un niveau d'abandon auquel il est parfois difficile d'accéder, particulièrement lorsque l'émotivité est grande. Par contre, plus nous installerons des moments d'intériorisation fréquents dans notre routine de vie, moins l'émotivité nous perturbera. Alors, si la fréquence n'est pas un gage de profondeur, elle en est cependant un d'équilibre et d'harmonie, lesquels favorisent l'état de profondeur.

Ici encore, nous revenons à l'état d'être. Notre réceptivité dépend de notre état d'être, de ce que nous sommes dans le moment présent. La communication avec les plans supérieurs se vit dans l'ici-maintenant et ne peut donc jamais se comparer à une autre. Chaque moment passé en communion avec l'au-delà recèle ses propres trésors d'information. Il ne sert à rien de tenter de comprendre cette dernière en la comparant avec les autres communications déjà reçues. Cela équivaudrait à tenter de savoir pourquoi les battements de notre cœur se sont intensifiés en embrassant notre premier amoureux et pourquoi nous avons eu la tête qui tournait avec le deuxième. Cela prouve-t-il que nous aimions plus un que l'autre ou que dans un cas, c'était de l'amour et dans l'autre non? C'est dans l'observation du ressenti éprouvé dans le moment présent, dans cet état d'être, que toutes les réponses se trouvent. Un état d'être ne peut se mesurer à un autre état d'être, car chacun d'eux «est» tout simplement sans étiquette, sans qualificatif. Aucune communication n'est vécue pour être comparée à une autre. Elles nous proviennent pour nous élever, pour nous permettre de prendre contact avec notre essence pure. Elles sont un continuel «présent», jamais un passé à classer.

Pour vivre librement des communications avec les plans supérieurs et surtout pour y trouver un sens lorsque celui-ci ne se révèle pas à première vue, retournons dans le moment présent, dans l'espace du cœur où toutes les réponses se trouvent ou plutôt se ressentent.

Unicité des communications (résumé)

1. Chaque communication est unique et nous procure un ressenti particulier.

2. Selon le degré de centration et selon l'intensité nécessaire au message, le ressenti variera. Mais que ce ressenti soit extrêmement fort ou très minime ne change rien à l'existence même de la communication.

3. Il est absolument important de ne pas établir de corrélation systématique entre le ressenti et le niveau vibratoire de notre interlocuteur.

4. Outre le taux vibratoire propre à notre interlocuteur, plusieurs autres facteurs influencent le ressenti durant la communication :

- le mode de communication employé;
- l'intensité de l'émotion ou la profondeur du message que notre interlocuteur désire transmettre;
- l'influence de notre guidance ou des autres participants à cette communication;
- notre propre taux vibratoire.

5. Plus nous élevons nos vibrations, plus nous pouvons recevoir des messages de grande intensité.

6. La fréquence des communications aide à maintenir l'ouverture et en favorise l'approfondissement sans être pour autant synonyme de profondeur systématique.

7. Chaque moment passé en communion avec l'au-delà recèle ses propres trésors d'information; c'est dans l'espace du cœur que le sens se révèle.

Validation

Cette étape de la compréhension de la communication m'amuse beaucoup, car elle est remplie de surprises et d'émerveillement. C'est ici qu'il nous est possible de vérifier à quel point la vie est grande et empreinte d'amour et de joie. La validation, c'est une requête que nous adressons à notre âme, à notre guidance ou à l'âme qui tente de nous joindre pour savoir si nous avons bien compris le message ou ce qu'elle nous demande d'exécuter pour elle. Il arrive très souvent que cette validation nous parvienne sans même avoir été demandée ou plutôt sans l'avoir officiellement verbalisée. Il est important de savoir que cette dernière phase n'est pas absolument nécessaire. Certaines personnes ne font jamais cette vérification finale, mais elle est très rassurante pour les individus qui, comme moi, sont des «douteurs professionnels». Elle aide à faire taire définitivement le mental cartésien. J'ai longtemps lutté contre cette nature en tentant de me fier uniquement à mon ressenti, mais j'ai dû me rendre à l'évidence : j'allais à l'encontre de ma personnalité. Ce qui était loin d'être aidant pour calmer mon mental. J'ai donc observé ce qui lui permettait de déposer les armes afin de vivre plus aisément l'intégration de la communication dans mon quotidien. Cette observation m'a permis de voir que lorsque mon mental recevait une confirmation extérieure, il s'apaisait enfin. Il pouvait alors accueillir la beauté de la communication et me permettre de la transmettre ou de la terminer en paix. Une intégration systématique de l'étape de validation s'imposait donc à moi après chacune de mes communications. Avec l'usage, j'ai ensuite constaté tous les bienfaits de cette dernière étape, qui permet de décanter l'expérience de communication et de confirmer le rôle à y jouer.

Qu'est-ce que la validation et quelle forme peut-elle bien avoir? En fait, la validation est ce petit signe de jour ou de nuit ou cette voix intérieure qui nous confirme notre compréhension du message et ce que nous devons en faire. Elle est toujours basée sur une question précise; la réponse permettra de poursuivre une action ou de clore la communication avec certitude. Il n'y a pas nécessairement une forme particulière pour la validation. Elle s'utilise selon ce que nous croyons être approprié pour nous. Une personne pourrait demander de recevoir constamment un même signe, par exemple celui qui correspond à son symbole fétiche. En voyant la représentation de son porte-bonheur dans un magazine ou dans les nuages ou même dans sa soupe, cette personne éprouve un ressenti particulier et elle comprend qu'il s'agit là de la confirmation attendue. En ce qui me concerne, l'étape de validation diffère toujours. Après chaque communication, je vais dans l'espace du cœur et je pose une question relative à cet échange. Je me demande toujours quelle serait la confirmation appropriée qui me fera trouver la certitude que je cherche alors. Ainsi, la forme de validation diffère d'une communication à l'autre. Parfois, c'est un mot qui doit m'être envoyé par un messager (une personne, un livre, la radio, etc.), d'autres fois, c'est une chanson, une image ou un thème spécifique. Cette diversification met du piment dans ma vie, car sa manifestation est toujours surprenante et inattendue. En voici quelques exemples.

Tintin et compagnie

Après avoir reçu une communication assez intense avec une âme qui venait de franchir l'autre monde, je me demande si je dois transmettre les propos échangés à sa famille et, en l'occurrence, à qui, car au cours de notre échange, nous n'avons pas abordé ces deux questions [Pour mieux comprendre le contexte dans lequel je me trouve alors, il est important de souligner que je n'ai jamais rencontré auparavant l'âme qui est venue me visiter ni sa famille, mis à part une personne que je ne connais pratiquement que de nom. J'ai été informée de ce décès par une de mes amies, proche également de cette famille éprouvée. Cette amie m'a alors demandé s'il m'était possible d'être à l'écoute de l'âme en transition.].

Pour ne pas commettre un impair, il me semble donc préférable d'obtenir une validation, mais je ne sais pas trop quelle confirmation demander. En me centrant, il me vient alors la suggestion de requérir un signe ayant rapport avec les personnages de la bande dessinée *Tintin*. Immédiatement, je comprends qu'en ayant ce signe, il me faudra ensuite transmettre le message à celui dont je connais le nom, car ce symbole lui est cher. Ainsi, ce seul signe répond à mes deux questions. Comme à l'habitude, lorsque je demande une confirmation, je fais confiance et je lâche prise en me disant que si elle doit venir, je le saurai. J'amorce donc mes activités quotidiennes sans être aucunement préoccupée par Tintin et compagnie. Toute la journée défile et rien de spécial ne se manifeste si bien que j'oublie complètement la demande effectuée le matin.

En soirée, je participe à une réunion d'un comité de parents pour l'organisation de la fête d'Halloween à l'école de mes enfants. Durant toute la réunion, nous discutons de sorcières, de citrouilles, de chats noirs et de fantômes. La rencontre tire à sa fin; nous avons pratiquement complété le programme de cette fête quand, soudain, une maman s'exclame : «J'ai une idée! Pourquoi ne ferions-nous pas une fête différente cette année? Nous pourrions utiliser le thème annuel (les pays) pour que chaque niveau se déguise avec des éléments qui caractérisent son pays afin de le faire connaître aux autres niveaux. La Belgique, par exemple, pourrait utiliser les personnages de Tintin et Milou…». La dame continue de parler, mais moi, je n'entends plus rien. Mon cœur s'est mis à vibrer à toute allure en entendant les mots *Tintin et Milou*. Ma réponse vient d'arriver… à un moment réellement inattendu. Je sais ce qu'il me reste à faire.

Une présence à l'écran

Je travaille à l'ordinateur lorsque quelque chose attire mon attention à la surface de l'écran. Ce sont des marques de doigts. Mes enfants se sont servis de l'ordinateur et ils ont manifestement pointé des images. Ils ont laissé très «moitement» leurs traces… Je reviens au travail que j'avais commencé en me disant que je passerai un linge plus tard. Toutefois, je n'arrive plus à me concentrer sur le texte que je dois écrire. Je ne vois que les marques, comme si elles prenaient une dimension. J'ai beau essayer de me concentrer, je ne vois qu'une bande au centre de l'écran et elle me fait penser à une cravate dont le nœud serait un peu tordu. Plus j'observe ces marques de doigts, plus elles prennent forme. Oui, elles ont réellement l'allure d'une cravate. Soudainement, je sens une présence, un appel à l'aide. Une âme désire me parler. Je ferme les yeux et je me centre un moment. Je revois le nœud de cravate, mais cette fois, il est autour du cou d'une personne. C'est un suicidé qui tente de me parler, j'en suis certaine! À ce moment, l'image que je vois dans mon troisième œil se transforme et le nœud de cravate devient une corde. Cette âme s'est pendue, je le sens. Je l'entoure de Lumière et je lui parle un moment. Puis je lui demande de s'identifier si elle le juge opportun. Mais je ne reçois aucune information à ce sujet. Je l'entoure à nouveau de Lumière, puis sentant un apaisement j'ouvre les yeux. Il m'est à nouveau possible de travailler, mais à l'occasion, la vision du nœud de cravate revient et chaque fois, j'ai une pensée pour cette âme sans trop savoir si mon ressenti est exact. Je suis très intriguée par cette vision.

Deux jours plus tard, une amie m'appelle. Elle m'a laissé un message sur mon répondeur la semaine dernière sans préciser la raison de son appel. Comme j'étais surchargée de travail et que je croyais que c'était probablement pour aller prendre un café, j'ai tardé à la rappeler. Cette fois, je réalise que j'aurais dû le faire plus tôt, car elle est dans un état de tristesse profond. Elle m'apprend le décès subit de son frère. Elle aimerait qu'on se voie pour en discuter. Je ressens là une urgence. Il y a quelque chose qui la pertube et qui ne peut attendre à cette rencontre. Je me sens poussée à lui demander ce qui la trouble ainsi. Dans un sanglot étouffé, elle me dit alors que son frère s'est suicidé. Spontanément, les images du nœud de cravate réapparaissent à mes yeux et toutes les cellules de mon corps se mettent à s'agiter. En guise de confirmation, je lui demande alors comment il s'était suicidé. «Il s'est pendu», me répond-elle. Avec conviction, je dis : «Je le savais!». Mon amie me demande alors des explications et je lui raconte comment j'ai été en contact avec l'âme de son frère. Grâce à ce coup de fil, cette âme est venue répondre à ma requête d'identification et elle a aussi confirmé mon ressenti.

Un acte de foi

Un matin, après avoir fait une visualisation, je formule une demande pour m'indiquer si l'objet de cette visualisation est approprié pour moi en sachant que la réponse viendra. J'entame ma journée et j'ai une discussion avec mon conjoint au sujet des projections financières de la famille; celles-ci sont directement reliées à cette visualisation. Il est clair qu'à court, moyen et même long terme, la matérialisation de celle-ci n'est pas envisageable. Je suis un peu déçue, car ce n'est pas là le signe que j'attendais. Une voix intérieure me dit alors : «Sylvie, fais confiance. Ceci n'est qu'un exercice de foi. Si tu y crois, cela se manifesteras et plus merveilleusement que tu ne l'as vu tantôt.» Parfait ! Alors je ne me laisse pas déstabiliser par les chiffres au compte bancaire et je garde à l'esprit la réalisation possible de cette visualisation. À peine cinq minutes plus tard, une amie me téléphone pour me demander de lui donner le titre d'un livre sur l'abondance que j'ai suggéré la veille à une autre amie. En jasant, un ressenti de joie s'installe en moi. Voilà, c'est ma réponse! J'ai devant moi tous les ingrédients pour manifester ma foi en l'abondance et en ma force créatrice. Pour que ma visualisation puisse prendre forme, il faut que j'y crois très fort, malgré les apparences.

Chacun de ces exemples démontre, au fond, que c'est la question implicite ou explicite qui compte. Lorsque la réponse à cette question arrive, on la reconnaît toujours, que nous demandions un signe particulier pour la comprendre ou non. C'est le ressenti du cœur qui nous le fait réaliser. Inévitablement, une vibration s'installe dans notre corps et elle ne peut passer inaperçue, car il s'agit de la joie pure, une joie réellement profonde, inexplicable et si soudaine. C'est la joie de notre âme qui est si heureuse de ce contact. Il n'y a donc pas lieu de s'inquiéter. Lorsque la réponse arrive, non seulement nous le savons, mais nous le ressentons dans notre corps tout entier. La vie nous réserve aussi des surprises, car il arrive que la réponse ne soit pas celle demandée. Comment pouvons-nous alors la reconnaître? me direz-vous. Par le ressenti! Nous sommes portés à croire qu'un autre signe pourrait apporter plus de confusion que de clarté, mais il n'en n'est rien. C'est toujours la manifestation qui se produit dans notre corps qui attire notre attention et qui nous donne la réponse, même si cette dernière n'est pas celle attendue. Il s'agit là d'une excellente pratique de détachement, d'acceptation et de confiance en notre ressenti, souvent empreinte d'humour, comme si l'âme voulait nous dire par ce clin d'œil : «Alors là, je t'ai eu(e)!». Les validations sont très souvent l'occasion pour les âmes de rigoler un moment avec nous. Par ce contact joyeux, nous touchons un brin d'éternité. Voilà pourquoi je les aime tant!

Afin d'éviter que la validation se perde dans tous les stimuli du quotidien, il est souhaitable, bien que non obligatoire, de mettre une date butoir pour la recevoir. Cela nous évite d'être aux aguets des jours durant et nous empêche de tomber dans l'obsession en voulant être trop attentifs. Par exemple, nous pouvons demander de recevoir cette validation dans un délai de vingt-quatre heures. Ensuite, nous pouvons vaquer à nos occupations, sachant que la réponse nous parviendra si besoin est. Eh oui! il arrive que la validation ne se présente pas dans le délai imparti! Pourquoi? me direz-vous. Les réponses à cette question sont nombreuses. Il se pourrait que notre demande de validation ne soit pas clairement énoncée. Il est alors difficile d'envoyer une réponse. C'est donc quelque chose que nous pouvons immédiatement vérifier. Si c'était le cas, nous pouvons alors reformuler la demande d'une manière plus compréhensible. Il se pourrait aussi que ce soit la compréhension de la communication qui porte à confusion. Voyant que nous n'avons pas réellement saisi ce qu'elle voulait dire, l'âme s'y prendra autrement pour arriver à ses fins. Alors elle ne validera pas notre question. Quand le message nous paraît confus, il est important de questionner l'âme pour qu'elle nous offre des éclaircissements. Bien que nous n'ayons pas toujours besoin de comprendre le message lui-même lorsqu'il ne nous est pas adressé, il est important de saisir au moins les mots ou les images justes que l'âme entend transmettre. Ce n'est pas parce qu'il s'agit d'une communication subtile que toute demande de précision est prohibée. Au contraire! Il en va de notre responsabilité de messager de requérir des consignes claires de manière à respecter les volontés de notre interlocuteur.

Que faire?

L'âme d'un ami entre en contact avec moi. Elle me raconte qu'elle vit un moment de grande tristesse et m'explique les motifs qui se cachent derrière cette peine, si grande que son corps physique en est malade. Après la communication, je ne sais pas trop quoi faire avec cette conversation subtile. Cet ami est encore incarné et il est effectivement malade. Il m'est possible de lui téléphoner et de lui parler de ce que je viens de vivre, mais j'aurais alors l'impression de m'immiscer dans sa vie privée. Après tout, il ne m'a rien demandé; sous quel prétexte puis-je débarquer ainsi dans sa vie? D'un autre côté, je me sens coupable, car s'il connaissait les motifs que son âme m'a révélés, il pourrait mieux comprendre la situation, cesser d'être triste et peut-être même guérir. Je reste un moment à tergiverser avec ces deux options et leurs conséquences. Puis, ne pouvant trouver le réconfort dans aucune d'elles, je reviens dans l'espace du cœur et je demande clairement : «Est-ce que je dois entrer en contact avec cet ami pour lui faire part de cette communication?» Spontanément, un très fort NON intérieur s'exclame. Puis, une compréhension s'installe. Cette âme n'a pas pris contact avec moi à titre de messagère, mais à titre de confidente. Elle avait besoin de parler et elle a trouvé mon âme pour l'écouter. Je sais maintenant à quoi m'en tenir, mais il me sera bien difficile d'être de nouveau face à face avec cet ami en taisant ces informations, surtout s'il me parle de sa santé. Afin de m'aider à respecter cette grande discrétion, j'invoque toute la force de ma guidance pour m'aider à rester bouche cousue. Étrangement, chaque fois que je suis en présence de cet ami, j'oublie réellement cette communication. Rien de ce qui a pu s'y dire ne revient à ma mémoire. On a beau parler de santé ou des raisons qui le rendent encore triste, on dirait vraiment que ma mémoire défaille, mais seulement en sa présence... C'est souvent bien longtemps après la rencontre que j'en prends conscience.

Le silence peut donc être un motif qui explique que l'âme ne désire pas que nous parlions de cette communication à qui que ce soit. Elle s'est confiée à nous sans autre attente ou parce qu'elle savait que nous saurions être discrets. Bien que les âmes nous interpellent souvent pour les aider à transmettre un message, cela n'est pas toujours le cas. En conséquence, la livraison du message n'est pas une recette infaillible à suivre. Il est donc important, à mon avis, de toujours vérifier les intentions de l'âme à ce sujet. L'absence de confirmation pourrait aussi indiquer une fermeture du côté du destinataire. Nous n'avons pas à faire irruption dans sa vie pour le forcer à écouter ce qu'une âme veut lui dire. Là aussi, nous pouvons demander une validation à l'âme du destinataire afin de nous assurer que cela est approprié pour elle. Il se peut aussi que ce soit une question de temps. L'âme prend contact avec nous à titre de messager, mais elle seule connaît le moment approprié pour livrer le message; alors la confirmation demandée ne se présente pas dans le délai attribué, mais elle se produira plus tard. Donc, les raisons pour ne pas les recevoir sont nombreuses et nous n'avons pas toujours à en connaître l'explication. Il importe beaucoup plus de faire confiance à la voix de notre cœur, laquelle saura nous informer si cela est nécessaire.

Enfin, il arrive parfois qu'une âme nous demande de l'aide et nous donne des informations utiles pour aider un de ses proches, mais elle ne veut pas nécessairement que ces informations lui soient directement données. En gros, elle nous demande d'être un messager subtil pour que le message passe mieux. Nous agissons souvent ainsi sur Terre lorsque nous sommes en brouille avec une personne. Si nous jugeons qu'une information pourrait servir à dénouer une impasse avec elle, nous passons souvent par un intermédiaire pour donner cette information, car la personne risque de se fermer totalement à cette explication si c'est nous qui la lui offrons. En s'empressant de révéler au destinataire que nous avons reçu une communication d'une âme, notre apport sera comme de l'huile sur le feu, et au lieu d'aider l'âme, nous aggraverons la situation. La validation nous permet d'être fixés et de savoir quel rôle l'âme nous demande de jouer : celui d'un messager direct ou un habile intermédiaire.

Il est aussi important de dire que la validation est une action que nous pouvons utiliser en tout temps, avec notre âme comme avec celle des autres, qu'elles soient incarnées ou non. Elle nous permet de vérifier si les actions que nous nous apprêtons à poser vont dans la direction souhaitée par notre âme ou par les âmes qui en sont concernées. Valider, c'est prendre le temps de mesurer notre action et s'assurer qu'elle sert bien l'âme et non l'ego. Il n'y a que dans l'espace du cœur que cette certitude peut se vivre. C'est une étape qui permet d'agir de manière posée, car nous sommes souvent très enthousiastes après un contact avec les plans subtils et il est très tentant de nous empresser de partager cette expérience, surtout avec la personne concernée. Cependant, comme dans notre quotidien où il faut parfois se tourner la langue avant d'énoncer quelque chose, la communication avec l'âme requiert également la maîtrise de nos élans pour demeurer dans le respect et la compassion.

Validation *(résumé)*

1. La validation est une requête que nous adressons à notre âme, à notre guidance ou à l'âme qui tente de nous joindre pour savoir si nous avons bien compris le message ou ce qu'elle nous demande d'exécuter pour elle.

2. Elle se manifeste par un petit signe de jour ou de nuit ou par notre voix intérieure qui nous confirme notre compréhension du message et ce que nous devons en faire.

3. Il n'y a pas nécessairement une forme précise pour la validation. Elle s'utilise selon ce que nous croyons être approprié pour nous.

4. C'est la question implicite ou explicite qui compte.

5. Lorsque la réponse à cette question arrive, on la reconnaît toujours d'une manière ou d'une autre, que nous demandions un signe particulier pour la comprendre ou non. C'est le ressenti du cœur qui nous le fait réaliser.

6. Il est souhaitable, bien que non obligatoire, de mettre une date butoir pour recevoir la réponse demandée. Cela nous évite d'être aux aguets des jours durant et nous empêche de tomber dans l'obsession.

7. Parfois, la validation demandée n'a pas lieu parce que:

- la question posée manque de clarté;
- la communication nous apporte de la confusion;
- la communication est une confidence;
- le moment n'est pas encore venu de livrer le message;
- la source de l'information ne doit pas être révélée.

8. Valider, c'est prendre le temps de mesurer notre action et s'assurer qu'elle sert bien l'âme et non l'ego.

Section 13

Comment devenir un phare pour l'âme en détresse?

Mot d'enfant

Regarde dans l'eau,
il y a une grenouille sur un mini-phare!

Wagon de la vie

La vie de l'âme est à l'image d'un long voyage. À l'occasion, nous prenons un train pour défiler sur les rails de l'incarnation afin d'y découvrir, au gré des plus vastes contrées, des apprentissages jugés nécessaires par notre âme. Chaque wagon possède en lui-même ses caractéristiques, son bagage et sa position unique. Nous avons toujours le choix d'embarquer dans l'un d'eux ou de rester sur le quai de la gare. En acceptant ce voyage, nous avons aussi le choix de tirer profit de tout ce qui nous est alors offert ou de nous isoler dans notre cabine en attendant longuement la fin du périple. Une chose est absolument certaine, c'est que si nous sommes actuellement dans l'un de ces wagons, il s'agit d'une décision pleinement mûrie par notre âme et non le fruit d'un destin hasardeux. Pourtant, il nous arrive en cours d'incarnation de nous demander ce que nous faisons ici-bas et pourquoi nous faisons face à tant de difficultés. Isolés dans notre wagon, la traversée d'un apprentissage est si longue parfois que nous n'arrivons plus à voir la lumière au bout du tunnel. Sans contact avec l'extérieur, le voyage nous semble pénible, voire intolérable. Si cette douleur pousse certains à sortir de l'isolement pour trouver réconfort et appui parmi leur entourage, d'autres choisissent plutôt de quitter le train même s'il est encore en marche. Pour arriver à comprendre le geste du suicide, il y aurait beaucoup à dire et il serait hors propos d'étayer de long en large ce phénomène. Il m'apparaît cependant important d'en glisser un mot pour arriver à comprendre comment nous pouvons utiliser la communication avec les plans supérieurs pour obtenir des réponses à nos questions. Cette compréhension peut être aidante pour faciliter le deuil des âmes incarnées et également pour soutenir le passage difficile de l'âme qui a choisi de quitter le plan terrestre de cette manière.

Pourquoi est-ce un «passage difficile»? Notre libre arbitre nous permet de faire tous les choix, y compris celui d'interrompre notre incarnation. Toutefois, la première chose à dire au sujet de cet ultime choix[17], c'est que l'âme ne gagne rien à opter pour cette solution, car son but principal est d'apprendre à se reconnaître comme une divinité et à vivre cette divinité dans la matière. Ainsi, chaque incarnation nous apporte l'occasion de peaufiner un peu plus notre niveau de conscience et d'amour inconditionnel et devient un haut lieu d'expérimentation et de perfectionnement. Avant de nous incarner, nous nous fixons des objectifs d'apprentissage visant à transcender certaines difficultés éprouvées dans des vies précédentes. Nous venons avec une intention précise et tout ce qui se présente à nous pendant l'incarnation vise à matérialiser cette intention. Une fois que nous sommes incarnés, notre libre arbitre nous permet de contourner cette difficulté toute notre vie. Nous éprouverons alors beaucoup d'insatisfactions et de frustrations, car en repoussant ainsi l'apprentissage, l'intelligence divine se hâte de mettre en place d'autres occasions d'apprendre cette leçon en nous acculant un peu plus au pied du mur chaque fois. Cela nous donne l'impression que la vie s'acharne sur notre sort ou que nous sommes pris dans un engrenage sans fin. Ces impressions ne sont au fond qu'un signal d'alarme qui nous est lancé pour que nous cessions de fuir. Elles sont un appel de notre âme à l'écouter enfin pour clore l'apprentissage.

Dès que la leçon est intégrée, les scénarios répétitifs cessent et un sentiment de bien-être s'installe. Une compréhension nouvelle nous apparaît. Nous réalisons alors que la résistance est tellement plus exigeante que l'effort requis par l'apprentissage même. En y regardant bien, contourner cette difficulté toute notre vie ou choisir de quitter le plan terrestre pour ne plus avoir à y faire face revient à une perte de temps incroyable pour l'âme puisqu'elle venait justement pour régler cette situation ou à tout le moins, s'outiller davantage par rapport à celle-ci. L'apprentissage non effectué devra inévitablement être repris!

Il m'apparaît fort utile d'apporter ici une précision pour que cessent les visions très limitées qui sont véhiculées à propos du

17. M. Bolduc, *L'Ultime choix : le suicide vu par les yeux de l'âme*, le Dauphin Blanc, 2006.

suicide. Plusieurs parlent en effet des suicidés comme des âmes en peine qui errent dans le bas astral jusqu'à la fin des temps en n'ayant rien d'autre à faire que de regretter leur geste. D'autres prétendent que les âmes des suicidés doivent se réincarner immédiatement sans délai pour reprendre l'apprentissage raté, ou encore que ces âmes sont condamnées à souffrir énormément pour expier ce geste de s'être enlevé la vie. Ces visions des suicidés m'apparaissent être bien sombres et totalement opposées à l'amour inconditionnel qui supporte tout le grand principe de la Vie. Comment, en effet, pourraient-elles être justes? En application de quelle loi divine pourrait-on condamner ainsi une âme pour l'éternité? À quoi peut bien servir le libre arbitre si l'âme doit être châtiée pour en avoir fait usage? Où se trouve l'Amour inconditionnel lorsqu'on parle d'imposition de peine ou de réincarnation automatique?

Cet Amour inconditionnel qui soutient le grand mouvement de la Vie ne condamne ni n'exclut jamais. Les suicidés ne sont tout simplement pas punis pour avoir posé ce geste puisqu'il n'y a pas de principe de punition selon les grands principes de la Vie qui nous régissent et qui régissent l'Univers tout entier. Tout système punitif équivaudrait à juger et à condamner. Aucun endroit n'est réservé spécifiquement aux suicidés et le temps de passage n'est pas déterminé à l'avance. Tout cela serait contraire à ce pouvoir de choisir qui nous est offert. C'est plutôt l'état vibratoire de l'âme, ses connaissances et son ouverture de conscience qui déterminent ce qui se passera pour elle après le passage de la mort, par suicide ou autrement. Bien qu'il n'y ait aucune punition, aucun jugement ni aucun châtiment, il ne faudrait pas y voir là une échappatoire pour autant. Les suicidés qui choisissent cette voie sont persuadés de résoudre ainsi leurs difficultés, mais une surprise de taille les attend. De l'autre côté, il n'y a rien de changé et ils vivront dans le même état émotif qu'ils étaient ici-bas. Ce n'est que la conséquence naturelle du grand principe de la Vie qui veut que tout ce qui est en bas est identique à ce qui est en haut et vice versa. La mort du corps physique ne nous transforme pas. Nous restons essentiellement ce que nous étions sur la Terre. Et ce principe vaut pour tout le monde, pas seulement pour les suicidés.

Après avoir quitté la Terre, nous demeurons intacts, sans changement autre que celui que la disparition du corps physique provoque. Nous apportons pour seuls bagages nos connaissances acquises, notre expérimentation et nos états émotifs. Ainsi, il est impossible de fuir la peine, la souffrance intérieure, la colère, la haine, la culpabilité, la frustration, les sentiments d'injustice, d'abandon, de trahison ou de rejet. Ils font partie de nous et nous les amenons avec nous sur les plans célestes. Voilà pourquoi certains disent que le suicidé se trouve dans un lieu sombre, parce qu'il laisse le plan terrestre dans un état de très basses vibrations liées à son émotivité. Il m'apparaît ici important de donner une autre précision. Il n'y a pas que les suicidés qui ont le cœur lourd en fin d'incarnation. De l'autre côté du voile, ce n'est pas la manière dont nous sommes morts qui détermine le niveau vibratoire où nous graviterons, c'est l'ensemble de ce que nous sommes comme «êtres» en fin d'incarnation qui en décide. Ainsi, tout ce que nous avons appris dans ce dernier passage, notre vécu, notre ouverture de cœur, notre émotivité, nos peurs et nos angoisses forgent le niveau vibratoire que nous aurons une fois le passage de la mort franchi. Le suicide ne fait qu'ajouter une difficulté supplémentaire à cela : celle de devoir passer à travers la culpabilité qu'apporte ce geste. Vu d'en haut, l'âme réalise en effet l'impact de son geste, tant pour elle que pour les être chers qu'elle a côtoyés sur Terre. Elle doit faire preuve d'énormément d'amour et de compassion envers elle pour arriver à se pardonner et ainsi à sortir des basses vibrations de la culpabilité. Comprenant cela, il est donc impossible d'attribuer un niveau vibratoire spécifique à qui que ce soit puisque aucune âme ne possède le même bagage de vie ni la même ouverture de conscience qu'une autre. Il est aussi impensable d'imposer à tous les suicidés un temps de réincarnation déterminé puisque le libre arbitre exige que l'âme accepte son incarnation. Cela irait donc à l'encontre de ce principe.

Cela dit, nous pouvons voir que la cause du suicide est une interruption de contact entre les plans supérieur et inférieur. L'âme n'arrive plus à être le pont entre la Lumière et la matière. Il n'y a plus de lumière au bout du tunnel, et rien de ce que la matière nous propose ne nous semble aidant pour rallumer notre petite flamme intérieure. En fait, chaque fois que nous nous sentons submergés ou sur le point de l'être ou encore que nous sentons un de nos proches sombrer ainsi, il faut y voir un signal de détresse. C'est un S.O.S. lancé par l'âme pour nous avertir que la communication est rompue et qu'une embarcation va bientôt couler. Cet appel de l'âme, qui passe très souvent par des émotions négatives intenses, veut nous inciter à sauver notre navire ou celui d'un proche. Elle nous indique que, droit devant, un iceberg s'avance et qu'il vaudrait mieux changer de cap. La plupart du temps, ce signal d'alarme n'est compris que très longtemps après avoir heurté la banquise. Le choc est parfois fatal, faisant de notre corps physique une épave. Parfois, la collision nous garde pendant un moment dans un état léthargique et ce n'est que lorsque nous commençons à rafistoler la coque que nous revient en mémoire cet appel de détresse que nous avions jadis reçu.

Cela prend trop souvent un choc violent pour nous sortir de la noirceur, car l'impact a pour effet de nous forcer à regarder ailleurs pour voir poindre la Lumière, si petite soit-elle. Cette Lumière provient de l'âme qui rayonne l'énergie des plans supérieurs. C'est par le regard de l'âme que la vie dans la matière s'anime et prend son sens. Sans le regard lumineux du cœur, le regard humain offre bien peu de couleurs. Nos états dépressifs deviennent donc des indications du niveau de notre déconnexion d'avec notre cœur. Il faut donc agir sur eux dès qu'ils se font ressentir. Même passagers, ils indiquent que nous nous éloignons de notre centre. Nous devrions donc être très attentifs aux messages que ces états nous livrent. Lorsque nous réalisons que nous vivons un moment de dépression, il importe d'agir pour retrouver rapidement notre harmonie. Une marche dans la nature est un excellent antidote à la déprime et elle le sera davantage si elle est effectuée dans la conscience du moment présent. Les éléments de la nature servent à nous enraciner, consciemment ou inconsciemment. À défaut de l'aide de la nature, un exercice de centration ou de respiration saura aussi nous «reconnecter» avec notre espace intérieur, notre Lumière.

Les personnes découragées et déprimées sont nombreuses dans cette société individualiste dans laquelle nous vivons. Il existe heureusement de nombreux services professionnels et de nombreux organismes pour aider ces personnes à traverser les difficultés rencontrées. Néanmoins, lorsqu'un ami, un membre de la famille ou un collègue de travail vit des moments difficiles, nous éprouvons de l'impuissance quant à sa souffrance. Nous aimerions l'aider. Certes une présence réconfortante et une écoute attentive sont des apports précieux que nous pouvons lui offrir. Maintes fois, il nous arrive de nous demander si nous pouvons faire quelque chose de plus. En utilisant les informations du chapitre P, nous pouvons devenir un phare pour les âmes qui nous entourent et qui vivent des moments émotifs intenses. Nos prières peuvent servir de balises qui pourront peut-être leur éviter de s'échouer sur un écueil. De la même manière, elles peuvent soutenir une âme qui a décidé de quitter le wagon. Prise dans le tourbillon d'énergie négative qui l'a incitée à sortir du train et envahie par la culpabilité qu'elle éprouve ensuite, elle a réellement besoin d'être soutenue, d'être écoutée, si elle désire nous parler, et d'être encouragée à s'élever. Tout l'Amour et la Lumière que nous pouvons lui transmettre seront assurément un baume apaisant. Elle a besoin plus que jamais de se sentir entourée et aimée pour à nouveau voir briller la lumière en elle. Cela est un présent inestimable pour cette âme en difficulté. Il l'est aussi pour nous, en nous faisant toucher un brin d'éternité et d'immensité de la Vie, elle nous remplit ainsi de compassion pour cette âme qui retrouve peu à peu le chemin vers elle-même.

Annie et Jérémie

Liés d'amitié depuis un moment, Annie et Jérémie partagent leurs expériences et ils sont complices des joies et des peines que chacun traverse au quotidien. Ils se confient l'un à l'autre. Outre quelques moments de découragement, Jérémie n'a cependant jamais laissé transparaître ses idées suicidaires. Après quelques jours sans nouvelle de Jérémie, Annie s'inquiète, car cela est tout à fait inhabituel. Elle sent au plus profond d'elle qu'il s'est passé quelque chose de grave. Son ressenti lui est confirmé lorsqu'on l'appelle pour lui annoncer la mort de Jérémie. Immédiatement, Annie entame une conversation subtile avec Jérémie, qui se poursuivra au fil des jours et des mois. Après ce coup de fil déstabilisant, elle lui dit :

«Écoute, Jérémie, ton corps physique est mort, mais tu es toujours vivant et tu vas poursuivre ton chemin et aller vers ta Lumière. Ta famille, tes amis et moi, nous avons de la peine, mais il ne faut pas que cela te retienne ou te fasse sentir coupable. Chacun de notre côté, nous devons transformer notre peine et notre tristesse en amour et c'est cet amour qui nous fera vivre dans la Lumière. Tu sais, cette expérience arrive aussi dans ma vie pour me faire avancer. Nous pouvons nous aider et nous accompagner pour traverser ces difficultés à traverser et cela nous fera grandir ensemble. Tu n'es pas seul, je suis avec toi. Maintenant que ton geste est posé, tu ne dois pas sombrer dans le découragement, mais continuer à avancer et à évoluer. Souviens-toi de chacun de tes pas ici-bas. Tu les as franchis avec beaucoup de courage, de persévérance et de détermination. Tu dois faire de même de l'autre côté. Là aussi, tu auras plusieurs étapes à franchir. Je serai là pour t'aider et tu peux toujours compter sur moi. Remplis-toi d'amour, de lumière et de pardon.

Je suis ton amie pour la vie éternelle et je ne t'abandonnerai pas.»

Après cette conversation, Annie se laisse aller à sa peine, mais celle-ci est vite interrompue par un appel téléphonique. Des amis l'invitent à souper, car ils viennent eux aussi d'apprendre la mort de Jérémie et ils ne veulent pas la laisser seule. Annie accepte l'invitation et, en route, elle réalise que ses amis demeurent tout près d'un endroit très symbolique pour Jérémie. Elle sent alors monter en elle la certitude que Jérémie lui parle par cette invitation, comme s'il lui répondait pour lui dire : «Tu as raison, on va s'entraider. Tu ne me laisses pas tomber eh bien! moi non plus, je ne te laisserai pas tomber. Un fort sentiment de confiance s'installe au plus profond de son être; Annie sait que Jérémie est là et que leur relation va dorénavant continuer sous une autre forme.»

Quelques jours après l'annonce du décès de Jérémie, alors qu'elle est installée devant l'écran de son ordinateur,

Annie découvre avec stupéfaction que le pseudonyme de Gustavo, un ami rencontré récemment par hasard, était «la vie continue». En voyant ce pseudonyme, Annie a la nette impression que Jérémie lui dit : «Annie, je suis encore là!». Elle s'empresse d'écrire à Gustavo pour lui raconter ce qu'elle vient de vivre. Elle n'est pas au bout de ses surprises, car, à son tour, Gustavo lui raconte que son père s'est suicidé plusieurs années auparavant. Estomaquée, Annie est maintenant convaincue que Jérémie lui parle à travers Gustavo. Ce dernier est une aide précieuse que Jérémie lui envoie pour discuter du suicide et surtout pour lui dire que la vie continue et qu'ils peuvent encore communiquer au-delà de la mort.

Les communications entre Annie et Jérémie se poursuivent donc encore. Ils se racontent leurs états d'âme. Jérémie dit souvent à Annie qu'il regrette de s'être suicidé et qu'il en éprouve beaucoup de peine. Il réalise qu'il devra revenir sur Terre pour réapprendre cette leçon, mais qu'il doit d'abord se pardonner d'avoir posé ce geste irréparable. Cette lucidité déconcertante permet à Jérémie d'être reconnaissant envers Annie pour tous les encouragements qu'elle lui offre et pour son soutien dans son apprentissage. En quittant le plan terrestre, Jérémie croyait qu'il serait mieux et que tout serait plus facile, mais il réalise que ce n'est pas le cas. Il vit les mêmes difficultés; heureusement, Annie est toujours là pour l'encourager et le supporter dans cette traversée. Tout lui sert à être fin prêt la prochaine fois qu'il reviendra sur Terre. Il sent aussi qu'il doit mettre ce savoir au service de ceux qui, comme lui, souffrent et n'ont plus l'énergie pour traverser les passages qui se présentent à eux. C'est par l'intermédiaire d'Annie qu'il veut apporter l'espoir et le réconfort.

De son côté, Jérémie offre également de l'aide à Annie. Lorsqu'elle en a besoin ou parfois lorsqu'elle ne s'y en attend pas, elle reçoit un signe et le ressenti qui l'accompagne ne lui laisse aucun doute quant à sa provenance. Par exemple, le jour de son anniversaire, Annie a reçu la carte de remerciements de la famille de Jérémie pour avoir assisté aux funérailles. C'est un beau clin d'œil de Jérémie pour dire à Annie : «Je n'ai pas oublié ta fête et j'en profite pour te dire merci!» Un autre jour, lors d'un voyage sur le bord de la mer, Annie cherchait des coquillages sur la plage et chacun d'eux lui a parlé de Jérémie qui, un an auparavant, avait foulé la même plage. Plus tard en soirée, Manuel, un ami, qui n'était pas du tout au courant de la symbolique des coquillages pour Annie, lui a offert un lot de coquillages et une barrette en coquillages tout à fait identique à celle que Jérémie lui avait offerte l'année d'avant. En regardant cette barrette, c'est toute la présence de Jérémie qui a imprégné Annie, comme si ce dernier venait lui dire un beau bonjour en passant. Ce petit «présent» l'a comblée de joie, car il contenait non seulement la gentille et la délicate attention de Manuel, mais également les sincères salutations de Jérémie.

Voilà un bel exemple d'aide que nous pouvons apporter à une personne suicidée en utilisant la communication subtile. Annie ne s'accroche pas à Jérémie, elle le pousse au contraire à avancer et à retrouver sa Lumière. Ses paroles d'encouragement et d'amour ne peuvent qu'insuffler une poussée d'énergie bénéfique à Jérémie. Il a besoin de cette aide et il remercie Annie en lui faisant de temps à autre des petits clins d'œil qui l'aident, elle aussi, à traverser ses difficultés. Pour Annie, la situation n'est pas plus facile. Elle a un deuil à faire, des incompréhensions à résoudre et une incarnation à vivre. Le suicide de Jérémie demeure une décision difficile pour elle qui aime tant la vie. Elle doit vivre au quotidien les conséquences qu'entraîne ce départ dans sa vie. Toutefois, la présence énergétique de Jérémie, leurs conversations télépathiques et les signes qu'elle reçoit de lui l'aident à trouver un sens à cet événement qui autrement demeurerait incompréhensible. À travers ce deuil, Annie a découvert cette possibilité bien installée en elle, celle de communiquer avec les âmes. Nul besoin de livres ni de formations. Tout ce dont elle a eu besoin, c'est d'écouter sa petite voix intérieure et son ressenti. Ce faisant, elle demeure en contact avec Jérémie et elle peut l'aider dans cette transition. Sans cet apport énergétique, Jérémie aurait peut-être été perdu ou, à tout le moins, plus embrouillé. Voilà l'ampleur du cadeau qu'elle lui a offert en communiquant avec lui et Jérémie lui en est très reconnaissant.

L'amour au-delà des frontières du temps et de l'espace est un atout précieux pour toutes les âmes, et la communication subtile en permet la transmission. Les âmes qui quittent le wagon de l'incarnation dans des états d'émotivité exacerbée ont réellement besoin que nous demeurions en contact avec elles pour les aider à franchir ce passage fort difficile qu'elles ont choisi. Sur Terre, lorsque nous posons un geste répréhensible, nous devons lui faire face, mais cette tâche sera facilitée si nous trouvons sur notre route des personnes qui nous offrent leur appui inconditionnel et leur écoute. Grâce à notre capacité d'entrer en communication avec les plans supérieurs, nous regorgeons de précieux outils pour porter assistance à ces âmes en détresse. Soyons donc à l'écoute pour découvrir comment nous pouvons le faire et ainsi intégrer la belle leçon d'amour qui nous y rattache.

Wagon de la vie (*résumé*)

1. Notre libre arbitre nous permet de faire tous les choix, y compris celui d'interrompre notre incarnation.

2. Contourner une difficulté toute notre vie ou choisir de quitter le plan terrestre pour ne plus avoir à faire face à cette difficulté revient à une perte de temps incroyable pour l'âme puisqu'elle venait justement pour régler cette situation ou, à tout le moins, s'outiller davantage face à celle-ci.

3. Les suicidés ne sont pas punis pour avoir posé ce geste puisqu'il n'y a pas de principe de punition selon les grands principes de la Vie qui nous régissent et qui régissent l'Univers tout entier.

4. Il est impossible de fuir la peine, la souffrance intérieure, la colère, la haine, la culpabilité, la frustration, les sentiments d'injustice, d'abandon, de trahison ou de rejet. Ils font partie de nous et nous les amenons avec nous sur les plans célestes, que nous partions par une mort naturelle ou par suicide.

5. Le suicide ou les pensées suicidaires sont un S.O.S. lancé par l'âme pour nous alerter que la communication est rompue et qu'une embarcation va bientôt couler.

6. Pour les âmes en détresse, nos prières peuvent servir de balises et pourront peut-être leur éviter de s'échouer sur un écueil. De la même manière, elles peuvent soutenir une âme qui a décidé de quitter le wagon.

7. L'amour au-delà des frontières du temps et de l'espace est un atout précieux pour toutes les âmes, mais encore plus pour celles qui quittent dans des états d'émotivité exacerbée.

X... communiquer avec un inconnu

Est-ce qu'il est possible qu'une énergie subtile inconnue désire entrer en communication avec nous et, si c'est le cas, devons-nous lui répondre? Cette question m'est fréquemment posée. Elle sous-entend souvent une crainte, celle d'être abordés par «n'importe qui». Plusieurs croient qu'en ouvrant la porte à la communication subtile, ils laisseront entrer n'importe quelle énergie dans leur champ vibratoire. Ils préfèrent alors fermer toute ouverture plutôt que de risquer d'être confrontés à des énergies de bas astral. Les chapitres L, M et N parlent plus amplement des limites que nous pouvons mettre et du pouvoir de notre force intérieure comme mode de protection. Se fermer aux mondes subtils par peur d'être confrontés à l'inconnu, c'est exactement comme s'enfermer chez soi par peur de mettre le nez dehors parce qu'il y a des inconnus. Certes, il existe des endroits, des quartiers même, où il est plus risqué de s'aventurer, mais cela ne signifie pas que l'on doive s'emmurer. Il en est de même avec le monde subtil. Il y a des zones de basses vibrations qui ne sont pas agréables à fréquenter. Toutefois, cela ne veut pas dire que l'on doive renoncer à tout le reste. Danger n'est pas synonyme d'inconnu. Il faut éviter d'associer ces deux termes pour pouvoir vivre des communications libres de peur et d'angoisse. Un inconnu qui s'adresse à nous n'est pas forcément dangereux; il peut même s'avérer une bénédiction dans notre vie. Ce chapitre vise donc à parler de ces appels provenant d'une énergie inconnue afin de mieux les comprendre et de les vivre sans peur et sans risque, tout en conservant une attitude de saine vigilance.

Il est effectivement possible qu'une entité énergétique inconnue tente d'entrer en contact avec nous. Lorsqu'on déambule dans la rue, il nous arrive qu'un passant nous arrête pour obtenir un renseignement ou pour solliciter notre aide. Cela constitue pour certains une requête agressante alors que d'autres y voient une occasion d'être un bon samaritain. Tout dépend des circonstances, de la perception, des croyances et des peurs qui nous habitent au moment où nous sommes interpellés par cet inconnu. Souvenons-nous que les énergies de même nature s'attirent. Alors, si nous parcourons un trajet pédestre la peur au ventre, il est fort probable que nous y rencontrions de telles énergies; elles prendront peut-être le visage d'un individu aux allures douteuses qui nous suit ou qui s'immobilise juste en face de nous. Dans les communications avec les énergies subtiles, il est tout aussi probable de faire des rencontres impromptues. Toutefois, si nous associons inconnu et danger, nous nous programmons à vivre des rencontres désagréables et troublantes. Puisque la pensée crée, nous finirons par vivre de tels désagréments et attirer sur nous des énergies de peur, donc de bas astral pour confirmer notre croyance que l'inconnu est dangereux. Il est donc capital de comprendre que l'inconnu est plutôt synonyme d'apprentissages et de découvertes; c'est aussi donner un sens merveilleux et rempli de Lumière à ces mots pour vivre des rencontres fabuleuses. Cette rencontre impromptue est souvent une occasion de manifester notre Lumière pour nous ou pour l'autre, une nouvelle occasion d'être un phare.

Une demande de prière

Confortablement installée dans une méditation, je sens une présence. C'est une fillette d'environ cinq ou six ans. Elle est si mignonne avec ses grands cheveux blonds! Elle me fait savoir qu'elle est très malade et qu'elle va bientôt quitter le plan terrestre. Je lui demande alors si elle a besoin d'aide pour y parvenir; très sagement elle me dit que non. Tout va bien pour elle de ce côté; elle me dit être bien accompagnée. C'est plutôt pour ses parents qu'elle s'inquiète. Ils ont beaucoup de difficulté à comprendre son départ et à accepter sa mort imminente. Elle me demande de prier pour eux, de les entourer d'amour et de Lumière pour soulager leur peine. Elle les sent si tristes et elle aimerait que je les accompagne en énergie. Immédiatement, je visualise les parents près du lit de la petite fille et je demande à mon âme de leur offrir l'énergie qui leur sera aidante et apaisante. Je reste en connexion pendant un moment. Puis je vois la petite fille qui me sourit. Je sais alors que ses parents se sentent mieux. Je reprends contact avec mon corps tout en restant centrée. Je demande alors à connaître l'identité de cette petite fille ou de ces parents, car personne dans mon entourage ne correspond aux images reçues. Je sens toutefois que cette demande est irrecevable. Il ne m'appartient pas ici de les connaître. Cette âme avait besoin d'aide et là s'arrête mon intervention. Je n'ai effectivement plus jamais revu ces personnes, en méditation ou autrement. J'ai appris énormément par cette rencontre qui m'a demandé de développer beaucoup de confiance envers mon ressenti pour ne pas nier son existence ni être déstabilisée par l'anonymat des personnes rencontrées. Je suis extrêmement reconnaissante envers cette petite fille pour tout ce qu'elle m'a alors offert.

Il m'est donc arrivé de rencontrer des âmes et des Êtres de Lumière totalement inconnus. Les Êtres de Lumière se font un plaisir, voire un devoir, de s'identifier lorsque nous leur demandons. Alors nous pouvons rapidement découvrir avec qui nous sommes en contact. Toutefois, il arrive de converser avec une âme pendant un moment sans même savoir de qui il s'agit malgré une demande d'identification, comme dans l'exemple ci-haut mentionné. Les âmes ne sont pas différentes, qu'elles soient incarnées ou non. Ici aussi, il nous arrive de parler avec un passant sans nous identifier. Sommes-nous un dangereux criminel pour autant? Ce n'est pas l'identité de l'individu qui fait que nous sommes en danger ou non, c'est le manque de foi en notre Lumière. Il faut apprendre à faire confiance à notre force de Lumière pour naviguer librement sur les eaux de la communication avec les plans supérieurs; autrement, nous sommes en plein brouillard, car la peur engendre la peur. La foi en notre force divine nous donne tous les outils pour faire face à ce qui se présente à nous. Sachons aussi que rien ne nous oblige à maintenir une conversation déplaisante. Dans un endroit public, lorsqu'un être irrespectueux nous accoste, devons-nous rester là à subir ses injures? En tout temps, nous pouvons imposer nos limites (voir chapitre L), mettre fin à la conversation, lui demander de nous laisser tranquilles et, à défaut, appeler de l'aide (entourage, policier, etc.). Il en est de même pour les rencontres d'âmes. Nous pouvons les interrompre lorsque bon nous semble et appeler à l'aide lorsque nous avons affaire à une âme récalcitrante. Ici, le plus merveilleux, c'est que notre guidance est beaucoup plus rapide que toute autre intervention humaine. L'instant d'un éclair et voilà qu'elle arrive! Nous n'avons jamais à subir des expériences désagréables sur Terre comme au Ciel. Personne n'a comme mission de sauver le monde ni d'être martyr.

Comme dans la vie terrestre, ce ne sont pas les occasions qui manquent pour recevoir des demandes d'aide. Ainsi, il faut aussi apprendre à discerner celles que nous pouvons accepter et celles que nous devons refuser. Ce n'est pas parce qu'une âme s'adresse à nous que nous sommes la personne indiquée pour y répondre. Tout comme ce n'est pas parce qu'un colporteur frappe à notre porte que nous devons systématiquement acheter ses produits. Là aussi, il y a un équilibre à établir sinon il y a risque d'être envahis. Les communications avec les âmes sont certes gratifiantes tant qu'elles se vivent dans un contexte harmonieux et qu'elles ne deviennent pas une drogue pour fuir le reste de notre incarnation ou pour nourrir un ego en quête de reconnaissance. Pour faire la part des choses et voir quelles demandes nous appartiennent, il faut encore une fois s'en remettre au ressenti. Systématiquement, ce dernier nous indique si notre intervention est requise ou non. Une vibration bien spéciale, celle du cœur, nous pousse à aller plus loin dans certains cas, alors que dans d'autres, il ne se passe strictement rien dans notre corps ou bien une petite voix nous indique plus ou moins clairement de nous mêler de nos affaires. Il est important d'être à l'écoute de ce ressenti, car il est la voix de notre âme.

Certaines demandes sont parfois plus difficiles que d'autres à cerner. Il nous est tous arrivé un jour d'être abordés par un mendiant aux allures repoussantes et cette rencontre s'est avérée, plus tard, un cadeau du ciel. Là encore, c'est la voix du cœur qui importe malgré tous les sempiternels avertissements du mental. Il faut parfois, même souvent, voir au-delà des apparences pour expérimenter l'amour inconditionnel. Une âme qui nous interpelle peut effectivement dégager des basses énergies sans être dangereuse. Au contraire, elle peut être un messager porteur d'une leçon très précieuse pour nous. Les cadeaux divins ne sont pas toujours emballés de papier doré. En jugeant seulement sur les apparences, nous risquons de passer réellement à côté du contenu du cadeau. À ce sujet, une amie m'a offert un texte circulant sur Internet et il m'apparaît très pertinent pour évoquer ces propos.

Au-delà des apparences!

Ruth va à la poste et il n'y a qu'une seule lettre. Elle la prend et la regarde un moment avant de l'ouvrir. Curieusement, il n'y a pas de timbre. Seuls son nom et son adresse y sont inscrits. Cela augmente sa curiosité. Qui peut bien avoir déposé cette lettre chez elle? Elle s'empresse de la lire pour le savoir.

Chère Ruth,

Je me rends dans ta ville samedi après-midi et j'aimerais m'arrêter chez toi pour une visite.

Avec amour, toujours,

Jésus.

Ruth pose la lettre sur la table. Ses mains tremblent. «Pourquoi Jésus veut-il me visiter? Je n'ai rien de spécial. Je n'ai même rien à lui offrir.» Ruth se rappelle alors que ses armoires de cuisine sont vides. «Oh, mon Dieu! je n'ai même pas de quoi le recevoir décemment. Il faut que j'aille à l'épicerie et que j'achète quelque chose pour le dîner!» Elle attrape son sac à main et elle compte ce qu'il lui reste : 5,40 $. «Bien, je pourrai au moins acheter du pain et des viandes froides.» Elle prend son manteau et elle s'élance vers le marché. Une baguette de pain, cinq cents grammes de dinde tranchée et un carton de lait feront l'affaire, lui laissant un grand total de douze cents pour survivre jusqu'à lundi.

Bien qu'elle soit sans le sou, elle se sent néanmoins très heureuse et elle s'en retourne allègrement à la maison avec ses maigres achats. «Hé! madame! pouvez-vous nous aider? Madame?» insiste la voix masculine. Ruth est si absorbée qu'elle n'a pas vu les deux personnes dans l'allée : un homme et une femme, visiblement très pauvres et très mal fagotés.

– Madame, je n'ai plus d'emploi. Ma femme et moi n'avons pas d'endroit où aller pour dormir. Il commence à faire froid et nous avons faim. Pouvez-vous nous aider?

Ruth les observe. Ils sont sales et ils sentent si mauvais! En son for intérieur, elle est convaincue qu'ils peuvent trouver du travail s'ils le veulent réellement. Alors, elle leur répond :

– Monsieur, j'aimerais bien vous aider, mais je suis moi-même une pauvre femme. Tout ce que j'ai à manger est ce bout de pain et cette portion de viande froide que je viens d'acheter pour l'invité très important que j'attends ce soir pour souper.

– Bien madame, je comprends, merci quand même.

L'homme entoure les épaules de sa femme avec son bras et lui tourne le dos. En les regardant, Ruth sent un pincement au cœur.

– Monsieur, attendez!

Le couple fait volte-face.

– Prenez cette nourriture. Je trouverai bien autre chose à offrir à mon invité.

Elle tend son sac d'épicerie à l'homme.

– Oh! merci, madame! Merci beaucoup!

– Oui, merci beaucoup! ajoute la dame qui tremble de froid.

– Prenez mon manteau, dit alors Ruth. J'en ai un autre à la maison. Elle déboutonne son manteau et le met sur les épaules de la femme.

En souriant et malgré le froid qui sévit, Ruth prend le chemin du retour, le cœur léger d'avoir pu aider ces gens même s'il ne lui reste maintenant plus rien à servir à son invité.

Ruth est gelée lorsqu'elle arrive chez elle; elle est également inquiète. Que va-t-elle donc pouvoir servir à Jésus? Elle fouille au fond de sa bourse pour trouver ses clés et elle remarque une autre enveloppe dans la boîte aux lettres. C'est très étonnant, car le courrier n'est habituellement livré qu'une seule fois par jour. Intriguée, elle ouvre.

Chère Ruth,

C'était si plaisant de vous rencontrer à nouveau. Merci pour le succulent repas et pour le joli manteau.

Je vous aimerai toujours.

Jésus.

Ruth se sent remplie d'une telle gratitude que ni le froid ni la faim ne peuvent la perturber. L'amour qu'elle éprouve en elle à ce moment précis la comble de bonheur, la nourrit et la réchauffe complètement.

Auteur inconnu

En ouvrant notre cœur, il nous est possible de ressentir si la rencontre qui s'offre à nous est appropriée. La vie sur Terre est remplie de possibilités d'apprendre. En temps et lieu, ces leçons nous sont révélées. Apprendre à se choisir d'abord et avant tout, sans être égoïste pour autant, est sans doute une des leçons qui nous sont le plus souvent proposées. Discerner, se respecter, apprendre à dire non, être à l'écoute, offrir, voir au-delà des apparences, voilà de nombreuses expérimentations qui nous sont offertes grâce à la communication subtile. Pour nous aider à y voir clair lorsqu'une énergie inconnue se présente, qu'elle vienne des plans supérieurs ou inférieurs, voici ce que nous pouvons systématiquement faire.

Les trois indices

En présence d'une énergie nouvelle dans notre champ vibratoire, la première étape est de lui demander de s'identifier. Si cette présence y consent, portez attention au niveau du cœur et observez le ressenti éprouvé lorsqu'elle prononcera son nom. Est-il agréable ou désagréable? Voilà le premier indice.

Ensuite, demandez immédiatement à votre force de guidance et à votre âme de vous indiquer si cette rencontre est au service de la Lumière et observez votre ressenti : est-il plaisant ou déplaisant? Il s'agit là de votre deuxième indice.

Enfin, prenez contact avec votre force de Lumière intérieure et observez votre ressenti. S'il y a un malaise ou le moindre doute, mettez fin à la conversation. Si vous êtes en paix, poursuivez-la tant que cet état de paix persiste.

Prenez note que l'ordre indiqué peut varier au besoin. Le point important n'est pas l'ordre des questions, mais l'observation du ressenti pour voir si cette conversation est appropriée.

Ainsi, c'est encore une fois le ressenti du cœur qui nous guide, tout comme dans la rue, nous irons parfois d'emblée au-delà des apparences, comme poussés par une force invisible, et d'autres fois, nous éprouverons une forte répulsion, celle-ci nous signalant un danger imminent. Nous nous laissons instinctivement guider pour faire face aux événements du quotidien. Nous savons faire confiance en notre potentiel pour veiller à notre sécurité. Il en est de même avec les communications provenant de l'au-delà. Il faut savoir que nous avons tout ce qu'il faut en nous pour les vivre librement. Il importe cependant de ne pas être insouciants ou téméraires. Par là, il faut comprendre que s'aventurer dans une communication dans un état de peur, de colère, de haine ou toute autre émotion de basse vibration, n'augure rien de bon. Il vaut mieux demander à l'âme de revenir plus tard et prendre le temps de prendre contact avec notre force intérieure pour nous apaiser et nous recentrer. Pour l'âme, le temps importe peu. Alors, avant de vivre une communication, assurons-nous d'être dans un état propice. Rester en alerte et vigilants dans l'espace du cœur est notre meilleure protection et en même temps notre plus grande liberté. Il existe certes d'autres méthodes de protection qui sont valables, mais elles deviennent parfois contraignantes du fait qu'elles doivent être exécutées méthodiquement. Dans un moment de panique ou de stress intense, il faut parfois avoir des outils de secours plus simples et plus accessibles. Notre lumière et notre guidance sont à notre portée en tout temps, car elles sont partie intégrante de nous. En prenant contact avec elles, nous nous unissons à l'Univers tout entier. Qui peut alors résister à cette puissance?

Les communications subtiles nous mènent sur des terres qui ne sont pas toujours battues, à l'instar des échanges entre les humains qui nous ouvrent sur la diversité de la vie, laquelle a tant à nous apprendre. Lorsque nous vivons ces relations dans l'espace du cœur, nous franchissons la barrière de la dualité pour être en communion avec l'autre. La relation prend alors une autre dimension : celle de la compassion et de l'amour inconditionnel. Elle devient un échange énergétique pour chaque interlocuteur, une forme d'entraide qui contribue à l'avancement de chacun. En bon censeur, le mental, jouera son rôle pour tenter de classifier cette nouvelle expérience. Il cherchera à savoir, à comprendre et surtout à nous protéger. C'est alors le ressenti qui devient l'élément tangible que notre mental désire tant obtenir pour se rassurer. Depuis notre tendre enfance, nous avons appris qu'il était important de comprendre pour apprendre. Toutefois, nombre de ces expériences subtiles ne s'expliquent pas. Elles vibrent au-delà des mots. Au fil des communications, notre mental apprend qu'il n'est absolument pas nécessaire de tout comprendre pour valider l'expérience. Il apprend également que l'expérience ne s'évalue pas, ne se mesure pas; elle est tout simplement telle qu'elle a été.

Il ne cherche plus à prouver quoi que ce soit, à se gratifier ou à se justifier. Ses repères changent et il accepte plus facilement de s'ouvrir à l'inconnu. La gratitude éprouvée après avoir vécu un contact subtil, si bref soit-il, est sa plus grande satisfaction.

S'ouvrir à l'inconnu demande beaucoup de confiance en notre force intérieure pour passer par-dessus la peur de l'obscurité. Nous sommes tous des parcelles de Lumière, mais pour que cette dernière se diffuse, il est absolument nécessaire que nous appuyions sur le commutateur du cœur.

... communiquer avec un inconnu (résumé)

1. Se fermer aux mondes subtils par peur d'être confrontés à l'inconnu, c'est exactement comme s'enfermer chez soi par peur parce qu'on risque de rencontrer des inconnus si nous mettons le nez dehors.

2. Si nous associons inconnu et danger, nous nous programmons à vivre des rencontres désagréables et troublantes.

3. L'inconnu est plutôt synonyme d'apprentissages et de découvertes; c'est aussi donner un sens merveilleux et rempli de Lumière à ces mots pour vivre des rencontres fabuleuses.

4. Ce n'est pas l'identité de l'individu qui fait que nous sommes en danger ou non, c'est le manque de foi en notre lumière.

5. Nous n'avons jamais à subir des expériences désagréables sur Terre comme au Ciel.

6. Ce n'est pas parce qu'une âme s'adresse à nous que nous sommes la personne indiquée pour répondre à sa demande.

7. Une âme qui nous interpelle peut effectivement dégager des basses énergies sans être dangereuse. Au contraire, elle peut être un messager porteur d'une leçon très précieuse pour nous.

8. Discerner, se respecter, apprendre à dire non, être à l'écoute, offrir, voir au-delà des apparences, voilà de nombreuses expérimentations qui nous sont offertes grâce à la communication subtile.

9. Notre lumière et notre guidance sont à notre portée en tout temps, car elles sont partie intégrante de nous. En prenant contact avec elles, nous nous unissons à l'Univers tout entier.

Section 14

Quels sont les nouveaux états énergétiques qu'entraîne la communication subtile?

Mot d'enfant

Maman, comment j'étais quand je n'existais pas?

Yoyo énergétique

Les communications subtiles nous conduisent inévitablement vers une plus grande connaissance, ou plutôt reconnaissance, de notre ressenti qui exprime souvent la voix de notre âme. Plus nous sommes à l'affût de notre ressenti, plus nous sommes en connexion avec notre état d'être. Qui dit état d'être dit également taux vibratoire. Ainsi, les contacts avec l'espace du cœur ont pour effet d'augmenter peu à peu l'élévation de notre fréquence énergétique puisqu'ils favorisent l'ouverture du cœur. Le retour à une énergie matérielle abaisse certes nos vibrations, mais chaque nouvelle communication nous entraîne dans un sillon énergétique un peu plus élevé que le précédent. Nous ne revenons donc jamais au même état vibratoire qu'avant. Une fois le processus d'ouverture de conscience amorcé, il ne se referme jamais. Lors d'une communication, la conscience s'agrandit et après chacune d'elle, elle demeure toujours un peu plus ouverte. Ce phénomène s'explique par l'apprentissage qui découle inévitablement de cet échange énergétique. Être en communication avec les plans supérieurs, c'est toucher une parcelle de notre divinité. Ce faisant, notre vision de la vie, de notre vie, se transforme, s'accroît. Nos croyances, nos perceptions et nos connaissances évoluent à chacune de ces communications. Tous ces changements sont la manifestation de l'expansion de notre conscience. L'énergie de hautes vibrations laisse une trace indélébile en nous.

Cette modification énergétique ne passe pratiquement jamais inaperçue. Notre corps tente de s'ajuster à une énergie qui est inhabituelle. Parfois, cela occasionne des déséquilibres mineurs tels que l'excitation, un sentiment d'exaltation, une énergie débordante ou encore la fatigue, un manque de concentration ou une impression de flottement, des étourdissements ou de faibles nausées, des douleurs musculaires dans le dos ou dans le cou, de la tristesse inexpliquée. Il arrive donc fréquemment que nos états énergétiques jouent aux montagnes russes, nous faisant passer de haut en bas en moins de deux. Au début, il n'est pas toujours évident d'associer ces symptômes aux expériences de communication et nous sommes souvent perplexes par rapport à ce qui nous arrive, car il nous est difficile de trouver un sens logique à ces bouleversements physiques si subits et inexpliqués. Le sens à ces malaises se trouve très souvent dans l'espace du cœur. Ce dernier saura nous offrir l'explication recherchée. Il nous fera comprendre s'il s'agit uniquement d'un ajustement vibratoire ou s'il y a autre chose qui peut être lié aux malaises de la communication (voir le chapitre M) ou si cela relève d'un autre ordre. Cette petite voix nous informera également des actions à poser pour corriger la situation.

Et ça tourne!

Couchée dans mon lit, je n'arrive pas à trouver le sommeil. Je suis surexcitée. Il est vrai que j'ai bien hâte de partir pour aller offrir un atelier à Caraquet, mais ce que je ressens est sans aucune commune mesure avec cet empressement. Toutes mes cellules vibrent intensément et dès que je ferme les yeux, des étourdissements surgissent. J'ai l'impression d'avoir avalé plusieurs cafés pour tenter d'atténuer l'effet d'une surconsommation d'alcool. Je ne comprends pas, car pour tout breuvage, je n'ai ingurgité que de l'eau la journée durant. Comment expliquer alors que tout mon lit tangue dès que mes paupières s'abaissent? La nuit est longue et j'ai peine à fermer l'œil. Il me semble voir toutes les heures défiler et lorsque le réveille-matin se fait entendre, il me faut un incontestable courage pour réactiver mon corps. Malgré cette nuit de sommeil des plus perturbées, la journée se déroule à merveille et je me surprends à être en pleine forme même après sept heures de route. À Caraquet, je me détends un moment, et après un succulent repas avec des merveilleux amis, je vais me coucher. Comme je suis debout depuis plus de dix-sept heures, je suis persuadée que la nuit sera bonne. Mais encore une fois, mon corps s'exalte et je ne trouve qu'un sommeil léger. Au petit matin, je vais à la plage pour méditer. Le temps et le décor sont magnifiques. Je suis extrêmement reconnaissante d'être là et d'avoir l'occasion de donner cette formation. En méditation, tout devient clair. Je comprends pourquoi j'éprouve ces sensations bizarres depuis deux jours. Mon âme et mes guides m'ont préparée pendant tout ce temps à donner cette formation. Le niveau de mon énergie devait s'élever pour que je sois en mesure de transmettre adéquatement l'enseignement. Je me sens remplie de gratitude, non seulement pour avoir reçu l'explication, mais également pour avoir vécu cette expérience vibratoire nouvelle. Après l'atelier, tout devient encore plus clair pour moi. Le taux vibratoire des participants était élevé, car ces derniers terminaient une semaine intensive de Reiki. Il me fallait donc élever le mien pour m'arrimer au leur. Toute ma guidance s'est mise en action pour m'y aider et me le faire comprendre. Ce séjour à Caraquet est à jamais gravé dans mon cœur.

À côté de mes pompes

Un matin, au réveil, je me sens dans un état de grand déséquilibre. La veille, j'ai donné une conférence où l'énergie était très intense. Là, j'ai l'impression d'être à côté des mes pompes ou du moins de n'habiter qu'une partie de mon corps. Debout, j'entame mes exercices de yoga et il me monte alors une vision. Je vois l'alignement de mes chakras, et près de deux d'entre eux – le hara et celui du cœur – je vois une masse énergétique qui est complètement sortie de l'axe central. Celle près du hara est à gauche alors que celle près du cœur est complètement à droite. J'entends une petite voix qui me dit : «On va réaligner tout ça». Phénomène nouveau pour moi qui n'avait jamais «joué» de cette manière avec l'énergie. Cette voix, toujours douce et posée, me demande de descendre mon attention au niveau du cœur. Puis elle me dit ceci : « Porte ton attention dans la paume de tes mains. Sens l'énergie qui passe à travers elles. Tes mains sont comme un aimant. Elles vont tout doucement ramener cette masse énergétique dans ton hara.» Au fur et à mesure que ces paroles sont prononcées, mes mains se placent à gauche de mon corps et elles effectuent une manœuvre pour déplacer la masse d'énergie. Une fois au-dessus du hara, je sens le mouvement de la roue s'accélérer et reprendre un rythme de rotation normale. Ensuite, le même processus se répète pour la masse au niveau du cœur. Puis je revois l'alignement de mes chakras, et cette fois, tout est bien aligné. Même sans cette dernière vision, je sais que l'alignement s'est produit, car la désagréable sensation d'être à côté de mon corps est disparue. Je me sens alors beaucoup mieux. Je suis émerveillée par cette guidance!

Les soubresauts énergétiques sont très fréquents et nous les remarquons davantage si nous sommes à l'affût de notre ressenti. Ils ne sont pas dangereux ou ne signifient pas que l'on doive arrêter les échanges avec les plans supérieurs. Ils nous informent simplement des variations de notre taux vibratoire. Parfois, le déséquilibre éprouvé est momentané, le temps que le corps s'adapte à une nouvelle réalité. D'autres fois, l'instabilité ressentie est un appel à la centration. À d'autres moments, l'étrange pression intérieure provient de notre âme qui désire nous faire franchir une autre étape. Il ne faut donc pas craindre ces phénomènes et penser qu'ils nous arrivent parce que nous ne sommes pas sur la bonne voie. Hormis les malaises mentionnés au chapitre M, les variations énergétiques ressenties sont tout à fait normales et font partie intégrante des communications subtiles. Cela dit, les malaises physiques qui en découlent quelquefois ne doivent jamais devenir harassants. Il est important de comprendre qu'ici aussi notre libre arbitre nous permet de mettre nos limites (voir chapitre L) si les fluctuations énergétiques sont trop intenses. Nous pouvons alors demander de vivre les communications de façon plus harmonieuse avec notre vibration actuelle ou de les espacer pour avoir le temps d'intégrer chacune des élévations qu'elles amènent. Nous pouvons aussi demander à notre guidance de nous transmettre des outils pour en diminuer l'effet «montagnes russes».

De plus, il faut aussi réaliser l'impact des communications sur notre corps et sur notre émotivité. Élever notre taux vibratoire nous offre certes un état d'allègement. Toutefois, du point de vue de chaque cellule de notre corps, il s'agit là d'un effort considérable puisque chacune d'elles accélère son oscillation habituelle. Durant tout le processus d'élévation du taux vibratoire, nos cellules sont stimulées par les énergies prâniques que nous emmagasinons durant ce changement vibratoire. Puis, tout doucement, elles ralentissent leur course pour reprendre un rythme légèrement plus rapide qu'avant cette communication. Mine de rien, tout cela représente un véritable branle-bas de combat intérieur. Il n'est donc pas surprenant de ressentir une grande fatigue après un tel échange. L'enracinement (voir chapitre M) permet de diminuer les écarts ressentis par le corps, mais si la fatigue intense persiste malgré un bon enracinement, il ne faut pas négliger le repos comme solution surtout si nous venons de vivre une expérience importante. De plus, lorsque nous vibrons à haute intensité, un état de joie et de grâce incommensurable s'installe en nous tant que nos cellules tournent à une vitesse accélérée. Lorsque le rythme ralentit et reprend le taux vibratoire habituel, nous vivons alors à nouveau, même inconsciemment, la sensation de séparation éprouvée lors de l'incarnation. Le voile entre les mondes reprend sa place, amenant parfois une lourdeur, une impression de vide ou de solitude. L'émotivité s'installe, nous faisant ressentir la «dépression». Cependant, il ne s'agit pas d'une dépression émotive, mais plutôt d'une dépression énergétique due à la chute du taux vibratoire. Le sachant, il est facile de ne pas sombrer et de revenir immédiatement dans le cœur pour ressentir la plénitude. Chaque communication est une action de communion avec notre divinité. Pour diminuer l'effet de séparation qui s'ensuit, il faut absolument rester en contact intérieur avec notre essence. C'est par lui que le voile s'estompe.

L'énergie planétaire en constante élévation apporte elle aussi des malaises physiques plus ou moins significatifs. Les équinoxes et les solstices provoquent un mouvement énergétique non négligeable. Lorsque l'explication des malaises éprouvés ne se trouve pas dans les expériences de communication, il peut être indiqué de se renseigner sur les mouvements planétaires du moment présent et leurs incidences. Nous sommes en communion avec le reste de l'Univers. Tout ce qui s'y passe nous affecte de la même manière. Notre corps est un microcosme du macrocosme de l'Univers. Ne pas tenir compte de ce grand mouvement qui nous entoure, c'est se priver d'informations essentielles dans la compréhension de notre ressenti. Pour ceux qui sont sceptiques sur ce point, observez vos émotions avant, pendant – si cela s'y prête – et après une catastrophe naturelle qui se passe à l'autre bout de la planète. La corrélation est assez étonnante.

Un début d'année moche

En janvier 2006, j'ai passé un mauvais quart d'heure. Je me sentais fatiguée et envahie par des soudaines vagues de larmes, sans raison apparente. J'avais constamment mal à la tête, près de la nuque, et je me sentais souvent nauséeuse, moi qui ne connais que très rarement de tels malaises. Je cherchais à comprendre en passant en revue mes actions, mes émotions et mon environnement. Certes, de vieilles émotions refoulées faisaient surface, mais je m'étonnais à l'idée qu'elles puissent à elles seules faire tout ce remue-ménage physique. Mon ressenti m'indiquait qu'elles n'étaient que partiellement responsables de tout ce cirque. Je continuai donc ma quête de réponses. J'étais devant mon écran en train de travailler lorsque je me sentis poussée à aller lire un texte qu'une amie m'avait expédié plusieurs jours auparavant. On y faisait référence au recalibrage énergétique qui se déroulait depuis le début de novembre 2005 pour atteindre son apogée en janvier 2006. On y mentionnait différents symptômes que ce changement vibratoire pouvait occasionner. Stupéfaite, j'y ai trouvé là l'énumération de tous les malaises que je vivais. On y expliquait même que ce recalibrage énergétique nous forçait à libérer nos émotions refoulées pour faire de la place aux nouvelles énergies de l'année. Explication en mains, j'ai pu ainsi mieux agir pour éliminer les effets désagréables. J'ai axé davantage mes méditations sur l'enracinement pour offrir à mon corps un dégagement et j'ai consulté une thérapeute pour m'aider à liquider les vieux squelettes dans mon placard. Après quoi, la forme physique et émotive est revenue.

L'élévation du taux vibratoire provoque des changements dans tout notre être. Chaque fois, il faut un temps d'intégration, un temps d'adaptation pour s'y ajuster. Notre ressenti est le vigile qui nous permet de jauger l'acceptabilité de la situation et de trouver les manières d'y remédier, le cas échéant. Chaque communication avec les plans subtils est une occasion d'explorer notre ressenti, d'élever notre taux vibratoire et d'affiner la perception de nos sens, de notre langage intérieur. Le yoyo énergétique tend à diminuer au fil des expérimentations, car nous comprenons de mieux en mieux ce langage et nous y trouvons, au fur et à mesure, l'explication et la manière d'y rétablir l'harmonie physique. Toutefois, dès que nous amorçons cette belle grande quête qu'est l'élévation du taux vibratoire, il faut inévitablement s'attendre à en ressentir les effets, lesquels sont plus souvent qu'autrement très agréables. Lorsque ces derniers nous perturbent, n'hésitons pas à prendre un temps de recul pour comprendre ce qui se passe et voir s'il s'agit d'un malaise lié à une mauvaise utilisation de la communication ou s'il s'agit plutôt d'un effet secondaire dû au changement vibratoire. Si c'est le cas, souvenons-nous qu'il nous est toujours possible de limiter les manifestations désagréables. Nous avons tout notre temps pour élever nos vibrations. Alors rien ne sert d'outrepasser nos limites, la leçon ne s'acquerra pas plus rapidement. N'est-il pas préférable d'aller à notre rythme pour franchir la ligne d'arrivée que de s'essouffler durant la course? Du point de vue de l'âme, le bien-être importe davantage que la rapidité.

Yoyo énergétique *(résumé)*

1. Chaque nouvelle communication nous entraîne dans un sillon énergétique un peu plus élevé que le précédent.

2. Notre corps tente de s'ajuster à une énergie qui est inhabituelle. Parfois, cela occasionne des déséquilibres mineurs tels que l'excitation, un sentiment d'exaltation, une énergie débordante ou encore de la fatigue, un manque de concentration ou une impression de flottement, des étourdissements ou de faibles nausées, des douleurs musculaires dans le dos ou le cou ou encore de la tristesse inexpliquée.

3. Hormis les malaises mentionnés au chapitre M, les variations énergétiques ressenties sont tout à fait normales et sont partie intégrante des communications subtiles.

4. Les malaises physiques qui en découlent quelquefois ne doivent jamais devenir harassants. Il est important de comprendre qu'ici aussi notre libre arbitre nous permet de mettre nos limites (voir chapitre L) si les fluctuations énergétiques sont trop intenses.

5. Il faut aussi réaliser l'impact des communications sur notre corps et sur notre émotivité. Du point de vue de chaque cellule de notre corps, l'élévation du taux vibratoire est un effort considérable puisque chacune d'elles accélère son oscillation habituelle.

6. L'énergie planétaire en constante élévation apporte, elle aussi, des malaises physiques plus ou moins significatifs.

7. Nous avons tout notre temps pour élever nos vibrations. Alors rien ne sert d'outrepasser nos limites, la leçon ne s'acquerra pas plus rapidement.

Zen

Nous sommes tous de nature divine et, par le fait même, nous sommes amour inconditionnel, compassion, détachement, acceptation et plénitude. La voix de l'âme est l'écho de cette vraie nature. Faire éclore cette vraie nature dans l'incarnation, c'est là notre défi quotidien. Il demande assiduité et vigilance pour ne pas s'égarer dans les pièges du mental. Manifester notre nature divine au quotidien, c'est la base de l'enseignement bouddhiste qui se transmet depuis des millénaires. Les maîtres zen de toutes les époques ont basé leur vie entière sur ces préceptes et les ont transmis par l'exemple aux fidèles disciples qui cherchaient à «être» cette vraie nature, à être illuminés, à être zen, quoi! De nos jours, au-delà de tout dogme religieux, voilà que ces enseignements gagnent en popularité et être zen est très branché. Ironiquement, il est vrai que l'état du zen requiert le branchement à notre partie supérieure, à notre divinité, sans quoi, il n'est qu'apparat et artifice. Le zen, c'est l'état d'être, c'est l'attention constante à ce qui est dans le moment présent. Tout cela est bien loin d'une mode qui s'affiche pour «paraître» et qui donne le ton à ce que nous tentons d'être. Au contraire, pour être zen, il faut commencer «par être». Il n'y a rien d'autre à faire, à dire ou à mettre en place. Le zen ne se soucie que de ce qui est dans l'immédiat.

L'illumination est une combinaison rare d'innocence et d'intelligence, avoir des mots pour s'exprimer et, en même temps, être très silencieux.

Dans cet état, l'esprit est complètement dans le moment présent. Tout ce qui est nécessaire vous est révélé d'une façon naturelle et spontanée, vous êtes simplement assis et la chanson de la nature coule à travers vous.

Sri Sri Ravishankar

La communication subtile fait appel à cet état zen. Si l'illumination complète n'est pas requise pour pouvoir communiquer avec l'au-delà, les préceptes bouddhistes, eux, s'appliquent pour vivre de telles communications de manière harmonieuse. État d'être, écoute, détachement, acceptation, vigilance sur ce qui se vit dans l'ici-maintenant sont donc les règles de base recommandées pour entendre la voix du cœur. Toucher à cet état zen qui nous fait franchir l'espace entre la matière dense et celle plus subtile nous permet alors de mieux vivre notre quotidien. Ayant pris contact avec une vision élargie de la vie, nous sommes en mesure de nous détacher plus facilement des emprises habituelles que nous avions sur la matière. L'ouverture de conscience zen qu'il suscite permet d'accepter les événements plus facilement sans chercher à les modifier. Nos peurs de perdre et de ne plus être aimés s'estompent en prenant contact avec l'infinité de la vie. Nourris par l'amour inconditionnel, nous avons de moins en moins besoin des possessions matérielles pour rassurer notre ego. Ces dernières deviennent un précieux outil d'apprentissage et non plus un besoin vital de sécurité. Ainsi, la communication avec les plans supérieurs et l'état zen sont intrinsèquement liés. Ils sont deux représentations de la même réalité : notre essence divine. Être zen, c'est se relier à Dieu par la voie du cœur, pour vivre le moment présent en communion avec le reste de l'Univers. Communiquer avec les plans supérieurs, c'est aussi être en contact avec Dieu par la voie du cœur. Apprendre à communiquer avec les plans supérieurs, c'est apprendre à être. Cela constitue donc une brève pratique du zen qui peut ensuite s'étendre à tout le reste de notre vie.

En effet, si nous atteignons momentanément la grâce et la félicité du contact divin, il nous est aussi possible de le maintenir plus longuement. La communication subtile n'est pas une action à poser de temps à autre pour chasser notre ennui ou pour combler le besoin d'une présence. C'est un langage à adopter pour faciliter notre incarnation. Cette dernière est beaucoup plus vaste que quelques expériences enivrantes. Elle nous permet d'accéder au savoir infini et à l'amour pur. Elle nous permet d'accéder à notre grandeur et à notre beauté. Si elle offre tant, il va sans dire qu'elle exige aussi beaucoup. Loin d'être à l'image d'une potion magique aux effets éternels, l'état d'être requis pour la communication demande assiduité et volonté. Ne communique pas qui peut, mais qui veut! Il est nécessaire de prendre action pour développer notre état d'être. Être ne découle pas de la fainéantise ni de l'inaction. Pour «être», notre esprit doit demeurer en alerte et centré sur le moment présent. Passé, futur et tergiversations sont les sempiternelles distractions qui doivent être évincées pour rester observateurs du présent. C'est grâce à cet état d'alerte que la communication s'installe. Dès que notre attention s'égare, la communication s'interrompt. Être zen demande donc un entraînement récurrent et c'est ce qu'enseignaient et enseignent encore les maîtres bouddhistes.

Cependant, il ne faut pas voir dans les mots *effort*, *volonté*, *récurrent*, des obligations limitantes, complexes et difficiles d'accès. L'état zen fait référence à la simplicité même de la vie, qui se déroule sans résistance. L'absence de résistance n'équivaut pas à du laisser-aller. Tout être vivant s'active pour vivre. Nous devons aussi participer activement à cette vie que nous avons choisie. Participer, c'est prendre part à ce qui se déroule devant nous, c'est sauter dans le train pendant qu'il passe. Nous n'irons nulle part en restant sur le quai de la gare. On s'imagine souvent que l'état zen ne se trouve qu'assis en position du lotus. Loin de là; l'enseignement prône au contraire de retrouver cet état dans toutes les activités quotidiennes. La marche, le travail, la détente, la préparation du repas, le jeu avec les enfants, représentent tous une fabuleuse occasion d'être dans le moment présent.

S'exercer à être zen

Alors que mes enfants étaient en bas âge, je me souviens d'avoir rencontré des gens qui pratiquaient les principes zen. Une dame m'avait alors expliqué comment elle taillait les légumes pour les repas en y mettant tout son amour et son attention. À plusieurs reprises, j'ai mis en pratique ce simple exercice et j'y ai vu là tout le défi que représentait la vigilance. Entre un urgent «Maman, j'ai envie de pipi», un «Aïe! bobo, maman», un appel téléphonique, un éternel «J'ai faim», un autre «Ne touche pas, mon amour», un centième «Regarde maman...» et un inquiet «Que fais-tu en ce moment, mon cœur?», comment garder cet état de vigilance que requérait la coupe de mes carottes? J'enviais alors le silence et la quiétude des moines zen qui avait tout leur temps et leur concentration pour trancher les leurs. Toutefois, j'ai réalisé qu'être dans le moment présent n'était pas seulement m'occuper tout doucement de mes morceaux de carottes en faisant fi de tout le reste. Cela aurait été une fuite du moment présent. Mon ici-maintenant était composé d'enfants et de tâches à effectuer. Pour réussir à être zen, il me fallait donc être tout aussi présente à mes enfants, au téléphone, à mes carottes et surtout à moi-même. Le défi est tel que plusieurs centaines de carottes plus tard, je m'y exerce encore...

Ainsi, l'effort, la volonté et la constance sont les composantes de l'état zen. Plus nous y redoublons d'ardeur, plus nous accédons à cet état dans les situations du quotidien. Évidemment, il est plus facile d'atteindre un état zen dans une méditation où les distractions sont moindres, mais c'est en se pratiquant dans toutes les situations de la vie que nous pourrons apprécier les bienfaits de cet état.

Rien n'impose que l'effort, la volonté, la constance soient au rendez-vous. Dans tout processus d'apprentissage, agir par obligation n'apporte souvent rien de bien gratifiant ni de motivant. Des pratiques sporadiques sans y mettre un effort soutenu sont, à mon sens, préférables à leur absence complète, car elles amorcent au moins le mouvement. Cependant, elles n'auront inévitablement pas la profondeur de celles où nous participons activement. Sans attention précise, le contact avec l'état zen se rompt facilement et le mental revient au galop. L'état zen nous permet d'entrer en contact avec notre âme et avec les plans supérieurs. Par la vigilance, il nous est possible de maintenir la communication ou de nous apercevoir qu'elle vient d'être rompue. Nous évitons alors les impostures du mental. En observant notre ressenti et la teneur du message, nous pouvons discerner ce qui vient du cœur et ce qui vient du mental. Le cœur cherche notre évolution, le mental désire le confort. Les messages vont alors inévitablement différer selon la «voie» empruntée. Les âmes et les Êtres de Lumière ne cherchent pas à nous prédire l'avenir. Ils sont beaucoup plus enclins à nous aider à vivre le moment présent. La matière n'a plus d'importance pour eux, outre ce qu'elle peut nous apporter comme outil d'apprentissage. Alors l'emphase de leurs messages ne concerne que très rarement les aspects matériels de notre vie. Ces messages sont empreints d'amour et de compassion alors que ceux du mental favorisent la dualité et l'émotivité. La vigilance ne doit surtout pas diminuer avec l'expérience. Au contraire, elle doit s'affiner davantage pour démasquer le mental qui, lui aussi, raffine sa ruse. La validation (chapitre V) est une étape qui peut nous aider à demeurer sur nos gardes. Le vigile n'a donc jamais de repos dans les communications subtiles, comme dans le zen, puisque c'est dans l'état d'alerte que tout se vit.

Ainsi, pour bien vivre les communications, il faut absolument accepter le «présent» qui nous est offert quel que soit son emballage. Nous sommes souvent enthousiastes devant les effets grisants de l'élévation du taux vibratoire et c'est cela que nous recherchons ensuite. Toutefois, les communications arrivent sous des aspects uniques qui sont parfois moins vibrants. À trop vouloir un état particulier, nous risquons de passer à côté du présent lui-même et nous ne pouvons apprécier la beauté de l'ici-maintenant cherchant à vivre autre chose. Vivre chaque communication comme une expérience unique et incomparable nous évite de rompre la magie du moment présent. De plus, nous avons aussi tendance à oublier tout ce qui vient avant et après la communication pour ne désirer que la sensation même du contact avec les plans supérieurs. Toutes les étapes font partie du processus de communication et chacune d'elles est toute aussi merveilleuse l'une que l'autre. C'est notre perception qui doit changer par rapport à cela. Nous portons davantage notre regard sur la communication parce qu'elle conduit à l'allégresse. Toutefois, comme l'état zen le suggère, si nous vivons pleinement chaque moment présent, nous n'aurons plus besoin de chercher l'exaltation du contact avec les plans supérieurs, il s'y trouve déjà.

Les communications subtiles ont beaucoup à nous apprendre, tant par le contenu des messages qui nous sont offerts que par l'apprentissage de l'état zen qu'elles requièrent. C'est toute la vision de la vie qui s'accroît, alimentée par l'essence de notre divinité. Nul besoin de devenir maître zen avant de pouvoir bénéficier des effets des précieux enseignements du Bouddha. Pratiquer l'état d'être régulièrement nous permet de cueillir enfin tous les «présents» de la vie plutôt que de laisser filer les «passés» et les «futurs» entre nos doigts. Être zen offre l'avantage de capter l'ampleur de la vie. Nous avons alors accès à tant d'informations qui facilitent notre incarnation. Tout cela s'offre librement à nous si nous apprenons à conjuguer au présent. Dans la maîtrise de ce moment, nous découvrons l'être divin que nous sommes, même si cet état de maîtrise ne dure qu'un bref moment. Il s'agit quand même là d'un accès à l'immensité de la création, au privilège d'«être» et à la grâce de la vie.

Zen *(résumé)*

1. Le zen, c'est l'état d'être, c'est l'attention constante à ce qui est dans le moment présent.

2. État d'être, écoute, détachement, acceptation, vigilance sur ce qui se vit dans l'ici-maintenant sont les règles de bases recommandées pour être zen, mais aussi pour entendre la voix du cœur.

3. Toucher à cet état zen, qui nous fait franchir l'espace entre la matière dense et celle qui est plus subtile, nous permet également de mieux vivre notre quotidien.

4. Être zen, c'est se relier à Dieu par la voie du cœur pour vivre le moment présent en communion avec le reste de l'Univers. Communiquer avec les plans supérieurs, c'est être aussi en contact avec Dieu par la voie du cœur.

5. La communication subtile n'est pas une action à poser de temps à autre pour chasser notre ennui ou pour combler le besoin d'une présence. C'est un langage à adopter pour faciliter notre incarnation.

6. Loin d'être à l'image d'une potion magique aux effets éternels, l'état d'être requis pour la communication demande assiduité et volonté.

7. Il est plus facile d'atteindre un état zen dans une méditation où les distractions sont moindres, mais c'est en se pratiquant dans toutes les situations de la vie que nous pouvons apprécier les bienfaits de cet état.

8. Le cœur cherche notre évolution, le mental désire le confort.

9. Toutes les étapes font partie du processus de communication et chacune d'elles est toute aussi merveilleuse l'une que l'autre.

Conclusion

La communication est et sera toujours un besoin fondamental de l'âme, incarnée ou non. Durant notre incarnation, elle exprime notre communion avec le reste du monde matériel. Si nous le voulons, elle nous offre encore davantage, soit la communion avec l'Univers. Une telle possibilité nous est tous accessible si nous acceptons de redécouvrir le langage inné du cœur, de notre âme. Oui, l'Univers tout entier aspire à entrer en communication avec nous afin que nous participions encore plus activement, et surtout consciemment, au grand mouvement de la Vie qui est Amour pur. C'est là notre objectif d'âme. Oui, tout l'Univers contribue à intensifier ce désir de communion qui vibre en chacun de nous. Accepterons-nous cette invitation à communiquer, à communier? Oserons-nous aller au-delà de nos appréhensions pour ouvrir notre cœur à cette voix si riche de possibilités? Je le souhaite profondément.

En ces temps d'ouverture de conscience, la poussée énergétique planétaire stimule chacun de nous à redécouvrir sa force intérieure. Les effets de cet accroissement vibratoire sont notoires. Tout autour de nous, nous pouvons observer des changements considérables de mentalité. Des courants rigides de pensée établis depuis des siècles s'adoucissent et deviennent plus libéraux. Des structures autoritaires et intransigeantes adoptent maintenant des modèles moins dogmatiques et plus permissifs. De nombreuses institutions, où régnaient l'emprise du mental, choisissent maintenant l'ouverture du cœur comme ligne de conduite. Certes, l'augmentation du taux vibratoire planétaire contribue à ce changement de mentalité, mais il ne faut absolument pas nier l'effet exponentiel de l'augmentation vibratoire individuelle. Chacun de nous contribue à cette explosion énergétique par tous les petits gestes qu'il pose en ouvrant son cœur. Notre présence sur Terre à ce moment précis n'a donc rien d'un concours de circonstances.

Notre âme a choisi ce lieu et ce moment privilégiés d'incarnation pour bénéficier de l'effet de levier de cette poussée énergétique sur notre taux vibratoire, mais également pour contribuer, par notre ouverture individuelle, à cette poussée planétaire. Elle a choisi d'être ici, à cette époque précise, parce qu'elle a besoin de tout ce que ce moment bien particulier peut lui apprendre et parce qu'elle sait que sa contribution est capitale. C'est l'occasion en or de croître, de se libérer des nombreux boulets qu'elle traîne depuis longtemps, de perfectionner l'apprentissage de plusieurs leçons non encore intégrées et donc de maîtriser sa force intérieure. Pour cela, nous disposons de tous les outils dont nous avons besoin. Le contexte énergétique actuel est propice à l'utilisation de notre plein potentiel intérieur, d'où l'urgence de réapprendre à l'utiliser en toute conscience pour ne pas nous perdre dans le foisonnement actuel de possibilités qui nous sont accessibles.

Nous sommes à l'ère de l'expansion énergétique et cette dernière entraîne avec elle l'expansion des possibilités d'apprendre. Livres, cours, formations, ateliers, conférences pullulent. Nous nous sentons pressés d'apprendre, mais devant un tel éventail d'occasions, toutes plus intéressantes les unes que les autres, nous nous demandons par où commencer. Aussi paradoxal que cela puisse paraître, l'ouverture actuelle de conscience, qui nous semble être une ouverture sur le monde, est d'abord et avant tout une fenêtre sur nous-mêmes, sur notre intérieur. D'ailleurs, tous les outils qui nous sont proposés nous y ramènent. Certes, ces possibilités ne sont pas à négliger pour perfectionner notre intériorisation, mais il est important de les voir comme un apport à notre ouverture de conscience et non comme l'unique clé de ce trésor intérieur. Nous possédons déjà cette clé. Elle est en nous. Aucun individu, aucune technique, aucun livre ne recèle ce pouvoir intrinsèque. C'est en cherchant en nous que le petit coup de pouce extérieur dont nous avons besoin pour franchir un pas intérieur se manifestera. Voilà l'essentiel de ce que l'ère du Verseau désire nous apprendre : devenir maîtres de nous-mêmes. C'est un défi de taille! Cependant, c'est un défi que nous avons tous accepté de relever, autrement nous ne serions pas ici-bas.

Grâce à la communication subtile, nous pouvons faciliter la réalisation de ce défi, car cette dernière nous permet de voir ce qui se trame au-delà des apparences, au-delà de la dualité de l'incarnation. Sans cette vision élevée, il nous est plus difficile de trouver un sens aux événements quotidiens, aux guerres, à la famine, à la pauvreté, à la souffrance et même à la mort. Il nous est également plus ardu de voir la grande perfection dans tout ce que nous vivons et surtout dans tout ce qui se passe autour de nous. Communiquer avec les plans subtils, c'est beaucoup plus qu'échanger avec une âme chère pour combler le vide de sa présence. C'est s'ouvrir à une autre dimension, celle du cœur. De là, tout se transforme, tout prend une autre couleur, une autre apparence. Certes, la communication subtile n'a pas pour effet de nous emmurer dans une bulle de verre où plus rien ne peut nous atteindre. Nous avons choisi cette incarnation parce que nous voulions venir expérimenter la matière. La matière, c'est l'expérience de l'illusion de la dualité avec tout ce qu'elle peut nous offrir. La communication avec les plans subtils ne mettra pas fin à cela, mais elle en diminuera les effets désagréables, comme les sentiments de solitude, d'injustice, d'incompréhension et de non-amour.

À l'heure actuelle, toutes les énergies des plans supérieurs de la Terre convergent vers le passage à la quatrième dimension, celle du cœur; d'où cette urgence que nous ressentons tous à chercher ce qui nous manque, ce qui ne va pas dans notre vie, ce qui lui donnera un sens plus profond. Notre lien avec la matière se modifie. L'étape de la survie est terminée, voire révolue, et le monde matériel n'est plus une menace ni une limitation. Nous n'avons plus besoin d'être emprisonnés dans des cadres rigides ou dogmatiques ni d'être maternés dans toutes les sphères de notre vie, car une petit voix en nous s'élève de plus en plus pour prendre le relais et nous guider à bon port. Voilà ce que les divers grands prophètes qui ont jadis foulé notre sol étaient venus enseigner pour préparer la Terre à vivre ces différents changements de dimension. Certes, il aura fallu plusieurs siècles pour apprendre à descendre dans notre cœur, mais aux yeux de l'âme, cela ne représente qu'un battement de paupières nécessaire pour accéder à sa Lumière.

Toutes ces expériences d'incarnation antérieures nous ont permis d'acquérir la maîtrise des trois premières dimensions : celle de la matière dense (chakra de la base), celle des désirs (chakra du hara) et celle des émotions (chakra du plexus). Nous sommes bien préparés à entrer dans l'ère du cœur pour fouler cette nouvelle énergie qui nous ouvre la voie vers des dimensions encore plus hautes et encore plus lumineuses. Chaque pas franchi élève un peu plus nos vibrations et, par effet d'entraînement, celles de notre entourage. Notre Lumière intérieure prend de plus en plus d'espace, mais inévitablement elle bouscule l'ombre qui nous habite et qui se reflète à l'extérieur. Ombre et Lumière sont des énergies opposées qui s'équilibrent, comme toutes les autres forces dans notre Univers. Toutefois, la dimension du cœur représente ce contact constant avec la Lumière qui nous procure la force et la compassion nécessaires pour illuminer cette zone d'ombre en nous.

Avec l'avènement de cette nouvelle énergie planétaire, nous amorçons les enseignements nécessaires à la maîtrise des énergies du cœur. Voilà pourquoi nous entendons de plus en plus fréquemment ces appels de l'au-delà qui nous disent : «J'aimerais tant te parler». Par l'intermédiaire de notre âme, les plans supérieurs nous exhortent à ouvrir cette dimension en nous pour aller au-delà des apparences, pour dépasser le voile de la matière. Non seulement notre âme a besoin de franchir cette étape de croissance, mais la planète tout entière le réclame aussi. Il s'agit là d'un enjeu crucial dans notre développement individuel et collectif. L'appel du cœur, c'est un appel à l'amour et à l'unité dont nous avons tous besoin pour nous nourrir et poursuivre notre ascension.

Il va de soi que cette étape capitale demande volonté et courage pour sortir de la zone de confort qu'amènent les acquis accumulés dans le passé. Nous devons tous oser sortir des sentiers battus, laisser les vieux modèles qui nous ont permis de survivre et opter maintenant pour ceux qui nous offrent la Vie dans toute son ampleur. Personne ne peut se targuer d'être exempt d'efforts. Nous sommes tous ici pour profiter de cette opportunité énergétique de croître. Cela ne veut évidemment pas dire de rester sur nos lauriers et de se laisser porter par la vague ou enfin d'avoir l'illusion d'être portés par la vague. «Tirer profit» implique de mettre toute notre conscience et notre cœur à contribution dans chacune des expériences qui se présentent durant notre incarnation afin d'en intégrer l'apprentissage. Sortir des sentiers battus, c'est suivre la voie du cœur là où elle nous mène, avec tout le dépassement que cela exige, mais également avec toute la gratification, la joie et la plénitude qui s'y trouvent.

La dimension du cœur est remplie de surprises, d'émerveillement, d'amour et de joie. Cet appel de notre âme, nous l'entendons tous à notre manière depuis un moment. Osons l'écouter pour découvrir le véritable sens de notre vie, pour toucher à notre «être» dans toute sa profondeur et sa Lumière. Nous sommes tous appelés à dépasser l'ère de l'émotivité et du mental. Ce cri du cœur déstabilise et insécurise et pourtant, c'est en osant franchir la barrière de la peur qui nous sépare de l'espace du cœur que nous trouverons la plus grande sécurité que nous ayons jamais trouvé ici-bas : celle de l'amour inconditionnel. Accéder à la dimension du cœur nous offre les plus grandes richesses, celles qui vont bien au-delà des trésors matériels. Osons répondre à cet appel, à ce souhait si profond de communication avec les plans supérieurs. Osons engager la conversation dans l'espace du cœur pour transcender les mondes, pour découvrir la dimension du cœur et toutes les autres auxquelles cette dernière nous donne accès.

Depuis plusieurs années, je me suis permis d'écouter ces voix qui me disaient : «Sylvie, j'aimerais tant te parler.» sans savoir réellement où cela me conduirait. Bien naïvement, j'ai accepté cet appel sans aucunement pouvoir en mesurer la portée. Aujourd'hui, je réalise à quel point tout cela a été une réelle bénédiction dans ma vie. Il est évident pour moi maintenant que je ne serais pas la même si toutes ces communications ne m'avaient pas enrichie ainsi. Je suis tellement reconnaissante envers toutes les âmes et les Êtres de Lumière pour m'avoir invitée, souvent avec forte insistance, à descendre dans l'espace du cœur! Chacune de ces visites m'a tellement nourrie, tellement appris, tellement reconnectée avec mon essence, transformant peu à peu ma vision du quotidien, ma vision de l'ampleur de la vie qui se déroule dans le moment présent. Loin de moi ici l'idée de prétendre que j'ai déjà atteint la maîtrise de la dimension du cœur. Cependant, je réalise que chacune de mes incursions, si brève soit-elle, dans mon temple intérieur, est un petit pas de plus vers ce que je suis, vers cette divinité qui brille en moi et qui ne demande qu'à éclore davantage. Cette vision qui s'élargit ne fait pas de ma vie un long fleuve tranquille sans vague ni remous. Elle est encore habitée de tempêtes et d'accalmies qui sont nécessaires à mon cheminement ici-bas. Toutefois, l'emprise émotive qui autrefois m'enlisait dans des basses vibrations s'amenuise grâce à la vision du cœur. Les défis de la vie ne sont plus des empêchements à mon bonheur. Au contraire, une fois dépassés, ils me permettent de toucher à une joie que jamais je n'avais éprouvée auparavant.

Voilà pourquoi il m'apparaissait si important d'écrire ce livre pour transmettre cet appel de l'âme à découvrir la dimension du cœur. Dans mon premier livre *Ils nous parlent... entendons-nous?*, j'ai tenté de transmettre le désir profond des âmes qui nous entourent à nous voir entrer en communication avec elles, leur besoin d'être accompagnées et soutenues. *J'aimerais tant te parler* se veut porteur de la volonté des plans supérieurs à nous faire découvrir la dimension du cœur pour nous offrir, à notre tour, accompagnement et soutien dans notre incarnation. Nous sommes tous concernés par cette invitation et l'énergie planétaire nous y guide tout doucement. Cependant, nous pouvons accélérer le mouvement en choisissant consciemment de nous ouvrir à cette nouvelle dimension, celles des communications subtiles, celle de la voix de notre cœur, la voix de notre âme. S'il n'est pas possible actuellement de savoir avec exactitude où cette nouvelle dimension nous conduira, nous savons d'ores et déjà en notre for intérieur qu'elle est une porte d'accès vers les autres dimensions et qu'elle est une étape importante dans notre ascension. Transformations, transmutations par l'amour et la compassion restent encore à venir. Je sens déjà ma petite voix intérieure qui m'appelle au dépassement en me proposant de nouvelles communications, celles de la transmission plus spécifique des enseignements de l'archange Gabriel. C'est avec un mélange d'enthousiasme et d'appréhension que je me laisse guider vers cette aventure inédite, sachant que l'expérience sera assurément au service de mon ouverture de conscience. Nouveau défi, nouvelle expérimentation, mais toujours la même base : l'apprentissage de l'état d'être dans l'ici-maintenant.

Mon souhait le plus cher est que nous puissions tous répondre à cet appel des plans supérieurs qui nous demande d'être à leur écoute, à cet appel à franchir la quatrième dimension, à cette demande de l'âme qui aimerait tant nous parler!

Bibliographie

ANDRÉ, Christine, *Éclatante survie*, Agnières, JMG, 1998.

BANCOURT, Pascal, *Le livre des morts égyptien : livre de vie*, St-Jean-de-Braye, Dangles, 2001.

BERNARD, Patrick, *La Protection divine : l'ultime refuge est en nous,* Loretteville, Le Dauphin Blanc, 2005.

BOLDUC, Marie, *L'Ultime choix : le suicide vu par les yeux de l'âme*, Loretteville, Le Dauphin Blanc, 2006.

BOLDUC, *La survie de l'âme*, Loretteville, Le Dauphin Blanc, 1999.

BOLDUC, Marie, *Le couloir des élus*, Loretteville, Le Dauphin Blanc, 1993.

BOUANCHAUD, Bernard, René RACAPÉ, *Miroir : Itinéraire vers soi-même à travers le Yoga- Sûtra de Patanjali*, Paris, Agamat, 1995._

BOUCHER, Paule, *Rêves et télépathie : communiquer par les rêves télépathiques,* Loretteville, Le Dauphin Blanc, 2002.

BOURBEAU, Lise, *Écoute ton corps, ton meilleurs ami sur la terre*, St-Jérôme, Éditions E. T. C., 1987.

BRADDEN, Gregg, *Marcher entre les mondes*, Outremont, Ariane, 2000.

BRUNE, François, *Les morts nous parlent*, Paris, Livre de Poche, 1991.

BUHLMAN, William, *Le Secret de l'Âme*, Varennes, AdA inc., 2001.

CAPONIGRO, Andy, *The Miracle of the Breathe: Mastering Fear, Healing Illness, dans Experiencing the Divine*, Novato, New World Library, 2005.

CARON, Marjolaine, *Je vous donne… signe de vie*, Magog, Marjolaine Caron, 2002.

CHOPRA, Deepak, *Les sept lois spirituels du succès*, Monaco, Éditions du Rocher, 1995.

COELHO, Paulo, *Véronika décide de mourir*, Paris, Anne Carrière, 2000.

DE LA DURANTAYE, André, Francine OUELLET, *La médiumnité, réalité intime et personnelle*, Varennes, Marie-Lakshmi, 1998.

EADIE, Betty J., *Dans les bras de la Lumière*, Paris, Pocket, 1995.

FECTEAU, Danielle, *Télépathie : l'ultime communication*, Montréal, Éditions de l'Homme, 2005.

FIORE, Edith, *Les esprits possessifs : une psychothérapeute traite la possession*, Paris, Exergue, 2005.

FRANKEL, Edna G., *Le Cercle de grâce : fréquence et physicalité*, Outremont, Ariane, 2005.

GABOURY, Placide, *Le Livre de l'âme*, Outremont, Quebecor, 2001.

GAUTHIER, France, *On ne meurt pas*, Outremont, Libre Expression, 2004.

GRATTON, Nicole, *Découvrez votre mission personnelle par les signes de jour et de nuit*, Saint-Hubert, Un Monde Différent, 1999.

GRATTON, Nicole, *La Découverte par le rêve : mode d'emploi pour rendre le sommeil plus créatif*, St-Hubert, Un Monde différent, 2000.

GRATTON, Nicole, *Les rêves spirituels : Comment les reconnaître et les favoriser*, Montréal, Stanké, 1996.

HEINDEL, Max, *La Cosmogonie des Rose-Croix,* Aubenas, Maison Rosicrucienne, 1986.

KARDEC, Allan, Le Livre des esprits (1857), version électronique disponible sur le site www.allen-kardec.com.

KARDEC, Allan, Le Livre des Médiums (1861), version électronique disponible sur le site www.allen-kardec.com

KARDEC, Allan, L'Évangile selon le Spiritisme (1864), version électronique disponible sur le site www.allen-kardec.com.

KARDEC, Allan, Le Ciel et l'Enfer (1865), version électronique disponible sur le site www.allen-kardec.com.

KARDEC, Allan, La Genèse (1868), version électronique disponible sur le site www.allen-kardec.com.

KRYEON et Lee CAROLL, *Le retour*, Outremont, Ariane, 1998.

KÜBLER-ROSS, Elisabeth, *La nostalgie de sa maison*, Paris, Le courrier du livre, 1998.

LABONTÉ, Marie-Lise, *Les familles d'âmes*, Loretteville, Le Dauphin Blanc, 2002.

LABONTÉ, Marie-Lise, *Maître de ses chakras, Maître de sa vie*, Loretteville, Le Dauphin Blanc, 2005.

LAPRATTE, Anick, *Une autre âme dans ma fille : histoire vécue d'une mère confrontée à la possession de son enfant*, Loretteville, Le Dauphin Blanc, 2005.

LEADBEATER, Charles W., *Les aides invisibles*, Paris, Adyar, 1990.

LEKIEN, Bernard, *Comme des papillons : Six messages de l'Au-delà : des récits simples, étonnants et pleins d'espoir pour tous*, Montréal, Du Roseau, 2001.

MILLER, Gladys, *L'écoute de l'âme*, Loretteville, Le Dauphin Blanc, 2006.

MEUROIS-GIVAUDAN, Daniel, Anne MEUROIS-GIVAUDAN, *Chronique d'un départ : afin de guider ceux qui nous quittent*, Plazac, SOIS, 2000.

MEUROIS-GIVAUDAN, Daniel, Anne MEUROIS-GIVAUDAN, *Les neufs marches : L'histoire de naître et de renaître*, Plazac, SOIS, 1999.

MOODY, Raymond, *La vie après la vie*, Paris, J'ai Lu, 1980.

MOUNTAIN DREAMER, Oriah, *L'Appel : découvrez pourquoi vous êtes ici*, Outremont, Les Éditions Logiques, 2004.

NEWTON, Michael, *Un autre corps pour mon âme : souvenirs de voyage dans l'au-delà*, Montréal, Ariane, 1996.

OUELLET, Francine, *De l'amour humain à l'Amour divin*, Varennes, Marie-Lakshmi, 2002.

OUELLET, Sylvie, *Ils nous parlent… entendons-nous ?*, Loretteville, Le Dauphin Blanc, 2004.

POMERLEAU, Sarah-Diane, *Samsarah : L'exploration consciente des passages*, St-Jean-sur-Richelieu, Samsarah, 2001.

POMERLEAU, Sarah-Diane, *Samsarah : L'étoile : un conte initiatique pour adultes*, Montréal, BXX, 1997.

POMERLEAU, Sarah-Diane, *L'au-d'ici vaut bien l'au-delà : la voie initiatique du passage de la mort à la vie consciente,* St-Jean-sur-Richelieu, Samsarah, 1996.

RAINVILLE, Claudia, *La métamédecine : la guérison à votre portée*, St-Julien-en-Genois, Jouvence, 1995.

RICHELIEU, Peter, *La vie de l'âme pendant le sommeil*, Chêne-Bourg, Vivez Soleil, 1991.

RINPOCHÉ, Sogyal, *Le livre tibétain de la vie et de la mort*, Paris, La Table Ronde, 1993.

VAN PRAAGH, James, *S'élever vers l'au-delà*, Varennes, AdA inc., 2000.

WALSH, Neale Donald, *Conversations avec Dieu : un dialogue hors du commun*, Outremont, Ariane, 1997.

WALSH, Neale Donald, *Amitié avec Dieu : un dialogue hors du commun*, Outremont, Ariane, 2000.

WARREN, Johann, Retrouver ses ailes, Loretteville, Le Dauphin Blanc, 2002.

WALSH, Neale Donald, *Communion avec Dieu*, Outremont, Ariane, 2001.

WILLIAMSON, Marianne, *Un retour à l'amour*, Montréal, Du Roseau, 1993.

ZUKAV, Gary, *The seat of the soul*, New York, Simon & Schuster, 1995.

Références internet :

www.anicklapratte.com
www.allen-kardec.com
www.magazinevivre.com

À propos de l'auteure

Titulaire d'un baccalauréat en droit, d'un diplôme en droit notarial et d'un certificat en enseignement, Sylvie Ouellet a pratiqué la profession de notaire durant cinq ans à Rivière-du-Loup, d'où elle est originaire. Puis elle a été enseignante et formatrice au Collège de Limoilou et à l'ENAP. Intéressée par la psychologie, la parapsychologie et la spiritualité, elle a suivi de nombreuses formations et elle mène une quête personnelle depuis plusieurs années. C'est son cheminement intérieur qui l'a amenée à vivre des expériences d'accompagnement auprès des âmes désincarnées. Actuellement, elle est chroniqueuse pour la revue VIVRE pour laquelle elle siège au conseil d'administration. Elle est éditrice adjointe aux Éditions Le Dauphin Blanc. Depuis la sortie de son premier livre, elle donne de nombreux ateliers et conférences relatifs à l'accompagnement de l'âme et à la communication entre Ciel et Terre.

Autre titre :

Ils nous parlent... entendons-nous?

Accompagner l'âme sur l'autre rive

Best seller, ce livre se classe parmi les ouvrages à succès des éditions Le Dauphin Blanc. Dans le cadre de ses méditations, Sylvie Ouellet se sent interpellée par des âmes qui lui demandent son assistance. D'abord surprise et hésitante, elle s'ouvre néanmoins à cette nouvelle dimension de la vie qui se présente à elle. Bientôt, elle ne peut ignorer l'appel à l'aide de ces âmes et elle décide de leur porter assistance. C'est ainsi qu'elle guidera certaines âmes vers la lumière ou qu'elle se fera leur porte-parole pour transmettre un message important à une personne chère. Sans qu'elle les provoque, les appels à l'aide continuent à lui parvenir de l'au-delà. Ce travail d'aide spirituelle stimule chez elle un désir d'approfondir ses connaissances de la mort ainsi que celles de la vie de l'âme. Dans son livre, elle nous livre, d'une part, les expériences d'accompagnement des âmes qu'elle a vécues et, d'autre part, elle nous fournit le fruit de ses recherches et de ses réflexions. Elle inclut, dans son ouvrage, les commentaires qu'elle a recueillis auprès de personnalités reconnues pour leur expérience dans le domaine de la vie de l'âme telles que Daniel Meurois, Marie Lise Labonté et Francine Ouellet.

Ce qui est remarquable dans cet ouvrage, c'est que la façon d'aider ceux qui partent peut s'adresser à tous, quelles que soient leur religion, leurs croyances, leurs habitudes. (...) À travers ce livre-guide, l'auteure évoque avec précision les besoins de l'âme pendant la transition, le pourquoi d'un départ, l'aide que nous apportent ceux qui sont partis...

Extrait de la préface d'Anne Givaudan

Atelier *Accompagner l'âme*

La mort ne met pas fin à la vie et l'âme qui quitte le plan terrestre poursuit sa route. Elle a besoin d'être accompagnée et soutenue dans cette grande transition, mais nous n'entendons pas ses appels à l'aide. Dans l'atelier *Accompagner l'âme*, vous retrouverez le langage du cœur afin de pouvoir répondre aux besoins des âmes qui nous entourent. À l'aide d'exercices simples et pratiques, vous serez guidés tout au long de la journée (de 9 à 17 heures) à suivre la voie du cœur qui ouvre les portes du grand Passage vers la Lumière.

Atelier *Communiquer avec l'âme*

La communication avec l'âme nous semble mystérieuse et souvent inaccessible. Pourtant, nous sommes constamment en contact avec cette énergie qui est notre essence, mais nous l'ignorons. Au cours de cette journée (de 9 à 17 heures), nous réapprendrons à écouter, à décoder et à exprimer ce langage qui est nôtre. Préalable : atelier *Accompagner l'âme*.

Conférences

L'auteure offre également différentes conférences :

- *Et si la mort n'était qu'un passage?* :
  comprendre ce qu'est la mort, ce qui se passe avant, pendant et après ce passage;
- *Ils nous parlent... entendons-nous?* :
  accompagner l'âme dans tous les passages de la Vie;
- *J'aimerais tant te parler!* :
  démystifier la communication entre Ciel et Terre.

Pour obtenir des informations supplémentaires sur l'auteure ou sur ses activités, consultez le site Internet : www.sylvieouellet.ca

Pour communiquer avec Sylvie Ouellet, écrivez à l'adresse suivante : ilsnousparlent@videotron.ca

Imprimé sur du papier Enviro 100% postconsommation
traité sans chlore, accrédité ÉcoLogo et fait à partir de biogaz.